W9-ASM-955
WITHDRAWN

А
АКТЕРСКАЯ КНИГА

Леонид
Утесов
С песней по жизни

ВКТ Владимир

УДК 792.7.071.2(470+571)(093.3)(092)Утесов Л.О.
ББК 85.364.1(2)6-8Утесов Л.О.
У84

Художественное оформление
Григорий Калугин

Утесов, Леонид Осипович
У84 С песней по жизни: [воспоминания] / Леонид Утесов. – М.: АСТ: Зебра Е; Владимир: ВКТ, 2009. – 492, [4] с.: 32 л. ил. – (Актерская книга)

ISBN 978-5-17-056890-1 (ООО «Издательство АСТ»)
ISBN 978-5-94663-731-2 (ООО «Издательство Зебра Е»)
ISBN 978-5-226-01102-3 (ВКТ)

Когда-то я написал свою первую книжку. Мне было тогда сорок лет. Возраст в общем-то зрелый, но теперь я вижу, что был просто мальчишка... Я выслушал немало упреков. Страшно огорчался. Но не умел еще спокойно сказать себе – «поделом» – и отнестись ко всему философски.

Через двадцать лет вышла моя вторая книжка. Тогда мне уже было на двадцать лет больше, и я был уверен, что все понял, во всем разобрался, все пережил и могу беспристрастно посмотреть на вещ.... Но и на этот раз не достиг желаемого. Беспристрастность – не для актера.

Теперь мне снова на пятнадцать лет больше и я написал третью книгу. Я попытался исправить в ней ошибки, промахи и неточности двух первых и иными глазами посмотреть на свои поступки, на свои дела, на свои мечты и их осуществление. И то, на что я не обращал внимания в двух первых, – показалось мне особенно важным и дорогим теперь.

Хотя жизнь у человека одна и ее не переживешь заново, – вот уж где действительно ни убавить ни прибавить, – но я умудрился прожить свою три раза, и она просто не могла остаться без изменений. Когда мне будет сто лет, и я напишу четвертую книгу, – в ней наверно опять многое будет выглядеть по-другому...

От автора

Когда-то я написал свою первую книжку «Записки актера». Мне было тогда сорок лет. Возраст в общем-то зрелый, но теперь я вижу, что был просто мальчишка и не смог трезво и холодно разобраться в своей жизни и своей работе. Я выслушал немало упреков. Страшно огорчался. Но не умел еще спокойно сказать себе – «поделом» – и отнестись ко всему философски. Через двадцать лет вышла моя вторая книжка – «С песней по жизни». Тогда мне уже было на двадцать лет больше и я был уверен, что все понял, во всем разобрался, все пережил и могу беспристрастно посмотреть на вещи. Трезво и холодно проследил я свою жизнь, многое в ней переоценив, чему-то оставшись верным по-прежнему. Но и на этот раз не достиг желаемого. Беспристрастность – не для актера.

Теперь мне снова на пятнадцать лет больше и я написал третью книгу. Я попытался исправить в ней ошибки, промахи и неточности двух первых и иными глазами посмотреть на свои поступки, на свои дела, на свои мечты и их осуществление. И то, на что я не обращал внимания в двух первых, – показалось мне особенно важным и дорогим теперь.

Хотя жизнь у человека одна и ее не переживешь заново, – вот уж где действительно ни убавить ни прибавить, – но я умудрился прожить свою три раза, и она просто не могла остаться без изменений. Когда мне будет сто лет и я напишу четвертую книгу, – в ней, наверно, опять многое будет выглядеть по-другому.

Вы открываете книгу воспоминаний актера и думаете – сейчас начнется обычное: «С самого раннего детства я полюбил театр. Мама повела меня в воскресенье на детский спектакль, и я был потрясен». Ничего подобного вы здесь не найдете. Я в детстве никогда не мечтал о театре. Скажу больше – я в нем даже не был. До десяти лет я мечтал быть пожарным, а после десяти – моряком. К четырнадцати годам музыка победила все, а в пятнадцать я уже работал в балагане. Вы замечаете, какой калейдоскоп? Но это если кратко. А если подробно, то я начну так:

Есть город, который я вижу во сне.
О если б вы знали, как дорог
У Черного моря открывшийся мне
В цветущих акациях город
У Черного моря.

С. Кирсанов

Я родился в Одессе. Вы думаете, я хвастаюсь? Но это действительно так. Многие бы хотели родиться в Одессе, но не всем это удается. Для этого надо, чтобы родители хотя бы за день до вашего рождения попали в этот город. Мои – всю жизнь там прожили.

Я не знаю, кто виноват. Солнце? Море? Небо? Но – под этим солнцем, под этим небом, у этого моря родятся особые люди.

Может быть, виноват Пушкин? Может быть, это он оставил в Одессе «микробы» поэтического и прозаического творчества? Но обратите внимание: Юрий Олеша, Валентин Катаев, Илья Ильф, Евгений Петров, Эдуард Багрицкий, Семен Кирсанов, Исаак Бабель. Лев Славин... – это мальчишки, создавшие, как принято было тогда говорить, «одесский период» нашей литературы.

Среди них затесалась и одна девчонка – Вера Инбер.

Ах, одесские мальчишки! Они не ходят, а бегают, они не говорят, а поют. Их темпераменты, их музыкальность, их поэтические сердца могут накормить весь мир искусством не хуже, чем лепетутники* хлебом.

Эти мальчишки понесли славу нашего искусства далеко за моря-океаны, украсили ее сады прелестными цветами одесского гения.

Как хотите, можете делать со мной что угодно, а я настаиваю: Одесса – лучший город в мире! Поэтому прежде всего я и расскажу вам об Одессе. И если при рассказе о ней не пользоваться хоть в малой степени манерой ее речи, ее образностью, ее порой парадоксальными, полными юмора сравнениями, то вы так никогда и не поймете, что же такое Одесса моего детства.

---

* С одесского «языка» это слово переводится как мелкие комиссионеры и хлебные маклеры.

Как читатель, наверное, заметит, фотографии, относящиеся к началу моей жизни, относятся и к началу века – поэтому они туманны и нечетки. Не отличаются качеством некоторые любительские и фронтовые снимки. Но помня, что лучше один раз увидеть, чем сто раз прочитать, я рискнул поместить их в книгу и очень благодарен работникам типографии, которые сделали все возможное, чтобы читатели все-таки своими глазами увидели облик того времени, о котором я рассказываю.

ОДЕССА
МОЕГО ДЕТСТВА

В старой Одессе было много всего.

У нее были свои романтики, свои сумасшедшие и свои герои.

Но больше всего – музыки.

У каждого хорошего города должно быть свое лицо. Если у города нет своего лица — это не город. А знаете, как можно определить, есть ли у города свое лицо?

Не знаете? Так я вам скажу.

Вы приехали в город впервые, а вам кажется, что вы уже здесь бывали, — значит, у города нет своего лица, он похож на многие другие. Я мог бы вам назвать такие города, но не стоит — жители обидятся. Они любят свой город независимо от его облика. Разве можно не любить мать за то, что она не красавица? Мать любят за то, что она мать. Город — за то, что в нем прошла прекрасная пора детства и юности. Если бы Одесса была не самым лучшим городом в мире, разве я не любил бы ее? Может быть, немножко меньше, но любил. А так как она все-таки самый лучший город, то сами понимаете...

А знаете ли вы, что такое Одесса? Нет, вы не знаете, что такое Одесса! Много есть на свете городов, но такого прекрасного нет. Посмотрите на Одессу с моря. Рай! Посмотрите с берега! То же самое. Да что говорить! Когда одесситы хотят сказать, что кому-то хорошо живется, они говорят: «Он живет, как бог, в Одессе». А попробуйте сказать в Одессе: «Он живет, как бог, допустим, в Нью-Йорке». Вас поднимут на смех или отправят в сумасшедший дом.

Вот что такое Одесса!

Рядом с Одессой Херсон и Николаев, но мы на них смотрим сверху вниз. Одесса – Херсонской губернии! Но это, конечно, анекдот. Подумаешь, Херсон. Весь Херсон не больше одесской Молдаванки. Так Одесса Херсонской губернии! – Можно умереть со смеху.

Губернатор живет в Херсоне. Ей-богу, мне его даже жалко. С таким мундиром, с такими эполетами забраться в такую глушь!

Но не думайте, что Одесса так-таки и согласилась с этим абсурдом. Она Одесса – и она градоначальство.

Одесский градоначальник чхать хотел на херсонского губернатора. Он такой генерал, что смотреть на него так же трудно, как на солнце. Он сверкает, он весь шит золотом. Когда он проезжает в экипаже по городу, благообразные котелки и шляпы замирают в трепетном волнении. Но зато кепки и студенческие фуражки посылают в его сторону такие взгляды, от которых сиденье его экипажа накаляется докрасна. Ах эти кепки, эти фуражки – никакого от них покоя!

И градоначальник в такие тревожные времена готов даже поменяться местами с херсонским губернатором.

Что ему в Херсоне, этому выскочке. Тишь, гладь и божья благодать. А здесь одно беспокойство. Университет, фабрики, заводы, студенты, рабочие, забастовки. Ужас! Надо быть просто сумасшедшим, чтобы взяться за работу одесского градоначальника, да еще в такое смутное время.

Ах, как трудно генералу Толмачеву! Он даже похудел. Мадам Ксидиас – банкирша, будучи на приеме, сделала ему комплимент:

– Ваше превосходительство, вы похудели, это вам к лицу.

«Чтоб ты лопнула вместе со своим банком», – думает генерал, поглаживая бородку а-ля Николай, и произносит любезно:

– Мерси, мадам.

Нет, Толмачеву вовсе не живется, как богу, в Одессе.

Древние мудрецы безоговорочно установили, что Земля держится на трех китах. Вы с этим не согласны – ваше дело. Спорьте.

Но что царь держится на трех китах – это уже бесспорно. Сыщик, жандарм, городовой. Самая колоритная фигура из них городовой. Он всегда откормленный и толстый. Худой городовой такая же редкость, как извозчик в пенсне. Стоит эта оформленная тумба на перекрестке, охраняя покой богатых и внушая страх беднякам. Для мелкого жулика-воришки – гроза. Для крупного ворюги-комбинатора – отец родной. В своем участке знает всех. Богатых по имени-отчеству. Бедных по фамилии или кличке.

В Новый год или на Пасху делает визиты.

В передней звонит колокольчик. Горничная открывает дверь. На пороге он. Усы лихо закручены. Рожа вот-вот лопнет. Запахов – бездна. Изо рта – перегар. От волос – вежеталь. От сапог – деготь. Недурной букет!

– Христос воскресе, Дунечка.

– Воистину воскрес, Ферапонт Иванович. – Поцелуй. Горничная зарделась. Ферапонт Иванович тыльной частью ладони поправляет усы:

– Ваши изволят быть дома?

– Дома, дома. Я сейчас. – Убегает. Через минуту возвращается. – Заходите, Ферапонт Иванович.

В столовой хозяин дома. Если православный, то:

– Христос воскресе! – И поцелуй.

Если нет, то просто:

– С праздником!

– Спасибо, мерси.

Стопка налита. Ферапонт Иванович берет стопку, обязательно отворачивается в сторону, лихо выпивает и, крякнув вместо закуски, произносит:

– Покорнейше благодарим-с.

Левая рука в нетерпении. Сейчас в нее будет вложена основная причина прихода.

– Покорнейше благодарим-с, – говорит Ферапонт Иванович еще раз и несколько иным тоном, а в голове одна мысль: сколько? Рублевка? Трешка? Пятерка?

Он быстро поворачивается налево кругом, одновременно успевая взглянуть, что в руке. Если рубль – твердым военным шагом выходит из комнаты. Если трешка, снова поворачивается лицом к хозяину и говорит:

– Благодарим-с.

Если же пятерка – изгибается в поясе, что при его толщине и солидности не так-то легко, и, улыбаясь, произносит:

– Премного благодарны-с.

После третьего или четвертого визита, повстречав на улице плохо одетого человека, набьет ему морду – для порядка. И вполне удовлетворенный пойдет дальше собирать дань.

Это праздники. А будни? В будни – борьба с крамолой. На вопрос: «Что такое крамола?» – он отвечает:

– Крамола – это рабочие, скубенты, жиды и прочие ливоруционеры. За ними нужен глаз да глаз. Того и гляди где бомбу подложать, а где царский портрет сшибануть. А то, гляди, и с красным флагом по улицам пойдуть. Тут и голову потерять можно. Трудная наша жисть.

Вы думаете, Одесса одна? Нет. Одесс несколько. Это нечто вроде федерации. Центр – одно. Молдаванка – другое. Пересыпь – третье. Слободка – четвертое. Есть еще Бугаевка, Ближние Мельницы. Но это уже маленькие «автономные области».

Центр – это самые лучшие здания, магазины, лучшая одежда и не лучшие люди. Конечно, нет правил без исключения, и здесь тоже попадаются хорошие люди. Здесь есть настоящая интеллигенция, мечтающая о правде и справедливости. Врачи, инженеры, адвокаты, художники, студенты. Нужна революция, думают они.

Банкиры, торговцы, чиновники-«реалисты», – у них мысль иная:

– Что с этого можно иметь?

Есть еще аристократия. Всякие Ра́лли, Маразли́, Радоконаки, А́натра. Это – дворцы, особняки, виллы. Только не подумайте, что они ведут свой «знатный род» от аристократических предков. Их предки были контрабандистами. От турецких берегов на шаландах везли они контрабанду к берегам Одессы.

Они первые «освоили» знаменитые одесские катакомбы. Это были усатые степенные греки, вертлявые итальянцы – смелые и предприимчивые люди, копившие богатства для своих хлипких потомков. Потомки построили дворцы и ведут легкомысленный образ жизни, расшвыривая в риске игры добытое предками.

Молдаванка прямая противоположность центру. Здесь ютится беднота.

В годы реакции люди отсюда бегут, куда бы вы думали? – В Нью-Йорк. На меньшее люди с Молдаванки не соглашаются.

Описывать Молдаванку – это повторять Бабеля. Получится то же самое, только хуже. Во всяком случае, это одна из самых колоритных частей Одесской федерации.

На окраине Молдаванки есть Чумная гора. Для простоты ее называют «Чумка». Здесь происходят крупные кулачные бои. «Стенка на стенку». Район на район. Захватывающее зрелище, где нет зрителей. Все участники. Массовое действо. Всеобщий мордобой. Называется это «кулачки».

Начинают спектакль малыши. И в зависимости от того, на чьей стороне победа, более старшие, якобы вступающиеся за своих побеждаемых, налетают на малышей-победителей как возмездие. Тогда в наступление идут более старшие другой стороны – и так до тех пор, пока в бой не вступят «бородачи». Их схватка длится, покуда в дело не вмешается вызванная пожарная команда, которая из брандспойтов гасит не в меру разгоревшийся одесский темперамент бойцов...

Колька Корено издали с пригорка наблюдает поле боя. Он – «Наполеон». И когда армии под воздействием водяных струй покидают одесское «Бородино», он с чарующей улыбкой, окруженный свитой «корешков», отправляется на свой бульварный «Олимп».

Греческая мифология – миф.

Одесская мифология – действительность.

На одесском «Олимпе» есть бог и божената.

Бог – Колька Корено.

Это не просто бог, а синтез всех богов: грозен, как Зевс. Красив, как Аполлон. Силен, как Геркулес. Кольку боится вся Одесса.

Он – городской бог. Но есть и районные боги. На Молдаванке – Исаак-Большой кулак и поверженный им в прах Мотл-Дешевка. На Пересыпи – Юрка Конский. Он тоже экс-бог. На Слободке – Беня Буц.

Но и каждая улица имеет своего божка. Бог и боженята отстаивают свое могущество и утверждают свое величие в кулачных боях. Любой смельчак, претендующий на божественный престол, может подойти к богу с предложением:

– Стукнемся один на один?

И бог не вправе отказаться.

Бои происходят вечером, когда тусклые газовые фонари едва освещают «арену боя».

Великий Мотл-Дешевка свалился под тяжестью удара, который ему нанес Исаак-Большой кулак. Вся Молдаванка была взволнована этим событием. Эти поединки – символ самого бескорыстия, дело чести. Шутка ли сказать – Мотл-Дешевка не бог! Ужас!

Но Колька Корено не боится конкурентов. Да и нет таких. Он безраздельно царит на кулачном «Олимпе».

У него своя когорта. Компания «Не журись». Быть в этой когорте – мечта всех бездельников и лентяев. «Корешки» готовы для него на все.

Ах, как он красив, этот Колька Корено! Высокого роста, грек! Ловок, как черт. Улыбчив, как Джиоконда. Он сидит на бульварной скамье и властным голосом отдает команды: «Принести», «Унести», «Привести», «Отвести». И «корешки» приносят, уносят, приводят, уводят.

Нет, что ни говорите, Одесса все-таки город богов.

Пересыпь и Слободка – рабочие районы.

На Слободке живут Ивановы, Петровы, Антоновы. На Пересыпи – Иваненко, Петренко, Антоненко.

Слободские разговаривают на «о», стрижены «под скобку», торгуют квасом и мороженым вразнос.

Пересыпские тяготеют больше к морю. Их специальность – рыба. Говорят с прибаутками и украинским акцентом. И те и другие усвоили обороты речи общеодесские: «тудою», «сюдою», «не пихайтесь». Вместо «куда» говорят «где». Например, не «куда вы идете?», а «где вы идете?»

На Слободке и Пересыпи основная часть населения – работяги. Заводские рабочие – с заводов Гена, Шполянского и других промышленных предприятий. Здесь зреет будущее.

Университет далеко. Студенты живут в центре. Но почему их здесь так часто встречаешь? Почему, идя по улицам, слышишь, как люди мурлычат себе под нос «Марсельезу», «Вихри враждебные», «Вы жертвою пали»?

Здесь другая Одесса. Одесса веры, надежды, любви. Веры в будущее. Надежды на лучшее. Любви к человеку. Вот откуда начнется буря. Вот где одесский городовой боится потерять голову. Генерал Толмачев сюда не заезжает. Он знает, что сюда можно приехать в карете и уехать на катафалке.

Самая желанная литература здесь – прокламация. Самый желанный человек – социалист. Люди Пересыпи и Слободки еще слабо разбираются, в чем разница между эсерами и эсдеками. Лозунги «В борьбе обретешь ты право свое» и «Пролетарии всех стран, соединяйтесь!» звучат для них одинаковым призывом к борьбе. Им важно одно: «Долой царя!», «Да здравствует революция!» Вот почему гордо реет буревестник!

Не в воздушных просторах. Мощной стальной грудью рассекает он волны Черного моря, плывя к берегам Одессы. И зовется он «Потемкин».

Тельняшки! Почему за вашим пестрополосатым узором горят сердца? Бескозырки! Почему под вами вскипают бесстрашные мысли? Матросы! Почему с ваших соленых, обветренных губ срываются слова: «Долой палачей! Свобода!» На борту сраженный смельчак – матрос Вакулинчук.

«Потемкин» идет к Одессе. «Потемкин» больше не служит царю. Он служит революции.

Одесса в смятении. Котелки и шляпы в ужасе. Платочки и кепки в волнении.

«Потемкин» стоит за волнорезом на рейде. Вакулинчук лежит в палатке на молу. «Один за всех и все за одного» – надпись на груди Вакулинчука. Бесконечной вереницей тянутся к палатке рабочие, портовые грузчики, студенты, гимназисты.

Потемкинцам надо есть. Надо пить.

Одесса! Дай героям пищу, дай воду.

Но все это в руках у «отцов города», а им не по пути с буревестником. Они хотят измором взять непокорившихся.

Не выйдет...

На шаландах и яликах с Пересыпи, с Малого, Среднего и Большого Фонтанов рыбаки, рабочие везут «Потемкину» все, что могут оторвать от своих скромных запасов. Делятся последним. Мало, мучительно мало.

Тогда пушки – на центр города.

Революция ставит ультиматум: «Или вы нам пищу, или мы вам залп».

Подействовало.

«Потемкин» разворачивается, поднимает красный флаг и, простившись поднятыми бескозырками, гордо уносит свою славу в даль времен...

...Мне и не надо было ходить в театр. Он был вокруг меня. Всюду. Бесплатный – веселый и своеобразный. Театр оперный, драматический и всякие другие – не в счет. Там за деньги.

Нет, другой – подлинная жизнь, театр, где непрерывно идет одна пьеса – человеческая комедия. И она звучит подчас трагически.

В каждом городе есть свой городской сумасшедший.

Одесский городской голова – не голова.

Городской сумасшедший Марьяшес – голова. Марьяшеса знают все.

Он своеобразная гордость Одессы – высокий человек с надменно поднятой головой. Поношенный костюм, котелок и увесистая палка. Быстрая походка и безостановочно движущиеся губы. Он почти бежит. Бежит и шепчет: «Восемнадцать, восемнадцать,

восемнадцать...» Вслед за ним, не отступая, стайка мальчишек:

— Восемнадцать! Восемнадцать! — кричат они ему вслед. Некоторые даже отваживаются дернуть сзади за пиджак. Он гневно поворачивается и замахивается палкой. Мальчишки с диким хохотом бросаются врассыпную.

Судьба этого человека страшна.

Причина сумасшествия — государственный экзамен по математике. Он единственный решил труднейшую задачу и, выкрикнув «восемнадцать», навсегда сделал это слово лейтмотивом своей жизни.

— Восемнадцать, восемнадцать... — твердит Марьяшес.

— Восемнадцать! Восемнадцать! — кричат мальчишки. — Вот идет Восемнадцать, — с грустью говорят взрослые.

Марьяшес может сделать все, что взбредет в его воспаленный мозг. Он заходит в любое кафе. Ему подают все, что он пожелает. Все счета оплачивает его брат — врач.

Когда Марьяшес сидит в кафе, одесситы пользуются случаем, подходя к нему, задают вопросы.

Он быстро поворачивает голову к вопрошающему и, глядя куда-то в сторону, всегда отвечает лаконично, но точно. Ответ звучит односложно между очередными «восемнадцать».

— Господин Марьяшес, что такое индифферентность?

— Восемнадцать... восемнадцать... — Безразличие, равнодушие. — Восемнадцать... восемнадцать...

Это театр трагедии. А самый веселый театр — на базаре.

Базаров несколько: «Старый», «Новый», «Привоз».

Раздражающее обилие. Все есть, и всего много. Но больше всего крика, ругани, проклятий. На всемирных состязаниях по этим видам «спорта» одесские торговки заняли бы первое место.

– Бабочки, посмотрите, какая дамочка идет. Красавица. Муж должен быть с ею счастлив. Мадамочка, возьмите у меня рыбу. Смотрите на эту скумбрийку. Это же качалки. Красавица, возьмите.

– Почем ваша скумбрия?

– Гривенник десяток.

– Дорого.

– Вам дорого, так снимите платье, кидайтесь у море и ловите сами – так вам будет бесплатно. Бабоньки, посмотрите на эту конопатую, она думает, что она красавица. А ну, бабоньки, возьмите ее на «тю».

– Тю-у-у! – орет весь рыбный ряд.

Когда нет покупателей, торговки ссорятся между собой.

Одесса город хлеба. Отсюда по морям всего мира идут пароходы. Они везут добро Украины (или, как тогда говорили, Малороссии) повсюду. Одесса – это широко раскрытые ворота русской житницы.

Одесситы любят не только есть хлеб, но и продавать. Хлебные экспортеры, хлебные маклеры – широко распространенный в литературе образ одессита.

В чесучовых костюмах, белых пикейных жилетах и соломенных канотье – иногда кажется, что это своеобразная воинская часть, одетая в нелепую военную форму. Это и есть лепетутники.

Есть в Одессе и место, где делаются эти сделки, – биржа. Это одно из красивейших зданий в городе. Вот история этого здания, как рассказывают ее потомки лепетутников.

В свое время экспортеры и банкиры при поддержке лепетутников выписали из Италии архитектора Бернардацци.

– Бернардацци! – сказали ему, – надо построить биржу, но зал должен быть такой, чтобы не было никакой акустики. Если два человека разговаривают между собой – чтоб рядом стоящий ничего не слышал. Так нужно для дела.

И Бернардацци построил зал без акустики.

Теперь в этом зале сделали... филармонию.

Другое действующее лицо театра Одессы зовется Доктор. Никто не знает, сколько ему лет. Когда одессита спрашивают:

– Скажите, сколько лет доктору Копичу? – он отвечает:

– Я знаю? Сто, двести, триста.

Доктор Копич очень стар. У него самая большая и самая седая борода в Одессе.

Доктор Копич очень добрый и хороший человек. Он театральный врач. Представить себе Одесский городской театр без доктора Копича невозможно. Поговаривают, что театр сдается антрепренерам в аренду с буфетом, вешалкой и доктором Копичем.

Театра еще не было, а доктор Копич уже был. Он помнит самого Айру Олдриджа, гениального негра-трагика.

– Ах! Как он играл. Разве вы, теперешние, можете себе представить! Когда он душил Дездемону, все одесские дамы, которых мужья подозревали в измене, падали в обморок, и я бегал от одной к другой давать валерьянку. Вот это было искусство.

– Скажите, доктор, а Дюка де Ришелье вы помните?

– Вы знаете, мне очень трудно запомнить всех одесситов, но его я, конечно, не помню.

Доктор Копич очень скромный человек. Все одесские врачи берут за визит рубль и даже два, а доктор Копич берет за визит двадцать пять копеек. Он приходит к больному и ставит своеобразный диагноз: нужно или не нужно звать врача. Если не нужно, что бывает чаще, то расход ограничивается двадцатью пятью копейками, если же все-таки нужно, то уже и рубля не жалко. Во всяком случае, многие на этом экономят и очень любят доктора Копича.

В Одессе всего много. Но больше всего музыки. Петь начинают с утра.

Наш двор, например.

Летнее утро. Ласковое одесское солнце. Воздух – напиток. Если его пить, закусывая дарами земли, получается неплохо. А дары сами идут к тебе. Каждый двор по утрам – базар. Музыкальный.

– Кавуно-ов, на разрез кавуно-ов! – истошно орет бас.

«Вишня спела, вишня зрела –
Три копейки фунт.
Мадамочки, спешите,
Тарелочки несите.
Три копейки фунт!
Мадамочки, я вам,

Ой, дешево отдам –
Три копейки фунт!»

В этой арии надрывно заливается тенор.

Потом в дуэт вплетается баритон:

– Са-ахарно моро-ожено!

– Точить ножи-ножницы! Бритвы править! – степенно выводит под скобку стриженный белорусский парень.

– Старещипаем... старещипаем... – что означает: «старые вещи покупаем».

Далекие и близкие страны шлют своих послов-коробейников в Эльдорадо-Одессу. И каждый со своим мотивом. Вот высокий голосок речитативом выговаривает:

– Туплы (что значит: туфли) грецески, губика разнии, – это «посол» Греции.

– Селх-цисуца, – вторит ему китайское стаккато.

Нет ничего удивительного, что я полюбил музыку с детства.

Кажется, что в Одессе все дети учатся играть на скрипке. Трехлетние люди еще не знают зависти, не то бы я завидовал этим гордо шагавшим по улице мальчикам с оттопыренными музыкальными ушами, которые несли в одной руке скрипичный футляр, а в другой папку с нотами.

Каждый папа мечтал, что его сын станет знаменитостью. Некоторые даже и не интересовались, есть ли у их мальчиков музыкальные способности.

– Зачем вы хотите учить своего сына музыке? Ведь у него нет слуха! – говорили такому папе.

– А зачем ему слух? Он же не будет слушать, он будет сам играть.

Кто сказал, что конвейер изобрел в Америке Форд? Неправда. Конвейер изобрел в Одессе Столярский. Конвейер талантов.

Конечно, и до Столярского Одесса выпускала таланты. Но то была кустарщина, а Столярский поставил это все на широкую ногу. Он, как никто, понимал детскую душу, умел ее настроить на музыкальный лад и вести к вершинам скрипичного мастерства, которым сам владел не очень искусно.

Человек невысокой культуры, он нес в себе большое сердце художника. Существует много анекдотов о Столярском. Большинство из них о том, как он смешно говорил. Но даже сквозь все эти анекдотические нелепости проглядывает настоящий Человек. Ему Одесса обязана славой своих скрипачей.

Мой папа не мечтал сделать меня великим музыкантом. А я в три года еще не знал, что есть такая профессия – скрипач. Просто однажды я заметил, что на нашей лестничной площадке живет человек, который все время играет на скрипке. Гершберг был, наверно, хорошим скрипачом. Но вопросы престижа меня тогда не занимали. Главное, что он играл. А я плашмя ложился у его дверей, прикладывал ухо к нижней щели и упивался. Видя меня часто в этом положении, все догадывались, что я люблю музыку. Несколько позже я и сам догадался, что у меня к ней просто болезненная любовь.

Но я не только полюбил ее с трех лет – года через два я начал зарабатывать ею деньги...

У наших соседей был фонограф с круглыми валиками. На одном из валиков была записана ария Ленского. Я услышал однажды эту арию и, черт меня знает как, запомнил ее со всем оркестровым сопровождением и музыкальными паузами. Скоро это стало моим «доходным делом».

Папа тоже любил музыку, хотя и не лежал рядом со мной под дверью у Гершберга. Но когда приходили гости, он ласковым тихим голосом говорил:

– Ледичка, а ну-ка! – Я уже знал, что должен петь арию Ленского. В фонографе не очень четко были слышны некоторые слова, так я пел, как слышал: «Куда, куда вы увалились, златые пни моей весны?» И эти «пни» приносили солидный доход: за исполнение папа давал мне три копейки, – для начинающего певца немалый гонорар. Правда, в то время я еще не знал, как разнообразно его можно истратить. Я еще ни о чем не мечтал. В пять-шесть лет какие мечты могут быть у мальчика, кроме как о сластях! Тем более что дома на сладкое мы всегда получали пол-яблока или полпирожного – наверно, чтобы не потерять вкус к жизни. И действительно, сладкое даже в более солидном, например, десятилетнем, равно как и семидесятилетнем возрасте оставалось для меня самым большим соблазном.

Однажды, когда мне было лет двенадцать, я стоял у изгороди открытого ресторана на бульваре и слушал музыку. Глаза мои машинально уперлись в капитана торгового флота, сидевшего за столиком с женщиной, очень красивой, в нарядном платье и огромной шляпе. Капитан взглянул на меня и спросил:

– Ты что так смотришь, мальчик?

– Я думаю.

– О чем?

– Наступит ли когда-нибудь время, когда я сяду в ресторане за стол и потребую, чего захочу.

– Конечно. И даже быстрее, чем ты думаешь. Прямо сейчас. А ну-ка иди сюда.

Я смущенно замотал головой, но капитан подбадривал. Обогнув изгородь и стараясь не попадаться на глаза официантам, я пробрался между столиками к капитану.

– Садись. Как тебя зовут? А руки со стола сними. – Он подозвал официанта. – Ну, чего же ты хочешь?

Я нерешительно молчал и думал, как бы не ошибиться. Официант начал уже переминаться с ноги на ногу – так долго я размышлял.

– Ну? – терпеливо спросил капитан.

Я решился и выпалил:

– Мороженого на двадцать копеек!

Спутница капитана рассмеялась. Капитан улыбнулся. Даже официант что-то хмыкнул. Я не понял почему, но, может быть, их удивила эта лошадиная порция.

Принесли мороженое, и я съел все без остатка.

– Ну, а еще чего?

Я разошелся – кутить так кутить:

– Еще мороженого на двадцать копеек!

И в третий раз, как во всякой порядочной сказке, спросил меня капитан, чего я хочу. Я встал, поклонился и сказал:

– Спасибо. Больше я уже ничего не хочу.

Капитан был недоволен. Предел желаний человека обошелся ему всего в сорок копеек. Он меня почти презирал.

– Ну так слушай, – сказал он. – Дед нашего одесского Дюка был маршалом. Однажды он подарил внуку сорок золотых монет. А через десять ней захотел дать еще. Но внук показал ему нетронутые золотые. Старик рассвирепел, схватил деньги и выбросил их за окно нищему. «Вот вам деньги, – крикнул маршал, – которые мой внук не сумел потратить за десять дней».

Эту историю я смог оценить позже, тогда же она была для меня слишком замысловатой. Но, может быть, капитан и рассказывал ее не столько мне, сколько своей спутнице.

В первой моей книжке эта история заканчивалась словами: «Больше я никогда не встречал этого человека». А следовало бы закончить иначе. Я его встретил. Спустя много лет. В Париже.

Он стоял у дверей русского ресторанчика «Мартьяныч» и внимательно разглядывал вывешенное у дверей меню. Что-то привлекло в этом человеке мое внимание: старая потертая фуражка российского флота? Бородка клинышком? Усы с завитком? Почему мне знакомо все это? И вдруг передо мной всплыла картина: бульвар, столик, капитан, дама, шляпа... и мороженое, лошадиная доза.

– Простите, – обратился я к нему, – вы бывший моряк?

– Это нетрудно угадать, – сказал он, поправляя фуражку.

– Вы плавали на Черном море?

– Как же, в добровольном флоте.

И вдруг я скороговоркой, безмерно волнуясь, начал задавать ему вопросы, один за другим:

– Вы помните Одессу? Бульвар? Ресторан? А я был мальчик? Я мечтал о мороженом? И вы меня угощали?

В глазах его не появилось никаких проблесков воспоминаний.

– Ну, вы еще были с очень красивой дамой.

– Да, да, – как-то печально оживился он, – она умерла, моя жена...

– Почему вы здесь? Почему вы уехали?

– Да я не хотел уезжать... Это она все – едем, едем. Очень испугалась... Вот и уехали. Обидно. Я никогда не был в белой армии. Уехали, а потом мучились, мучились. Она ушла навсегда, а я остался и продолжаю мучиться. Сколько я испытал унижений, горя...

– Ну а меня вы помните? Мальчик Ледя?

– Нет, не помню...

– Но все равно, я у вас в долгу. Скажите же мне, что я теперь могу для вас сделать?

– То же самое, исполнить мечту, только уж, конечно, не о мороженом.

Мы вошли в ресторан.

– Чего бы вы хотели?

Он долго думал, боясь ошибиться в выборе. Официант уже переминался с ноги на ногу.

– Свиную отбивную, – наконец решился он.

Когда свиная была жадно съедена, я спросил:

– Ну а еще чего вы хотите?

– Répéter, – сказал он, улыбнувшись.

Его еда стоила шесть франков. А так как франк в то время равнялся восьми копейкам, то его мечты были дороже моих детских желаний всего на восемь копеек.

Вот как бывает! Неограниченные возможности приходят к людям либо тогда, когда они не понимают, что с ними делать, либо тогда, когда им мало нужно.

– Может быть, вы хотите вернуться на родину? Я могу попытаться выхлопотать вам разрешение. Хотите? – спросил я его.

– Ах, уже поздно! Благодарю вас, – сказал он, взглянув на часы, висевшие на стене. Но я понял, что это больше относилось к моему вопросу, чем к стрелкам часов.

Он попрощался и ушел.

Я, кажется, оказался уже в Париже, а еще не все рассказал об Одессе...

Лет в семь-восемь я понял, что лежать под дверью, даже и великого скрипача, неудобно. Став человеком более или менее самостоятельным, я бегал с Дегтярной улицы, на которой мы жили, на бульвар, к памятнику бережливого Ришелье – это полчаса пути – только затем, чтобы послушать оркестры.

Одесский бульвар – это еще одна гордость одесситов. До революции он назывался Николаевским. В честь какого Николая он получил это название – не знаю. После революции ему было присвоено имя Фельдмана. Фельдман – революционер, принимавший участие в восстании «Потемкина».

Рассказывают анекдот.

Человек садится на извозчика.

– Куды ехать?

– Бульвар Фельдмана.

– Куды?

– Бульвар Фельдмана.

– Какого Хвельдмана?

– Ну, Николаевский бульвар.

– Н-но!.. Вот уж двадцать пять годов по Одессе ездию, а не знал, что Николая була фамелия Хвельдман.

Если стать лицом к морю, то справа – здание городской думы, в классическом стиле. Слева – Воронцовский дворец. Здесь бывал Пушкин. Прямо перед вами порт. Там всегда шумно и весело. С бульвара в порт ведет знаменитая лестница. Рядом с ней – фуникулер. (Если сказать в Одессе это слово – никто не поймет, о чем идет речь. Его просто называют «подъемная машина». Так одесситам кажется короче и понятней.) Вниз – две копейки, вверх – три. Вниз почти никто не ездит. Зачем? Сойти по лестнице вниз просто удовольствие. Вверх тоже не очень много желающих. У веселых одесситов – крепкие сердца. И подъемная машина – вовсе не золотое дело.

Днем на бульваре немного народу. Но те, что сидят на скамейках напротив «Лондонской» (гостиницы, разумеется), наблюдают «красивую жизнь». «Лондонская» – это шикарно. Здесь останавливаются знатные иностранцы, свои миллионщики, кутилы-воротилы, помещики и другие баловни жизни.

К вечеру на бульваре появляется публика, и начинается бесконечное торжественное шествие «от Думы до Воронцова» и обратно. Идут сплошной массой, наступая передним на пятки. Барышни, молодые люди, гимназисты, гимназистки, служащие – все здесь.

Бульвар! Бульвар! Скольких людей ты сделал счастливыми, соединив навеки, и сколько – несчастными, сделав то же самое.

Музыки на бульваре – хоть отбавляй.

В центре круглая оркестровая площадка. Здесь играет духовой оркестр. Справа от него, в ресторане с навесом, – итальянский. Слева, в пивной без навеса, – румынский. Друг другу они не мешают. Играют в очередь.

Духовым дирижирует военный капельмейстер. Иногда, в качестве гастролера, «сам Давингоф». Я вам его нарисую: худой стройный человек. Вертлявый.

Черные усы, лихо закрученные «по-вильгельмовски». Маленькая бородка того же цвета. На голове всегда огромный белый колпак, примятый вроде берета.

Он, конечно, музыкант и, если хотите знать, даровитый. Дирижирует в чрезвычайно оригинальной манере. Движения ритмичны и своеобразны. На месте не стоит. Пританцовывает, а иногда просто танцует. Его специальность – вальсы, особенно Штрауса. Тут он великолепен. Он выдумщик. Однажды решил дирижировать, сидя на белой лошади. Музыканты были в ужасе. Кончилась затея печально. Лошадь попалась антимузыкальная и при первом аккорде фортиссимо вздыбилась. Всадник свалился. Правда, в темпе, но лошадь покалечила нескольких музыкантов. С этого злополучного концерта одесситы стали называть Давингофа «Марьяшес Второй». Бедный Давингоф? Он не дожил до джаза, вот где мог бы развернуться его веселый талант! Итак, оркестры играли по очереди. А я метался между ними.

Все три оркестра были хороши, все мне нравились – и задушевные румынские скрипки, и задорные, томительные неаполитанские мелодии, и мощные звонкие трубы, игравшие марши, вальсы, увертюры. Весь их репертуар я знал наизусть и часто дома распевал мелодии, стараясь передать особенности звучания каждого оркестра. Отец любил, когда я пел, хотя не имел ничего общего с искусством. Он был экспедитором и отправлял товары на пароходе из Одессы в Херсон. И большую часть дня проводил в порту.

Одесский порт славился не только знаменитой лестницей, ведущей из города в порт, но и эстакадой. Эстакада – это нечто вроде нью-йоркской надземной дороги. Конечно, меньше шума, но больше веселья.

Под этой эстакадой творились развеселые дела. Во всю ее длину в маленьких домишках ютились харчевни, которые трогательно назывались «обжорками». Здесь одесская портовая босячня жила, «как бог в Одессе». Меню: «порция гейши» и «пара чаю».

Вы, конечно, хотите знать, что такое «порция гейши»? Полселедки, вареная картошка и черный хлеб (сколько угодно).

Дальше – выход на набережную. Кавун – одна копейка. Удар о причал, сердцевина – в пищу, остальное – в море. Ну действительно, чем не бог в Одессе? Одежда бога – рваные парусиновые штаны и мешок с прорезями для головы и рук.

Под эстакадой сидят бог и неудачник.

Бог одет по вышеуказанной моде, неудачник – почти голый. Все пропито. Осень.

«Бог. Сирожа, что ты дрожишь?

Неудачник. Холодно.

Бог. Ничего, было время, у меня тоже не было, что надеть...»

О! Порт. Твои запахи преследуют меня с детства. Терпкий запах каната и смолы. Одуряющий запах причалов. Картавая – и мягкая, и твердая речь. Ругань на всех языках мира. Шум погрузки, звон якорных цепей и протяжные вопли гудков.

И, может быть, после портового шума отцу было приятно слушать нежный детский голос сына. Не знаю, что думал он тогда о моем будущем, но, когда я попросил его отдать меня учиться играть на скрипке, он не возражал, потому что никак не предполагал, что музыка станет моей профессией. Это бы противоречило традиционному представлению нашей среды о солидности профессий, где на первом месте стоял инженер, потом шел доктор, за ним адвокат. Это были вполне надежные профессии, но главное их достоинство заключалось в том, что они давали право жительства за чертой оседлости. Таким правом пользовались еще и проститутки. Была даже написана и шла в театре пьеса о честной девушке, которая зарегистрировалась проституткой, чтобы иметь паспорт и учиться в Москве.

Итак, в скрипке отец никакой опасности не видел, иначе он бы не согласился так легко. А он сказал только:

– Скрипач! Это ерунда или дело? Почему у других дети хотят учиться на доктора или, например, на присяжного поверенного?.. У других все, как у людей, а у меня черт знает что. Ледя, выбей это из головы! – Но это было сказано так, для проформы, для поддержания родительского авторитета. Он так хотел, чтобы его дети имели надежную профессию: переживания одной страшной ночи не давали ему покоя. Он приехал в Петербург по делам и попал в облаву. Не имеющим права жительства это грозило штрафом и высылкой на родину по этапу. Для людей, подобных моему отцу, это казалось страшным кошмаром. Он выбежал на улицу, полный страха, унижения, отчаяния. Всю ночь он бегал по огромному, холодному, незнакомому городу, неприкаянный и беспомощный. Он не смел ни замедлить шагов, ни присесть на скамейку, боясь привлечь внимание городового. Ощущение той ночи, ощущение беззащитности никогда не стиралось в его памяти. Потому-то, как ни был отец мягок по натуре, он сумел выдержать борьбу с жизнью. Пусть сам он был «человеком воздуха», но все его дети получили образование и профессии, придающие человеку в жизни уверенность. Все, кроме меня, но ведь там, где в дело вмешивалась музыка, искусство, — ничего нельзя предугадать заранее.

Живя в таком веселом городе, как Одесса, казалось, никогда не узнаешь страха. Но я испытал его уже лет в шесть. Распевая арию Ленского, я был уверен, что жизнь удивительно хороша, что она сладка, как пирожные. Без опасения смотрел я на мир широко открытыми глазами: все казалось мне незыблемым, прочным — строгая мама, добрый папа, серьезный брат, чинная сестра. Все они вечны и всегда будут со мной. Откуда же было взяться страху?! Даже инстинктивному. Я словно был лишен этого чувства, хотя всякое живое существо должно его испытывать.

Но однажды я стоял на балконе двухэтажного дома. Солнце золотило верхушки акаций. Где-то высокий женский голос с незатейливыми руладами выводил популярнейшую песню «Маруся отравилась». Я не понимал, что значит «отравилась», мне казалось, что это что-то очень хорошее, сходное с «натанцевалась», «наелась», «нагулялась». Я вообще еще не знал, что на свете есть плохие слова.

Вдруг за углом раздался истошный вопль. У меня сжалось сердце от незнакомого ощущения — стало так тоскливо, как бывает, когда солнце закрывает черная туча. Я и сейчас помню этот первый миг страха.

Ничего не понимая, я увидел, как из-за дома показался усатый городовой. Одной рукой он держал за шиворот молодого парня, а другой, сжатой в кулак, неистово, с остервенением бил его по лицу, не глядя, куда кулак попадет — в нос? в глаз? в рот? Лицо парня было окровавлено.

Я впервые увидел столько крови. Потом в жизни было много жестоких впечатлений, но почему-то, когда мне бывает страшно, передо мной встает толстый городовой и кровь на лице парня.

Это был первый страх. А потом пошло.

...По улицам проходила манифестация. Рабочие, студенты, красные флаги. Лозунги: «Да здравствует революция!», «Долой самодержавие!», «Пролетарии всех стран, соединяйтесь!» На лицах восторг – царь издал манифест: свобода слова, свобода собраний и много всяких других свобод. Люди поверили. Свобода! Свобода! Великий день! – Радость, ликование, небывалый праздник.

Только недолго он длился. Настало утро следующего дня. Утро как утро. То же одесское солнце. То же небо. Спокойное море. И – страшный мрак. Мрак насилия. Осуществление царской свободы. Это так неожиданно после вчерашнего дня радости!

Город замер в ожидании чего-то... Пустынная улица. Городовой. Но что с ним? Почему он топает ногами и размахивает руками? Он танцует? Подойдите поближе. Что такое? Он поет? Нет, он кричит – надрывно, истошно:

– Бей жидов! Бей жидов!

Люди бегут. С неестественной от страха быстротой.

– Бей жидов! – орет городовой-запевала, и за поворотом уже нестройный хор диких голосов отвечает:

– Бе-е-ей жидов!

Из-за угла появляется человек. Высокий, светловолосый, усы сливаются с бородкой. Страдальческий взгляд и струйка крови у рта. Он силится бежать, но может только переставлять ноги, подтягивая одну к другой.

Из-за поворота появляется процессия. Два огромных верзилы несут портрет царя и образ Христа. Но что это? На кого похож Иисус? – Да вот на этого страдальца со струйкой крови у рта, бессильно переставляющего ноги.

– Бей жидов! – Удар – и образ спокойно взирает с высоты на распластанное тело. В который раз.

Плохо богу в Одессе.

Люди уходят в погреба. Люди прячутся, старики, дети.

Молодежь, в самооборону!

Кто эти люди, несущие образ Христа, хоругви, портрет монарха, украшенный вышитыми крестом полотенцами? – Одесские охотнорядцы, ненавидящие еврея-конкурента. Деклассированная босячня. Обманутые тупицы. Царизм знает, что делает.

А там, на Молдаванке, там еще страшнее. Пух из перин снежной пеленой застилает дома и улицы. Крики ужаса, мольбы о пощаде, дикий хохот, кровь, выстрелы.

Как? И это все без музыки?! В Одессе без музыки?

Нет, с музыкой. Вон с балкона третьего этажа летит пианино. Бац о тротуар! – Такого аккорда не услышишь никогда.

– Бей! Бей!

Будьте вы прокляты, люди, которые не люди.

Но тут же рядом – настоящие: они прячут преследуемых в своих домах. Выходят из ворот, в руках иконы.

– Жиды у вас есть?

– Да что вы, какие жиды, тут только православные живут, вот тебе святой крест!

Ложь! Святая ложь. – Спасибо вам за эту ложь, честные настоящие русские Человеки!

Конечно, я был сорванцом и буйной головой. «Усидчивые» игры были не для меня. Война, индейцы — вот что было мне по душе. Самое спокойное занятие — это прогулки по Одессе.

Четверо дружков, мы шли обычно по улице, разговаривали, а чаще громко пели какой-нибудь военный марш. Как правило, каждый вел свою партию, изображая тот или иной инструмент в оркестре. Один делал бас-геликон: «Га-га-га». Два мальчика изображали две трубы, играющие секунду, как аккомпанемент. А я всегда вел мелодическую линию марша, подражая баритону или кларнету. И всегда это было у нас ритмически точно. Ей-богу, одесские мальчишки иначе не умели.

У нас была своя этика, свои законы. Если кто-нибудь во время такой прогулки замечал на тротуаре или на дороге какой-нибудь ценный предмет или деньги, а другие не видели, то счастливец наступал на найденную вещь и произносил заклинание: «Чур, без доли!» Тогда найденное принадлежало ему, и никто не имел права претендовать на сокровище. И уж в зависимости от доброты нашедшего жизнь остальных троих могла сделаться слаще.

Вот так шествовали мы однажды с маршем по Тираспольской улице к Преображенской, останавливались поглядеть на какую-нибудь ссору или с завистью провожали глазами редких счастливчиков, мчавшихся на велосипеде. Велосипед был самой заветной мечтой наших юных дней. Иметь его мы не надеялись. На всю Одессу только у нескольких мальчиков, сыновей крупных богачей, таких, как фабрикант конфет Крахмальников, были собственные велосипеды. Хоть бы покататься.

Покататься было можно, взяв велосипед напрокат – существовали такие предприятия. Час катания стоил пятнадцать копеек. В залог нужно было оставлять ученический билет, а в случае аварии, вроде «восьмерки колеса», надо было оплатить стоимость ремонта.

Итак, мы шли вчетвером, и вдруг мои зоркие глаза увидели на обочине тротуара маленькую, сложенную сине-белую бумажку. Я сразу ее узнал, хотя в руках и не держал никогда. Это была ассигнация в пять рублей. Я совершил ритуал: примял ее подметкой давно и безжалостно израненного башмака и на верхнем «до» выкрикнул: «Чур, без доли!» Мои партнеры по «военному оркестру» замерли на середине такта. На их лицах застыло выражение не то восторга, не то сомнения.

– Что?! Что?! – воскликнул Шурка Чернуха, один из когорты смелых Дегтярной улицы.

Я сдвинул ногу вправо, и невероятное чувство восторга охватило моих товарищей. Боже мой! Как мы жили этот день! Как миллионеры. Мы взяли напрокат четыре велосипеда, мы ехали по Одессе кавалькадой, часто останавливались у квасных ларьков, не ели, просто жрали пирожные. Все обошлось без аварий. А когда мы вернулись домой, я еще дворнику по имени Адам дал одиннадцать копеек. Почему одиннадцать? – Столько стоила сотка водки. Он тут же пошел в «монопольку», выпил, крякнул для закуски, вернул бутылку, получил две копейки, вернул их мне и важно сказал:

– Покорнейше благодарю, Леонид Батькович.

Незабываемый день!

Не меньшее удовольствие доставляли нам и игры в войну, в индейцев — это мне было больше всего по душе.

У себя на Дегтярной я был «богом» и устраивал с мальчишками такие битвы, какие настоящим индейцам, наверно, и не снились. Я был неизменно и зачинщиком и победителем. Подраться для меня было истинным наслаждением. Подраться не за что-нибудь, не для решения спорного вопроса, а просто так, из любви к искусству. Я порой долго поджидал партнера по драке. Завидев мальчика, подходил к нему и спрашивал тоном, в котором не было ничего миролюбивого:

— Ты куда идешь?

— В лавку, мама послала.

— А почему по Дегтярной? Шел бы по Кузнечной.

— По Дегтярной светлее.

— Ах, светлее! Ну тогда получай для света! — и ставил ему фонарь под глазом. — Следующий раз будешь ходить по Кузнечной.

Бедный пацан с плачем убегал, а я был горд и удовлетворен.

Может быть, это было разрядкой от строгого домашнего порядка. Мама была человеком очень твердым — такими обычно и бывают жены мягких и сентиментальных мужей: должны же на ком-то держаться семейные устои и традиции.

Она принимала на себя всю тяжесть повседневных забот семьи среднего достатка. Никогда не жаловалась и умела скрывать от детей все трудности, которые подстерегали семью не так уж редко. Но зато была к нам требовательна и сурова, была сдержанна на ласку. И когда я удостаивался быть поглаженным по голове, то бежал к сестрам и братьям, чтобы сообщить об этом потрясающем событии. Если мама погладила по голове — значит, ты сделал что-то уж очень хорошее.

Она никогда не целовала нас — стыдилась такого неумеренного проявления чувств, считала это излишеством, которое только портит детей. Жизнь, наверно, многому ее научила. Она была двадцать первым, последним ребенком у своих родителей и сама растила девятерых, из которых четверо умерли в самом раннем возрасте. У нее была только семья — и ее семья была ее жизненным долгом, который она выполняла строго и с достоинством. Она была мудрой женщиной и понимала, что чем неустойчивее положение, тем строже должен соблюдаться установленный порядок.

Отец просто обожал мать. Может быть, он был наивен, мой отец, но он не верил, что есть мужья, которые изменяют женам. Он считал, что это писатели выдумывают. И удивлялся:

— Ну зачем же идти к чужой женщине, если есть жена?

Взрослым, я как-то сказал ему в шутку:

— Да, папа, вы совершенно правы. Вот в Саратове муж изменил своей жене и умер от этого. — Отец все это принял совершенно всерьез.

— Вот видишь, что бывает.

Я понял, что этот человек в своей верности неисправим. Таким и запомнился он мне, мой отец, — чуть сентиментальным, с искрой юмора в глазах и в постоянной тревоге о заработке. Страшный добряк, очень деликатный, он никогда громко не разговаривал, не кричал и не ругался. Мать он не только любил, но и подчинялся ей во всем. Я помню, как садились они друг против друга и мать многозначительно говорила:

– Ну?

– Ну что, ну? – говорил он.

– Ну выкладывай.

– Так утром, как только вышел я из квартиры, я встретил на лестнице Мирона Яковлевича. Так, – говорю я ему, – Мирон Яковлевич, когда я смогу зайти к вам? – Так, – говорит он мне, – когда хотите. Так, – я говорю, – когда вы будете дома? Так, – он говорит мне, – в шесть часов. Так, – говорю я, – в шесть часов я еще не приду, я буду у Раухвергера. Так, – он говорит мне, – а зачем вам Раухвергер?.. – Мама спокойно и внимательно выслушивала этот бесконечный монолог, иногда утвердительно кивала головой, а иногда произносила: «Ай!» – и это значило, что она не одобряет.

Она была женщиной необыкновенной проницательности, и никто не мог сказать при ней ни слова лжи. Словно зная силу своих глаз, она любой рассказ выслушивала молча и опустив глаза, но если кто отваживался как-то приукрасить повествование, она только на короткий миг поднимала глаза, и это производило впечатление ошеломляющее – человек сконфуженно умолкал.

Силе ее проницательности я сам удивлялся бесконечно. Впрочем, может быть, в моих случаях и особой проницательности не требовалось, достаточно было одной наблюдательности.

Пробегав вместо школы, где придется (такие прогулки в Одессе назывались «править казенку»), я, как ни в чем не бывало, в положенное время возвращался домой. Кинув на меня один только взгляд, мама спрашивала:

— Разве ваша школа в парке?

Или:

— Вы занимались сегодня на Ланжероне?

Я всегда недоумевал, откуда она знает о моих похождениях? Я считал ее сродни Нату Пинкертону, Шерлоку Холмсу и Нику Картеру — тогдашним любимым героям мальчишек. И не догадывался, что она просто замечала траву на моих брюках и песок в рантах моих ботинок.

От детей она требовала уважения к старшим, не напрасно видя в этом прочные основы мира. В нашем доме висел портрет деда, хотя со времени своевольной женитьбы отца он у нас не бывал и к себе не пускал. Но портрет его висел на почетном месте.

Была у нас старенькая бабушка. По сегодняшним масштабам она была дважды мать-героиня. Дети ее, хоть и не достигли того же высокого уровня, но тоже были матери-героини и отцы-молодцы. Поэтому бабушка уже не могла разобраться в своем многочисленном потомстве. Но мы должны были каждый год в день ее рождения приходить к ней с поздравлениями.

Мы собирались во дворе дома, где она жила, и неосведомленный человек мог подумать, что это большая перемена в школе — столько нас было. Мы входили в комнату по одному. Меня, как самого смелого, посылали первым. Я открывал дверь и входил к бабушке. Она сидела на кровати, старенькая — ей было уже за девяносто, — и ласковыми глазами смотрела на вошедшего. Я останавливался на значительном расстоянии и произносил заученную фразу: «Бабушка, поздравляю вас с днем рожденья». Старческая улыбка озаряла ее морщинистое лицо, и она тихо спрашивала:

– Ты чей?

– Я Манин, – говорил я.

– Ах, Манин. Вот тебе конфетка.

Другой в зависимости от принадлежности отвечал: «Я Сонин» – и огромный пакет конфет к концу этой церемонии опустошался.

Как все одесские дети, в положенный срок я начал свое образование в частном коммерческом училище Файга. Прием в это училище был открыт круглый год, и в коридорах всегда толпились семьи абитуриентов. Отцы ходили по пятам за директором, матери уговаривали соседок отдать в школу свое чадо. А чада тем временем играли неподалеку в орлянку.

В училище Файга еврейских ребят принимали пятьдесят процентов от общего числа учащихся. Система была несложная, но выгодная: каждый еврей подыскивал для своего сына «пару», то есть русского парнишку, и платил за двоих. А в год за одного надо было платить двести шестьдесят рублей – огромные деньги!

Признаться, русские семьи избегали этого учебного заведения. Они стремились устроить своих детей в классические гимназии. И, может быть, поэтому Файг особенно заботился о престиже своего училища. Здание было внушительным, гимнастический зал оборудован специальными снарядами, преподаватели подбирались с особой тщательностью.

Мой отец долго убеждал одного мясника отдать в училище своего Никитку.

— Я за него платить буду, пока в инженеры не выйдет, — соблазнял он, — и Ледька мой завтраки ему будет приносить.

Пауза. Мясник растирал фиолетовой жирной рукой отяжелевшие щеки, мигал и сопел. Он выжидал, как борец.

— Ну так как, Кондрат Семенович? — Тот начинал сопеть еще нестерпимее и выразительнее. — Ладно, — вздыхал отец, — и форму Никитке пошьем.

Это решило мою участь.

Училище Файга существовало с 1883 года. Оно славилось тем, что из него никого никогда не исключали, хотя ученики в нем были самые неожиданные. В начальных классах за партой сидел даже один двадцатипятилетний верзила. Принимали и с «волчьим билетом». Немудрено, что к Файгу приезжали со всей России.

За всю историю училища исключили только одного ученика — меня. Не за то, что я, как никто, мог доводить учителей до белого каления и веселить товарищей до колик, не потому, что в книжке отметок наряду с четверками и пятерками по наукам — учился я хорошо, хотя выполнение домашних заданий казалось мне одиннадцатой египетской казнью, — неизменно красовалась тройка по поведению, даже не за мои бесчисленные изобретательные «коленца», о которых долго говорили в коммерческом училище и за его пределами. Моим «прощальным бенефисом» была месть преподавателю Закона Божьего. На одном из уроков, желая разогнать скуку от библейских легенд в монотонном изложении учителя, я под сурдинку стал рассказывать товарищам всякие смешные истории. Учитель подошел и больно дернул меня за ухо. Такого оскорбления моя сентиментальная душа вынести не могла. Перемигнувшись с товарищами, поворотом рычажка я опустил шторы в нашем кабинете... А когда в классе снова стало светло – учитель и его костюм были раскрашены под гравюру – в белый и черный цвета – цвета мела и чернил.

Позднее, когда я уже стал взрослым, мы подружились с этим учителем и часто беседовали о литературе и искусстве. Это начало и конец моего образования. А что же было между?

Говорить, что училище Файга было тем местом, где мальчики хотели учиться, – неверно. Как правило, учиться они не хотели. Вообще нигде. Бывали, конечно, исключения – редкие! – когда мальчик обнаруживал рвение к учебе. Мой старший брат, например, учился у Файга, а потом сдал экстерном за гимназию и государственные экзамены за университет. Да я и сам в первом классе был таким энтузиастом. А дальше... сами понимаете. Дальше скрипка и балалайка начали меня привлекать больше, чем история и география. Тем более что осуществлять эти желания, то есть, попросту говоря, играть на разного рода инструментах, учась у Файга, было совсем нетрудно.

Пусть никто не думает, будто я хочу сказать, что сегодня школьная самодеятельность на низком уровне, наоборот – на высоком. Но и у Файга в среднем учебном заведении было совсем неплохо. У нас были симфонический оркестр, оркестр щипковых инструментов (гитары, мандолины, балалайки), хор в шестьдесят человек. И в дополнение ко всему – директор училища, действительный статский советник Федоров, был композитором и написал оперу «Бахчисарайский фонтан», которая шла в одном из провинциальных театров. Он руководил всей музыкальной жизнью училища. Руководил не распоряжениями и приказаниями, а мог, придя на репетицию, сесть за рояль и показать, как надо исполнить тот или иной кусок.

С хором занимался церковный регент Новиков. Вот уж в ком форма совершенно не совпадала с содержанием — огромного роста, с красным лицом и седым ежиком волос, он был воплощением гоголевского Держиморды. Но у него была душа истинного музыканта, и музыку он любил больше всего на свете.

Одним словом, не знаю, как науки, но музыки и искусства в коммерческом училище было много. Был даже и драматический кружок. Его вел преподаватель литературы Попов. Только, ради бога, не подумайте, что мы сами играли женские роли. Не те времена! На эти роли мы приглашали любительниц, а то и профессиональных актрис. Так что пребывание у Файга имело и свои достоинства.

Моя музыкальная ненасытность толкала меня и туда и сюда, я хотел везде поспеть: в симфоническом оркестре играл на скрипке, в щипковом на пикколо-балалайке, в хоре был солистом. И на ученических балах я принимал участие чуть ли не во всех номерах, ибо был участником всех кружков.

Ах, эти балы! Невозможно их забыть!

Мы приходили на них в своих парадных формах. Все гимназисты имели парадную форму, но форма нашего училища вызывала зависть даже у гвардейских офицеров. Судите сами: длинный, до колен, однобортный сюртук черного цвета с красной выпушкой и шитым золотом воротником, золотые обшлага и такие же пуговицы. Сюртук был подбит белой шелковой подкладкой, и мы для шика, сунув руку в карман, постоянно держали одну полу отвернутой. Когда в Одессу приезжал царь, нас, файгистов, ставили в первый ряд...

Перед началом бала по сторонам лестницы стояли старшеклассники. Внизу – распорядитель с бантом. Когда начинали приходить «дамы», то есть гимназистки (а каждая женская гимназия тоже имела свой форменный парадный цвет – синий, голубой, зеленый), к каждой подлетал кавалер и вел ее в зал. Провожая «даму» с бала, кавалер шел на полшага сзади.

На таких балах я был первым человеком. Еще бы – петь, играть, даже читать Гоголя и остаться незамеченным! Моим коронным номером было выступление в хоре. Хор запевал:

> «Что же ты, соловушка,
> Зерен не клюешь,
> Вешаешь головушку,
> Песни не поешь?» –

а я соло отвечал:

> «На зеленой веточке
> Весело я жил,
> В золоченой клеточке
> Буду век уныл», –

и особенность моего исполнения заключалась не столько даже в манере пения, сколько в слезах, которые градом катились из моих глаз: мне было мучительно жаль соловья. Слушатели поднимались со своих мест, подходили к самой эстраде, восторженно и удивленно смотрели на рыдающего «соловья».

Я даю вам честное слово, что у меня тогда и мысли не было, что когда-нибудь пение песен на эстраде будет моей профессией, но еще меньше я мог предполагать, что слезы будут всегда подступать к горлу.

«...Напрасно старушка ждет сына домой,
Ей скажут — она зарыдает...» —

сколько бы раз ни произносил я эти слова — ком в горле перехватывал дыхание Утесову, как когда-то маленькому Леде. Только теперь я научился владеть собой и усилием воли сдерживать слезы: то, что нравилось в маленьком мальчике, у взрослого может выглядеть сентиментально... И я сдерживаюсь, но всегда жалею о том времени, когда я мог свободно отдаваться чувству и не контролировать свои эмоции.

Помимо официальной «концертной деятельности» была у меня еще и самодеятельность. Некто по фамилии Шатковский, сын очень богатых родителей, был тем самым великовозрастным учеником у Файга, о котором я уже говорил. Учиться он не хотел — его тянуло совсем к другому. Он был необыкновенно красив — высокий блондин с голубыми глазами, с точеным лицом и очаровательным голосом. На гимназисток, приходивших к нам на вечера, он производил неотразимое впечатление. Да что гимназистки! Даже мы, малыши, все были поголовно влюблены в него — столько было в нем обаяния. Шатковский же покровительствовал мне, чем я немало гордился. Ему нравилась моя страсть к музыке и мой звонкий голос.

И вот, обычно на больших переменах, он сажал меня к себе на плечо и широким шагом ходил вокруг огромного зала. Во время этого шествия мы с ним на два голоса распевали «Круцификс»:

«Кто слезы льет, к нему идите, он тоскует», –

пели мы, и по залу плыла величественная мелодия. В этой духовной музыке было столько силы, что даже мальчишки, так склонные к шалостям и дракам, замирали и с волнением слушали нас.

Я был в первом классе, а Шатковский в пятом. Мне казалось, что впереди у нас еще много таких же счастливых дней. Но вдруг Шатковский исчез – я это переживал, как трагедию, я просто с ума сходил, ибо не было для меня ничего прекраснее и желаннее на свете, чем музыка.

Через два года, когда я уже перешел в третий класс, Шатковский появился снова. Оказалось, что за эти два года он успел побыть опереточным артистом, имел успех на этом поприще, но вынужден был вернуться к Файгу, ибо отец грозил лишить его наследства, если он не закончит школу.

Помимо плеча Шатковского, была у меня еще одна эстрадная площадка – на углу Дегтярной и Спиридоновской. Здание еврейского училища окружал высокий и глухой железный забор. Его цементное основание образовывало небольшой выступ, вроде завалинки. Обычно вечером, когда над Одессой черное небо усыпалось звездами и в бледном свете газовых фонарей как-то призрачно скользили прохожие, я устраивался на этой завалинке. И тут же меня окружала мальчишеская «интеллигенция» Дегтярной улицы. Аккомпанируя себе на гитаре, — в десять лет я уже бойко умел это делать, — я пел песни, одну за другой, и чаще всех «Раскинулось море широко». Эта песня только что появилась и сразу покорила мое сердце. Я пел ее громко, не стесняясь. Кстати говоря, тогда еще не было микрофонов и меня ничто не лимитировало. А если вы думаете, что на Дегтярной акустика была хуже, чем в филармонии-бирже, то вы очень ошибаетесь.

Слушатели были внимательны и сосредоточенны. Но иногда, в самом душевном месте, когда певец с особым самозабвением отдавался мелодии и чувству, открывалась калитка и из нее выходил убеленный сединами старец — это был знаменитый писатель Менделе-Мойхер-Сфорим. Он шел прямо ко мне. Сквозь толстые стекла очков я видел ироничные улыбающиеся глаза. Ласковым старческим голосом он говорил:

— Молодой человек, не могли бы вы найти другой концертный зал для выступлений? — Я умолкал, а величественный старец так же неторопливо удалялся.

Слушатели у меня были строгие, неплохо умели петь сами — при них фальшивить было нельзя. Меня слушали с удовольствием. Это я заключал по «гонорару» после концерта — «артиста» вели в персидский магазин: пахлава, пирожное и вода с различными сиропами. Выбирай, что хочешь! Я ел пахлаву и запивал ее зельтерской с сиропом «смесь» — запах свежего сена причудливо сочетался с ароматом лимонов. Ах как это было вкусно! Они угощали меня, ибо умели ценить песню. И вся эта церемония превращалась в празднование общей радости.

Умоляю, верните мне и мое детство, и пахлаву, и зельтерскую с сиропом «смесь»! А если это вам дорого, то пусть будет сироп ванильный – он дешевле. Детство! Может быть, оно потому так и прекрасно, что уходит навсегда...

Был у меня и четвертый концертный зал: чудаковатый одесский парикмахер Перчикович отдохновение от своей прозаической профессии находил в созданном им духовом оркестре, куда он набрал ребят с соседних улиц. Без меня, конечно, не обошлось. Надудевшись у Перчиковича, я перешел в струнный оркестр Ярчука-Кучеренко, выступавший в иллюзионе. Иллюзион любит рекламу – и фотография оркестра красовалась в витрине: каждый одессит мог видеть восьмерых его участников, но главное – в верхнем правом углу четырнадцатилетнего гитариста.

И был у меня еще один, уже совершенно необычный, но самый романтичный «концертный зал», гул которого сопровождал всю мою дальнейшую жизнь в песне, – берег моря. А слушатели в этом «зале» – рыбаки. Я бы сказал, что никто так не любил песню, как они. Они ее не просто слушали – переживали. Песня была для них рассказом о человеческих страстях и судьбах и заменяла чтение – ведь большинство из них были неграмотны.

«Когда я на почте служил ямщиком» –

эта история потрясала их не меньше, чем нас потрясает трагедия Анны Карениной или Мити Карамазова.

Берег и море – для одесских подростков родной дом. Купаясь и загорая, я и познакомился с рыбаками. Я им пел, а они брали меня с собой в море. Позже, когда я стал актером и приходил после спектакля окунуться в ночное море, я снова встречался с ними и, как раньше, пел. Среди рыбаков были еще те, что знали меня пацаном. И теперь, видя такое превращение, относились ко мне, как к первому человеку в Одессе, и считали меня гением. О, щедрое сердце простого человека, как ты иногда его обманываешь!

Однако я все забегаю вперед – уж очень хочется скорее начать рассказывать о том, как осуществлялось то, что называют призванием!

Итак, меня выгнали из школы. В семье нашей все были люди как люди, один я – «хулиган». Родители, а особенно старший брат и сестры пробирали меня, считали погибшим, говорили, что не только врачом, юристом или адвокатом мне не быть, но даже на те должности, что держат в еврейских семьях на худой конец – зубной врач и провизор, – мне нечего рассчитывать.

– Он будет на большой дороге, – пророчил мне старший брат.

А вы знаете, кажется, он не ошибся! И на «большую дорогу» меня вывела музыка. Она во мне все побеждала, сводила меня с ума. Едва услышав ее, я мчался как боевой конь на сигнал трубы. С самых малых лет я понимал и чувствовал музыку во всех проявлениях – ритмическом, мелодическом, гармоническом. Красивая гармония могла довести меня до восторга, до слез.

Теперь, прожив большую жизнь и набравшись опыта, думаю, что не очень точно выбрал себе дорогу – я бы должен был отдать мою жизнь симфонической музыке, стать дирижером симфонического оркестра. Если театр в моей жизни – только подступы к главному, если эстрада – верное, но не совсем точное приложение сил, то симфоническая музыка – моя хрустальная мечта. И в моем лексиконе вряд ли найдутся слова, которые бы с равной силой выразили то потрясение, какое я испытываю, слушая симфоническую музыку. Разве что такой аргумент – не знаю, покажется ли он вам убедительным: когда я умру, а это обязательно должно случиться, и когда врачи уже решительно констатируют смерть – погодите им верить. Приведите к моему гробу оркестр, и пусть он что-нибудь сыграет – Баха, Вагнера или Бетховена. Если я при первых же звуках не вскочу – значит, я действительно умер.

Впрочем, что же удивляться, что я люблю музыку, ведь я родился не где-нибудь, я родился в Одессе. И на то, что она – лучший город в мире, ваших возражений не слышал. Но если вы думаете, что я там был единственным певцом, то вы ошибаетесь.

Многим в Одессе хочется стать знаменитыми. Для этого идут в сад Общества трезвости. Нигде нет такого количества пьяных, как здесь. Кроме того, в саду есть летний драматический театр. Но посещаемость слабая.

Открытая эстрадная площадка – вот притягательная сила. Заведует этой площадкой господин Борисов. Это высокого роста человек с быстро бегающими глазами. Говорит он на «о» и отчаянно картавит. Он не только администратор. Он сам артист. И не только он, а и вся его семья выступает на эстраде.

– Зачем мне программа? Я сам программа.

— Один?

— Зачем один? Я — куплеты. Я и жена — дуэт. Дочка Софочка — чечетка. И младшенькая Манечка — вундеркинд цыганских романсов. — Господин Борисов любил выражать свои мысли в родительном падеже.

Однако этот разговор только для того, чтобы сбить цену артисту, которого он нанимает.

Чтобы получить дебют у Борисова — ничего не надо. Не надо быть артистом. Можно выступать первый раз в жизни. Нужно прийти и сказать:

— Господин Борисов, я хочу сегодня выступить в программе.

— Пожалуйста. Дирекцион (ноты) у тебя есть?

— Есть.

— Миша! А ну, порепетируй с этим пацаном. Вечером он пойдет четвертым номером.

И вечером парень выходит на сцену и в меру своих сил старается доставить удовольствие аудитории пьяных и полупьяных посетителей сада Общества трезвости.

Если то, что он делает, нравится, его вызывают на бис. Стоит дикий крик:

— Да-а-а-вай!

Если не нравится — не менее дикий:

— В бу-у-у-удку!

Был случай, когда на сцену вышел хорошо одетый, с напомаженной головой и усиками кольчиком молодой человек. После первого куплета раздался общий крик:

— В бу-у-у-удку!

Молодой человек поднял руку. Крик прекратился, и он презрительно бросил в публику:

— Жлобы, что вы кричите? Мне это надо — петь куплеты? У меня своя мастерская. Жлобы. Ну так я не артист.

Зал молча и с уважением проводил столь самокритичного человека и несостоявшегося гения.

Нет, совсем не случайно Одесса родина не только знаменитых писателей, музыкантов, но и знаменитых эстрадников, актеров и певцов. Одесситы знают это и этим гордятся. Чтобы понять, что такое настоящий патриотизм, поговорите на эту тему с одесситом.

Житель любого города, желая подчеркнуть его красоту, скажет: «Наша Рига — маленький Париж» или «Наша Варшава — маленький Париж», «Наш Бухарест — маленький Париж». — Я не знаю почему, но все города сравнивают с Парижем.

Но если вы одесситу скажете: «Одесса — это маленький Париж» — он смерит вас взглядом с головы до ног и скажет:

— Одесса — маленький Париж? Париж должен у Одессы ботинки чистить. Одесса — это О-дес-са, и за весь Париж я не отдам даже один наш Городской театр.

Я не знаю, может ли состояться этот обмен, но театр действительно великолепный. Вы можете смотреть на него снаружи — и это уже удовольствие. Что же касается «внутри», то здесь столько прекрасного, что словами не выразить. Опера! И какая! Итальянская!

Одесситы воспитаны на итальянской опере. Они знают многие оперы наизусть. В театре люди сидят с клавирами и даже с партитурами. Они следят за всем – за оркестром и за певцами. Их не обманешь. Они трепетно ждут тенорового «до», баритонального «соль». Они настоящие ценители музыки. «Если певец прошел в Одессе, – гордо заявляют одесситы, – он может ехать куда угодно». Даже миланская «Ла Скала» для них не указ. Одесса – пробирная палата для певца.

– Вы слышали, как вчера Баттистини выдал Риголетто?

– Нет, не слышал.

– Так вам нечего делать в Одессе, можете ехать в Херсон.

– Зачем мне ехать в Херсон?

– Де Нери поехал туда продавать петухов, которых он пускает в «Гугенотах».

– Слушайте, перестаньте кидаться на Де Нери, он хороший певец.

– Хороший? Может быть, для Италии, но для Одессы – это не компот.

Попробуйте жить в Одессе и не быть любителем оперы. Только не думайте, что я сам бывал в этом оперном театре. Попасть мне туда было трудно, точнее, не по карману (один билет на галерку стоил столько, сколько целый противень пахлавы). Но это не мешало мне выучить все арии из всех итальянских опер.

Дело в том, что мой старший брат был завсегдатаем оперного театра. У него была неплохая музыкальная память – придя домой из театра, он распевал одну арию за другой, распевал самозабвенно и мучительно фальшиво. Но я догадывался, как должно было быть по-настоящему, чем приводил его в немалое изумление.

Был и еще один источник моей оперной эрудиции. В театральном переулке можно было слышать, как распеваются оперные артисты. В открытые окна лились звуки из «Травиаты», «Кармен», «Риголетто» – и, проходя по этой улице, я пополнял свое музыкальное образование. Не случайно, куда бы я ни шел, мой путь обязательно лежал через этот оперный «проспект».

Были у меня и еще увлечения – цирк и спорт. Отвага и ловкость цирковых акробатов вызывали у меня уважение.

Теперь я уже могу сознаться, что в цирк у меня был персональный вход... зайцем. Чтобы я да не нашел лазейку!

Под влиянием цирка в юношеском возрасте я увлекался гимнастикой и неплохо работал на кольцах, параллельных брусьях и турнике, а в училище считался одним из лучших гимнастов и борцов. Господин Зибер, остроусый, подтянутый и строгий, так фанатично был предан своему делу, что превращал гимнастику в муштру. Но он никогда не забывал отметить на уроках лучшего и чаще других произносил мою фамилию. А учитель математики Де Метц, восторженный поклонник французской борьбы, громогласно объявлял во время большой перемены:

– Даю три рубля тому, кто положит Ледю! – Видимо, это было не просто, потому что Леде за победу платили только рубль...

Начало XX века было и началом русского футбола. В пятом-шестом годах в Одессе уже играют довольно приличные футбольные команды. Одна из них состояла из англичан, служащих в разного рода английских фирмах. Другие команды: ОКФ – Одесский кружок футболистов и Шереметьевский кружок – из местных жителей.

Десяти лет я уже гонял футбольный мяч и был центрофорвардом файговской команды. Нашими противниками были команды реального училища и гимназии. Мы все имели свою спортивную форму.

Так и хочется крикнуть иногда: «Где же вы теперь, друзья-однополчане?» Я давно уже никого из вас не встречаю не только на футбольном поле, но и на поле жизни.

Некоторые фамилии знаменитых в то время спортсменов навсегда врезались в мою память. Прежде всего это, конечно, великолепный А. П. Злочевский, а также англичанин Бейт. И, конечно, знаменитый Уточкин.

Считалось, что Одесса без Уточкина – не Одесса. Он ее гордость, ее слава...

Представьте себе человека выше среднего роста, широкоплечего, на крепких ногах. Ярко-рыжие волосы, белесые ресницы, широкий нос и резко выступающий вперед подбородок. Он могуч, этот чудо-человек. Он храбр, он умен. Таких природа создает не часто. Это не просто спортсмен. Это эталон спортсмена. Он лучший велосипедист, конькобежец, боксер, автомобилист, парашютист-летчик – один из первых в России. Как велосипедист он вне конкуренции, а что касается автомобиля – то он на машине съехал по одесской лестнице с бульвара в порт. При этом надо знать, что за автомобили были в то время.

Когда на циклодроме велосипедные гонки, – одесские мальчишки пристраиваются на деревянном заборе вокруг всей дорожки. На всем пути дистанции идет ор: «Рыжий, нажимай!»

— Ба-ба-ба-ба-сявки! — на ходу кричит Уточкин и улыбается. Он уже далеко впереди своих конкурентов, и Одесса счастлива.

Уточкин — заика. Но какой! Если он начинал кричать «Босявки!» на старте, то заканчивал слово на финише. Как ни странно, его любят и за это. Кажется, если бы он говорил нормально, это не был бы Уточкин.

Как-то писатель Куприн полетел с Уточкиным на воздушном шаре. Потом оба написали свои впечатления о полете. Куприн в одной газете, Уточкин — в другой. Одесситы пальму писательского первенства отдали... Уточкину. Может быть, и это пресловутый одесский патриотизм. Но Уточкин действительно написал прекрасно.

Он добрый человек и может отдать все, что у него есть, бедной женщине, обратившейся к нему за помощью. Но сам он глубоко несчастен. От него ушла жена к богачу Анатра. У него много знакомых, но почти нет друзей. Ему завидуют, и потому о нем сплетничают. Он делается летчиком, но неудачи преследуют его. Он принимает участие в беспримерном перелете Петербург — Москва, но терпит аварию. Нервы не выдерживают, и он делается наркоманом. Бросает Одессу. И как Антей погибает, оторвавшись от земли, так Уточкин, оторвавшись от Одессы, погибает в сумасшедшем доме в Петербурге.

Подобно тому, как сейчас увлекаются футболом, тогда сходили с ума по французской борьбе. Для разжигания дополнительного ажиотажа хозяева цирка приспосабливали нас, мальчишек. Особенно тех, кто, как я, занимались французской борьбой. Стоя у цирка, мы распространяли самые нелепые небылицы и всякие будоражащие фантастические слухи о «черных масках», о борцах под инициалами. Вот тут, наверно, и проявились впервые мои актерские способности.

Перед наивной (даром, что одесской!) публикой разыгрывалась, например, такая сцена.

На арену выходил человек в поддевке и, обращаясь к арбитру Ярославцеву, грозился положить на обе лопатки всех участников чемпионата. Ярославцев спрашивал, кто он такой. Человек в поддевке громко отвечал:

– Кондуктор из одесского депа.

Весь цирк требовал немедленной схватки. Но Ярославцев притормаживал события и объявлял, что сегодня схватка состояться не может. Но вот завтра против кондуктора (которому тут же присваивался псевдоним Кондукторов) выступит немецкий борец Шнейдер.

Нечего и говорить, что, когда новоиспеченный Кондукторов выходил из цирка, его окружала толпа. Вот тут и начиналась моя роль.

– Ваня, – говорил я с типичным молдавским акцентом, – ребята ждут тебя в депе. Идем, я покажу тебе пару приемов. Бра руле и тур де бра. Ну и парад против обратного пояса. И ты их всех перешлепаешь, как мешки.

И мы величественно и нагло удалялись. Кондукторов же был не кто иной, как известнейший в то время борец Иван Чуфистов.

Играя эту роль, я вовсе не думал, что буду актером – я просто валял дурака.

Несмотря на то, что я буквально рвусь на части, стараясь везде поспеть, мне кажется, что годы тянутся нестерпимо медленно и что конца моей учебе никогда не будет. Потеряв терпение, я самолично поторопил этот конец. Как это случилось, вы уже знаете – это был уникальный в моей жизни случай, когда мне помогла религия.

Отлученный от училища, я недолго ломал голову над своим будущим и... определился «артистом в балаган к Бороданову.

Я давно уже крутился около его предприятия на Куликовом поле. Иногда, употребив небольшую сноровку, удавалось проскользнуть и внутрь – и тогда я наслаждался ловкостью и силой его артистов и самого господина директора, который рвал цепи, ломал подковы, одним ударом руки вбивал гвоздь в толстую доску и боролся, побеждая всякого, кто дерзал его вызвать. Ну разве мог такой человек не показаться мне необыкновенным?!

Я так и лез ему на глаза, чтобы только обратить на себя его внимание. И однажды мне действительно удалось поразить его.

Как-то, пробравшись к нему на конюшню и указывая на единственную лошадь, я с самым серьезным видом изрек:

– Полукровка. – Видя, что Бороданов смотрит на меня, обратился к нему таким тоном, словно мы с ним всю жизнь были знакомы:

– Иван Леонтьевич, вот сегодня Бирюков покупал гнедую коняку. Вот это да!

– А ну, малец, – оживился Бороданов, – сбегай, посмотри, купил он коня или нет. – Бороданов был побежден, и с этого дня я получил разрешение посещать балаган бесплатно. А через несколько дней, подозвав меня к себе, он неожиданно спросил:

– Поедешь со мной работать?

Нечего и говорить, с каким ошеломленным лицом, с какими сияющими глазами, с каким трепещущим сердцем выслушал я этот вопрос.

– Поеду! – не задумываясь ответил я. И в этот момент все отступило на задний план – и отец, и мать, и семья. Передо мной ослепительно блеснула свобода. И избавление от вечных сетований на то, что я не учусь – это уже становилось невыносимым. А тут «необыкновенный» человек принимал меня таким, каков я был. Да что там! – своим небольшим образованием я производил на Бороданова и его неграмотную труппу впечатление юного академика, не меньше. Шутка ли сказать, я знал, где Большая Медведица, знал, как найти Полярную звезду и, значит, путь к Северному полюсу. Только я до сих пор не понял, зачем Бороданову был нужен этот путь, не собирался же он ставить там свой балаган!

Кроме того, я умел писать. Не очень грамотно, но умел. Этого было за глаза довольно – и наши пути скрестились. Теперь я говорю: «К счастью, не надолго». Но все-таки это именно в его балагане я вкусил сладость свободы и самостоятельности.

У Бороданова я работал на кольцах, на трапеции, выступал рыжим, но главным образом – на раусе. Тут приходилось импровизировать вокруг нескольких веками отобранных речевых оборотов:

– Господа почтенные, люди отменные, билеты берите. Заходите! Смотрите! Удивляйтесь! Наслаждайтеся! Чем больше платите, тем лучше видите! – и так далее и тому подобное. Да теперь и профессии такой уже нет. А жаль... Некоторым театрам, билеты которых продают в нагрузку, она была бы очень кстати.

Итак, я мечтал о вольной жизни, жаждал свободы – и получил ее.

Но после того, как я побродил с балаганом по таким бедным местечкам, что о них даже сложился анекдот: еврей, предлагая Ротшильду бессмертие, советовал ему переселиться в Касриловку и перенести туда все свои богатства, заводы и банки – потому что еще не было случая, чтобы в Касриловке умер хоть один миллионер, – после того, как я поспал на соломе и посидел впроголодь, то и пол-яблока на десерт стали казаться мне королевским яством.

К тому же оказалось, что для несозревших юнцов преждевременная свобода может быть опасна. – Ибо... я чуть было не женился.

Это было в Тульчине. Я смутно припоминаю сейчас его кривые улички и базарную площадь, над которой плыли облака пыли. Ребятишки гонялись за петухами, норовя вырвать цветные перья, а в непросохшей луже неподвижно лежали тучные свиньи...

Своих оркестрантов у нас не было, и Бороданов находил их обычно в городе. В Тульчине единственный оркестр был представлен семьей Кольба: отец и сын. Молодой Кольба, юноша примерно моих лет, играл на скрипке, а полуслепой старик аккомпанировал ему... тоже на скрипке.

Уже на другой день молодой Кольба предложил мне переехать к ним на полный пансион. За двадцать копеек мне был обещан ночлег и кормежка в кругу семьи. И как пишут в старинных романах, я не заставил себя долго просить – поселился у них.

Надо же было так случиться... Я заболел воспалением легких. Семья Кольба отнеслась ко мне с большим сочувствием. Ухаживала за мной их единственная дочь Аня, девушка лет семнадцати. Она не отходила от моей постели ни на минуту.

На другой день Бороданов, заметив мое отсутствие, спросил у старика:

– Где Ледя?

– Леонид Осипович заболел, он весь горит.

– Ничего, выдержит, – ответил равнодушно господин директор, – он крепкий.

Болезнь проходила, я выздоравливал, но Бороданов не стал меня дожидаться и однажды, подняв свой табор, пошел бродяжничать дальше, на юг.

Как-то раз мать Ани подошла ко мне и сказала:

– Вам уже немало лет, молодой человек (я говорил всем, что мне двадцать), не пора ли подумать о семье.

– У меня в Одессе мать, отец, сестры, брат...

– Да, да, да, – говорила она, убирая со стола, – в Одессе у вас семья, но у вас там нет жены. А время подошло! Я бы вам предложила невесту... Возьмите мою Аню! Хорошая дочь и хорошая девушка. И хорошее приданое: сто рублей, портсигар и серебряные часы от дедушки.

Я растерялся... Перед семьей Кольба я в таком долгу, а отблагодарить нечем... И я согласился. С этого дня меня стали называть женихом.

Совсем поправившись, я сказал, что мне надо поехать в Одессу, получить согласие родных, привезти свой «гардероб».

При этом слове мамаша Кольба пришла в восторг – она не знала, что значит «гардероб», но зять, произносящий такие слова, внушал уважение.

— Но как ехать? Бороданов увез мои деньги.

— А сколько вам нужно, Леонид Осипович?

— Рубль семьдесят.

Это была стоимость проезда от Тульчина до Одессы четвертым классом.

Наступил день отъезда. Старик уговорил местного возницу Сендера отвезти меня бесплатно на вокзал.

— Все мы люди — братья, — сказал ему Кольба, — и когда наступит день свадьбы вашего сына, вы без меня не обойдетесь. Я вам скажу по секрету — этот молодой человек жених моей дочери.

Мамаша Кольба выстирала мою единственную смену белья, изготовила для меня пять огромных котлет и дала денег на дорогу. Я расцеловался с Аней и вышел из дому.

— Садись, жених! — деловито крикнул Сендер.

Лошади тронулись. Поднявшееся облако пыли скрыло из виду семью Кольба. Скрыло навсегда.

Впрочем, нет, не навсегда...

В суете встречи, в разговорах с отцом о моей дальнейшей судьбе и в приготовлениях к отъезду в Херсон, потому что отец решил, что торговать в лавочке у дяди Ефима — мое прямое занятие, я позабыл и свою недавнюю болезнь, и город Тульчин, и Аню Кольба. Но она не забыла меня. Чуть ли не каждый день я получал письма, начинавшиеся всегда одним и тем же стишком:

«Лети, мое письмо,
К Ледичке в окно,
А если неприятно,
Прошу прислать обратно» —

и заканчивавшиеся одним и тем же рефреном: «Жду ответа, как птичка лета». Что было делать? Писем обратно я не отсылал, но и отвечать не знал что.

Прошло много лет. Приехав как-то в Киев, я зашел с приятелем в кафешантан на Крещатике. Час был поздний, посетителей было мало, поэтому я сразу обратил внимание на красивую женщину, у которой из-под шляпы с широкими полями живописно выбивались пряди каштановых волос.

Обратил на нее внимание и мой приятель.

– Удивительно, – сказал он, – весь вечер просидеть одной. Не пригласить ли ее к нашему столу? – Я тут же встал, подошел к незнакомке и сказал:

– Простите за смелость, но мы будем рады, если вы составите нам компанию.

Незнакомка взглянула на меня и серьезно, медленно, словно обдумывая каждое слово, ответила:

– Я могу принять ваше предложение, но при условии: стоимость моего ужина не должна превышать одного рубля семидесяти копеек.

– Почему? Почему рубль семьдесят, а не три сорок?

– Каприз...

Она села за наш стол и, выбирая в меню что-нибудь именно на рубль семьдесят, как-то странно и многозначительно посмотрела на меня. Я почему-то смутился. И недовольно произнес:

– Ну к чему такая мелочность!

– Это не мелочность. Эта сумма для меня многое значит... – и она снова пристально посмотрела на меня... – Вы бывали когда-нибудь в Тульчине?

– Бывал...

– Вы Ледя?

— Да. — Она расхохоталась:

— Так вы — мой жених. Я — Аня Кольба...

На следующий день я узнал, что моя «невеста» стала исполнительницей цыганских романсов и выступает в этом кафешантане.

Случайность может перевернуть всю жизнь — я убеждался в этом не раз. Сколько их, этих важных случайностей, было на моем пути. Недаром ведь считается, что за случайностью скрывается необходимость. Не повстречай я однажды артиста Скавронского на берегу Черного моря — кто знает, стал ли бы я актером? Нет, все-таки, наверно, стал бы, но каким-нибудь другим, более затяжным, окольным путем. Эта встреча лишь ускорила события.

Довольно странная фигура — артист Скавронский. Его самого давно уже нет на свете, вряд ли остались и близкие, так что и обидеться будет некому. Актер он был плохой. Я даже не понимаю, почему он стал актером. Неповоротливый, весь какой-то сжатый, и говорил он каким-то сжатым, невыразительным голосом, манерно выговаривая слова. На абсолютно неподвижном, как маска, лице шевелились одни лишь губы. Выручал его, пожалуй, только высокий рост.

Как ни странно, тогда и для таких находилось место на сцене. Впрочем, находится порой и теперь. А человек он был хороший, добрый. И даже не завистливый, как большинство плохих актеров. Милый мой Скавронский, вас давно уже нет на свете, но, ей-богу, я помню вас со всеми вашими актерскими недостатками и человеческими достоинствами. Спасибо вам.

Вообще-то его фамилия была Вронский. Но вдруг в Одессу из Петербурга приехал великолепный актер Василий Вронский и создал вместе с фарсовым артистом Михаилом Черновым комедийно-фарсовый театр. Успех этого театра был огромен. Тонкий, изящный Вронский и безмерно толстый Чернов составляли великолепную контрастную пару. Одесса просто сошла с ума. Особенно любили их в пьесе «Поташ и Перламутр».

Мой Вронский оказался в той же труппе, и ему предложили поменять фамилию. Он сделал это без возражений, изящно добавив к своей фамилии приставку «Ска». Получилось тоже красиво – Скавронский.

А вы знаете, как я стал Утесовым?

Когда Скавронский впервые пригласил меня сыграть в дачном спектакле водевиль «Разбитое зеркало», он спросил:

– Как вы хотите называться?

Этот неожиданный вопрос не удивил меня – тогда очень часто люди, приходя на сцену или в литературу, брали красивые и романтичные имена. Вопрос не удивил меня, но взбудоражил.

Действительно, как же я хочу называться? Да уж как-нибудь красиво и возвышенно.

Зная историю с «переделкой» Скавронского, я решил взять себе такую фамилию, какой никогда еще ни у кого не было, то есть просто изобрести новую. Естественно, что все мои мысли вертелись около возвышенности. Я бы охотно стал Скаловым, но в Одессе уже был актер Скалов. Тогда, может быть, стать Горским? Но был в Одессе и Горский. Были и Горев и Горин – чего только не было в Одессе! Но, кроме гор и скал, должны же быть в природе какие-нибудь другие возвышенности. Холм, например. Может быть, сделаться Холмским или Холмовым. Нет, в этом есть что-то грустное, кладбищенское – могильный холм... Что же есть на земле еще выдающееся? – мучительно думал я, стоя на Ланжероне и глядя на утес с рыбачьей хижиной. – Боже мой, – подумал я, – утесы, есть же еще утесы!

Я стал вертеть это слово так и этак. Утесин? – Не годится – в окончании есть что-то простоватое, мелкое, незначительное... – Утесов? – мелькнуло у меня в голове... Да, да! Утесов! Именно Утесов!

Наверно, Колумб, увидя после трех месяцев плавания очертания земли, то есть открыв Америку, не испытывал подобной радости. И сегодня я вижу, что не сделал ошибки, ей-богу, моя фамилия мне нравится. И, знаете, не только мне.

Вот, например, Степану Степановичу Макаревичу – тоже. Никаких Степанов Макаревичей! – решил однажды он. Отныне родные и близкие и вообще все люди на земле должны называть его не иначе, как Леонид Утесов, – и в двадцатых годах он сделал об этом публикацию в газете. Валентин Алексеевич Серохвостов тоже решил стать Леонидом Утесовым. А Жевжеку Алексею Яковлевичу подходит только фамилия Утесов, а имя он оставляет свое. Тихону же Федосову кажется, что фамилия Утесов лучше звучит с именем Евгений. Стал бы уж заодно и Онегиным. Оно как-то привычнее. Все эти и множество других газетных вырезок я храню до сих пор как забавные курьезы. К сожалению, дело не всегда ограничивалось забавами. Некоторые поменяли свою фамилию на мою, чтобы удобнее было совершать неблаговидные, а то и уголовные дела. Об этом у меня тоже собрано немало газетных вырезок.

В «Правде» в конце сентября 1936 года в отделе происшествий была напечатана заметка под заголовком «Авантюрист»: В конце августа гражданин Н. В. Николаев, проживающий по Библиотечной улице в доме № 18 (Москва), познакомился на улице с каким-то человеком, который назвался артистом Леонидом Утесовым. Николаев пригласил нового знакомого к себе на квартиру. Гость остался у него ночевать. Проснувшись утром, Николаев обнаружил пропажу ряда вещей. Гость скрылся.

В ночь на 13 сентября с гражданином Имхницким (проживающим на Покровском бульваре, дом № 5) произошла такая же история. Он познакомился на улице с тем же «Утесовым» и стал его жертвой. Вор похитил у него пальто и скрылся.

28 сентября, проходя по улице, гражданин Николаев случайно встретил обокравшего его авантюриста. Вор был доставлен в отделение милиции, где назвался Колосовым. У него отобрали часть похищенных вещей».

Слава богу, авантюрист был разоблачен. А если бы этого не случилось, Имхницкий и Николаев до конца дней своих были бы убеждены, что это я их обокрал. И рассказывали бы об этом своим знакомым. А увидев меня на эстраде и «не узнав», сказали бы: «Хорошо гримируется!» И кто знает... — позвали бы милиционера.

Всегда есть, мягко говоря, излишне доверчивые люди, которые все принимают за чистую монету. Это они рассказывали своим знакомым о моих бесчисленных похождениях и вообще считали, что моя жизнь – сплошная авантюра. А я за всю свою жизнь ни разу и в милиции-то не был, разве что когда получал или менял паспорт.

О таких «доверчивых» людях еще в 1930 году Я. Лерри писал в журнале «Красная панорама» следующее: «Предсельсовета Пронькино Иван Степанович Кудаков рассказал нам некоторые подробности о хорошем малом Утесове:

– Эх, и зда-аровый же черт! В потолок башкой упирается. А водку хлещет чище нашего попа. Сороковку в хайло и – не отрываясь. Сани на себе поднимает. Актер что надо. В Ленинграде, сказывал, окромя шинпанского и селедок в рот ничего не брал. Такой воспитанный».

Господи! И чего же я только не наслушался о себе за свою долгую жизнь! И пьяница-то я, и на сцену трезвый никогда не выхожу, и горло-то у меня искусственное, и подстрелен-то я несколько раз при попытке к бегству. Были даже люди, которые рассказывали, как я умирал и умер на их руках в 1955 году.

Я понимаю, что, когда профессия держит тебя у всех на виду – играешь ли ты на сцене, пишешь ли книжки или сочиняешь музыку, – ты всегда должен быть готов к тому, что далеко не все будут к тебе благосклонны. Очень многим ты будешь не нравиться, и они обязательно постараются довести это до твоего сведения, не поскупятся даже на четыре копейки и напишут язвительное письмишко, чтобы испортить тебе настроение. Но это бы еще куда ни шло. А то ведь выдумают о тебе какую-нибудь небылицу и пошлют ее в газету. Письма, конечно, не напечатают, но сплетня уже гуляет. Ведь ходила же и, кажется, ходит до сих пор выдумка о том, что Утесов будто сказал со сцены:

«Я получаю шестьдесят тысяч, дочь — пятнадцать, и ее муж инженер — семьсот рублей, так что кое-как живем». Каким тупицей надо быть, чтобы сказать со сцены такую глупость. А ведь, представьте, и по сей день есть «очевидцы», которые уверяют, что они сами были на том спектакле. Прямо по формуле «врет, как очевидец».

Так было испокон веку. Есть даже старый одесский анекдот о том, как встречаются два коммерсанта и один другому говорит:

— Вы знаете, Филипенко заработал на рыбе двадцать тысяч!

А второй ему возражает:

— Во-первых, не Филипенко, а Сосюков, а во-вторых, не на рыбе, а на пшенице, и в-третьих, не заработал двадцать, а потерял сорок.

Вот так и со мной: я не получал шестидесяти, дочь не получала пятнадцати и у меня никогда не было зятя инженера. Мой зять — кинорежиссер. А сколько он получает — он мне не говорит, и я у него не спрашиваю.

Время идет, техника совершенствуется и возникают новые, современные способы дискредитации человека. Летом семьдесят первого года, когда я отдыхал в подмосковном санатории, очень милая женщина с радостной улыбкой сказала мне:

— Леонид Осипович, на днях я получила оригинальный подарок. Один мой знакомый привез мне из Ленинграда большую катушку магнитофонной пленки с вашими последними записями. Там записано нечто вроде мальчишника, на котором вы рассказываете разные истории и анекдоты и с композитором

Табачниковым поете новые одесские песни, вроде «Кичмана», помните?

Я ей сказал, что подарок действительно оригинальный, потому что последнее время я не делал никаких записей. Все это фальсификация. Она не поверила мне и попросила своего супруга привезти эту пленку в дом отдыха, что он и сделал.

Я имел «удовольствие» узнать, как некий пошляк, пытаясь имитировать мой голос, распевал полупорнографические, чудовищные по музыкальной безвкусице, с позволения сказать, песни и рассказывал анекдоты, как он думал, «под Утесова».

Как выяснилось в дальнейшем, эта магнитофонная запись была размножена и появилась во многих городах, где продавалась из-под полы с ручательством, что это подлинник.

Я был ужасно этим и возмущен и обеспокоен. И в первом же интервью (для «Комсомольской правды») просил людей, которым будет предлагаться эта пленка, задерживать продавца, потому что это граничит с уголовщиной. К сожалению, до сих пор сведений о задержании этой фальшивки я не получил.

Если бы все сплетни, все слухи собрать воедино и поднести человеку в один день, то вряд ли самое здоровое сердце могло бы это выдержать. К счастью, для разрядки случались и смешные истории.

Не знаю, сохранились ли еще до сих пор люди, которые считают, что все граждане Советского Союза работают на государственной службе и получают установленные оклады, а вот артисты берут весь сбор себе. С одним из таких чудаков мне довелось однажды познакомиться. Это было в начале сороковых годов.

Он занимал довольно солидную должность, был директором завода. После концерта он спросил меня:

– Товарищ Утесов, зачем вам столько денег?

– Не понимаю вашего вопроса.

– А очень просто. Вот вы за концерт в нашем клубе получили тринадцать тысяч. Ну сколько ребят у вас работает? Человек тридцать? Каждому по сто рублей – это три тысячи. А десять остается вам. Тридцать раз в месяц по десять тысяч – это триста тысяч в месяц, значит, в год вы зарабатываете три миллиона шестьсот тысяч. – Он быстро и хорошо считал! Но умение его было напрасным, он не учел, что я, так же как и он, получаю зарплату, только значительно меньшую.

А однажды в Севастополе еще до начала наших выступлений в местной газете появилась заметка, в которой персонально меня обвиняли в высоких ценах на билеты. Меня стыдили и вообще в выражениях не стеснялись. Я был вынужден заявить дирекции клуба, что если не будет в газете дано опровержение, то я не начну свои выступления. Опровержение появилось. Забавное. Оно так и называлось: «Опровержение». В нем значилось: «Вчерашняя заметка в нашей газете о Леониде Утесове к Леониду Утесову отношения не имеет».

Ах, сплетня! Ах, клевета! Уж какая ария тебе посвящена Россини! Кажется, что после этого сгинуть ты должна была в тот же час. А ты по-прежнему все потрясаешь и колеблешь шар земной. Уж если колеблется земной шар, то что же говорить про человека. От ее нокаутов я порой долго не мог прийти в себя.

Если же вы «очевидцу» события скажете, что все это ерунда и глупость, он мучительно расстроится: ну как же, он знал такое интересное, а оказалось, что это неправда. Ведь тот человек, на руках которого я «умер», был целый вечер центром внимания в Малаховке, к нему шли и шли люди, и он в десятый, в сотый раз рассказывал со всеми подробностями эту душераздирающую историю, приводил даже мои последние слова, что-то вроде: «Лейся, песня». И в конце концов сам во все это поверил. А когда на следующее утро выяснилось, что я жив, он огорчился, но не растерялся:

– Может быть, после моего ухода врачи заставили работать его сердце.

Сколько я слышал подобных историй о Козловском, о Лемешеве, о Райкине и о многих других.

Подробно об этом сейчас говорить не стоит. Но об одном я хочу сказать обязательно, ибо не всегда она безобидна, эта сплетня. Очень часто меня спрашивают и, как ни странно, все больше люди искусства:

– Скажите, почему покончил жизнь самоубийством Дунаевский?

Кому надо было пустить этот злонамеренный слух? Опровергая его, я всегда с трудом могу скрывать свое возмущение. Но спрашивающий начинает смотреть на меня с недоверием и понимающе подмигивает – дескать, он-то знает эту правду. А правда проста и печальна. Быть может, если бы у Дунаевского в этот роковой день был в кармане нитроглицерин или хотя бы валидол, то, может быть, он бы и сегодня был среди нас.

Дунаевского с нами уже нет, но живет его сын, хороший человек, талантливый художник, которого клевета сделала якобы причиной добровольного ухода из жизни его отца. Пусть хоть из моей книжки люди узнают правду, узнают, что Дунаевский слишком любил жизнь, чтобы уйти из нее добровольно...

Итак, я стал Утесовым. Торжественно свидетельствую, что этой фамилии никогда не было, что она придумана мною. И если когда-нибудь вам будут представляться Утесовым, то это либо Макаревич, либо Серохвостов, либо Жевжек, а может быть, уже и их потомки. Ко мне ведь уже тоже являлся племянник с внучкой – но только, к его огорчению, кроме фамилии ничего не совпало...

Итак, этот самый Скавронский сказал мне однажды, когда мы вместе купались на Ланжероне:

– Слушайте, Ледя, хотите заработать два рубля?

Я посмотрел на него с удивлением и недоумением одновременно: два рубля – это же сумма, кто же от этого откажется?!

– Скорее скажите, где можно это сделать...

– Сыграйте со мной миниатюру «Разбитое зеркало».

Вот-те раз! Эту миниатюру я знал – ее часто исполняли. Незамысловатая, но удивительно смешная вещица. Она живет до сих пор и в цирке и на эстраде: денщик офицера, разбив зеркало и боясь наказания, вставал в раму и точно имитировал все движения и гримасы своего господина. Может быть, смешнее всего было то, что одинаковые движения и гримасы делали совершенно разные, непохожие друг на друга люди. Сценка эта требовала тщательной тренировки. Но моя самоуверенность в то время была настолько велика, что я тут же согласился. Мне тогда казалось, что я все умею. Это сейчас я понимаю, как многому надо учиться и в восемьдесят. А тогда...

Но как это ни странно, я быстро освоил номер и с обезьяньей ловкостью воспроизводил все, что делал Скавронский...

Мое первое официальное, так сказать, выступление состоялось в театре на Большом Фонтане – дачном месте под Одессой. Представьте себе, что я совершенно не волновался. Когда-то одна старая актриса, Наталия Павловна Тенишева – я служил с ней в мой первый сезон в Кременчуге, – сказала мне:

– Ах, милый мальчик, на сцене только первые тридцать лет трудно, а потом вам будет легко.

Как она была неправа! Годы шли – и становилось все трудней. Если какой-нибудь актер похвалится, что он привык и теперь уже не волнуется, скажите ему: если не волнуется, значит, ничего и не творит. Творчество – акт беспокойный.

Но по молодости лет, признаюсь, я во время своего первого выступления не волновался. Впрочем, может быть, потому, что оно не было совсем уж первым. Однажды я уже выступал в настоящем концерте – пел романс «Отцвели уж давно хризантемы в саду» под собственный аккомпанемент на гитаре. Вот тогда я действительно дрожать не дрожал, но со страха аккомпанемент играл в одной тональности, а пел – совсем в другой, чего со мной во всю мою предыдущую и последующую жизнь никогда не бывало. Я чувствовал, знал, что совершаю какую-то несусветную нелепицу – но поделать с собой ничего не мог...

Наше «Разбитое зеркало» прошло успешно, и Скавронский сказал мне, что при случае снова пригласит меня. Не думайте, что тогда не было халтуры, ее было предостаточно. Только называлась она более изящно.

После моего дебюта со Скавронским прошло немало времени. Я успел съездить в Херсон к дяде, чтобы убедиться, что никакого призвания к торговле скобяными товарами у меня нет. Гвозди, скребки, вилы и лопаты приводили меня в ужас и нагоняли смертельную тоску. Когда мне случалось оставаться «доверенным» лицом, с покупателями я не церемонился и поскорее выпроваживал их словами:

– Хозяина нет, приходите не раньше чем через три часа.

Но однажды я продал-таки товара на пять рублей – ровно столько мне было нужно, чтобы вернуться в Одессу, жить без которой мне было невмоготу.

Купив билет второго класса, сытно поужинав – гулять так гулять! – я лег спать. На рассвете, когда я вышел на палубу – вдали виднелись сады и дома Одессы. Сердце забилось так, словно я возвращался из кругосветного путешествия.

Ступив на землю, я затопал ногами от радости и бегом пустился к трамваю. О том, как примет меня отец, я не думал – главное, что я к дяде Ефиму решил никогда больше не возвращаться.

Был ранний час. Народу в трамвае было много. На первой же остановке в вагон вошла девушка. Она долго шарила рукой в кармане, потом неожиданно вскрикнула и заплакала:

– Украли кошелек! Негодяи, сердца у них нет, мои последние деньги! – Она заливалась горючими слезами.

Я постарался ее утешить:

– Ну не плачьте! Сколько у вас было в кошельке?

— Двадцать копеек...

Я вынул из кармана двадцать копеек и дал их девушке. Она перестала плакать, купила билет и получила пятнадцать копеек сдачи. Кондуктор отошел, она наклонилась ко мне и шепнула на ухо:

— Отдайте же мне и мой кошелек тоже...

Отец примирился с моим возвращением. И я решил серьезно начать заниматься игрой на скрипке.

Через несколько дней после приезда пришел посыльный — «красная шапка» и спросил Леонида Утесова. Он протянул мне конверт, на котором была четко написана моя фамилия. Если не считать лирических писем Ани Кольбы, это была первая моя корреспонденция. Да еще принесенная специальным рассыльным в куртке с золотыми галунами. Было от чего загордиться и заволноваться.

Дрожащими руками я вскрыл конверт и достал записку. «Приходите сегодня в час дня в гостиницу «Континенталь», ком. № 17. Скавронский». — Вот тебе раз, зачем это я понадобился Скавронскому в гостинице, да еще точно в час дня? Может быть, опять какое-то выступление? Но об этом он мог мне и на Ланжероне сказать, как в прошлый раз. Нет, наверно, что-то поважнее.

Но для важного визита у меня нет костюма. Не идти же в черной сатиновой косоворотке, усеянной белыми пуговичками.

И вот на мне уже пиджак и брюки старшего брата — белые в синюю клетку! На голове мое собственное канотье. — Теперь можно и в гостиницу.

Робко постучав, я толкнул дверь, вошел было, но попятился. Посередине комнаты сидел необыкновенно толстый человек. Такой толстый, что его жи-

4-949и

вот лежал на столе. А вокруг – красивые, нарядные, в кольцах и браслетах женщины и хорошо одетые мужчины.

– Вот он! – услышал я голос Скавронского. – Вот тот молодой человек, о котором я вам говорил.

Он схватил меня за руку и подвел к толстому господину. Потом я узнал, что это был антрепренер Кременчугского театра Шпиглер.

– Вы умеете петь? – спросил антрепренер.

Я смутно разбирался в том, что происходит вокруг меня, и ошеломленно молчал.

– У него бархатный голос! – важно произнес Скавронский, который, оказывается, сам уже был ангажирован в Кременчуг на роли героев-любовников.

– Так вы хотите служить в оперетте?

Я? В оперетте? Хочу? Я вспомнил Шатковского. Еще бы! Еще как! Но неужели это возможно? И как это выговорить?

– Что же вы молчите, молодой человек? – в голосе явственно прозвучало нетерпение. – Ваши условия? – на этот раз появилась и насмешка.

Вопрос об условиях доконал меня окончательно. Уж не знаю, какой я вид имел со стороны – жалкий, наверно, – но внутри у меня была огненная лихорадка. Условия... условия... у Бороданова я получал семь, сколько же попросить?

– Дайте ему семьдесят, он милый мальчик... – сказала вдруг одна из актрис и поразила меня приятным тембром голоса. Но что она сказала? Семьдесят? Кажется, пора уходить. Семьдесят! Это же явная насмешка! Я рискнул посмотреть на Шпиглера. У него был недовольный вид.

— Таких денег я платить не могу. Хотите шестьдесят пять?

Боже мой, да они, кажется, все это всерьез! Ну да! Вон уже Шпиглер достает из бокового кармана бумажник, отсчитывает тридцать два рубля пятьдесят копеек и протягивает их мне.

— Аванс! — сказал он.

Вне себя от радости, я делал что-то несусветное — совал деньги в карман незнакомых брюк и, конечно, никак не мог в него попасть, жал руки Шпиглеру, моей покровительнице, Анне Андреевне Арендс, Скавронскому и наконец солидно пошел к выходу.

Меня догнал запыхавшийся Скавронский.

— Ледя, подождите! Ледя! Минутку! Идите сейчас же на толкучку и купите себе фрак. Больше всего вам придется играть лакеев. А они в оперетте ходят только во фраках.

Я вышел на улицу. Иным, чем вошел. И, высоко закинув голову в канотье, гордо прошел мимо дремавших извозчиков, надрывавшегося в рекламе своего товара мороженщика, мимо всех зевак и прохожих и направился на... Толчок.

Если идти по Тираспольской вверх до Старопортофранковской, то уткнешься в площадь, которая называется «Толчок» или «Толкучка», как кому больше нравится. То и другое слово необычайно метко определяет суть этого места, ибо с утра до вечера здесь страшная человеческая толчея. На площади — маленький городок из деревянных ларьков. Ларьки стоят в ряд, образуя улочки. Если бы на углах этих улочек висели таблички, то они, очевидно, гласили бы: «Обувная», «Одежная», «Мелочная», «Шляпная»,

«Чтоугодная». Здесь действительно есть все. Хотите новое, хотите подержанное — всякое.

Владельцы этих «Мюр-Мерилизов» — гении торгового дела. Они стоят у дверей своих «универмагов» и громкими голосами зазывают покупателей.

На улице «Мелочной»:

— Мусьё, что покупаете?

— Пальто.

— Пальто нету. Есть пластинки Плевицкой.

— Не подойдет.

— Так я не танцевал с медведем.

На улице «Одежной»:

— Мусьё, что ищете?

— Пальто.

— Прошу в мага́зин. Яшка, дай-ка твое пальтишко на диагоналевой подкладке дубль-фас. С Парижа. А ну, прикиньте это пальто, мусьё.

Пальто на покупателе.

— Но оно же широкое.

— Игде? (Продавец берет пальто сзади и собирает в кулак складки.) А ну, попробуйте застегнуть.

— Узко.

— А теперь? (Отпускает.)

— А теперь широко.

— Это пальто «пневматик», хотите оно узкое, хотите — широкое. Снимите, вы можете его растянуть. Ей-богу. Чтоб я так жил.

И тут начинается самое главное — торг. Это уже искусство. Продавец запрашивает, заранее зная, что покупатель будет давать в десять раз меньше.

Покупатель. Сколько?

Продавец. Тридцать.

Покупатель. Что?!

Продавец. Рублей.

Покупатель. Я думал копеек.

Продавец. Ну, двадцать.

Покупатель. Что?

Продавец. Рублей.

Покупатель. Два.

Продавец. Не сходная, чтобы вы были здоровы.

Покупатель. Еще пятьдесят.

Продавец. Что?

Покупатель. Копеек.

Продавец. Чтоб я ночью солнца не видел, меньше пятнадцати не могу.

Покупатель. Еще пять.

Продавец. Что?

Покупатель. Копеек.

Продавец. Чтоб я так жил с вашей женой, не могу меньше десяти.

Покупатель. Еще пять.

Продавец. Дайте руку, и на пять мы и покончим.

Покупатель. На какие пять?

Продавец. Рублей.

Покупатель. Скиньте два – и порядок.

Продавец. Скидаю один.

Покупатель. Второй пополам.

Продавец. Есть. Вы имеете пальто, которое хотел купить Ротшильд, но мы в цене не сошлись.

На «Шляпной»:

– Вот этот картузик вы надеваете, так любой банк дает вам кредит. А ну, накиньте его на головку.

Покупатель примеряет картуз, продавец, отвернувшись от него, ведет разговор с мальчишкой, работающим на побегушках:

– Так, значит, ты забежишь на склад и возьмешь партию новых шляп.

Внезапно поворачивается к покупателю.

– А где этот жлоб, что покупал картуз?

– Так это же я.

– Нет, такой простой парень.

– Да я, я.

– Граф, ей-богу, граф. Никогда в жизни не узнать. Можете идти на бал к самому градоначальнику.

Но мне нужно было не пальто, не картуз – мне нужен был фрак, и я протолкался на улицу «Подержанное», где выторговал за пять рублей полную фрачную тройку, да еще шляпу в придачу.

Дома отец посмотрел на фрак, сплюнул в сторону и... ничего не сказал. Мы наконец поняли друг друга.

И в августе 1912 года, надев почти новую шляпу и замысловато загнув ее поля, взяв в руки чемоданчик, в котором лежало белье и фрак, я в третий раз покинул Одессу, чтобы вернуться в нее через год артистом, приглашенным в театр миниатюр.

ПЕРВЫЕ СЕЗОНЫ

Актер театра миниатюр. Это мне нравилось.
Можно сыграть тысячи ролей.

Кременчуг – мой первый театральный город. Конечно, хорошо было бы начать свой актерский путь в каком-нибудь красивом, сказочном городе, с дворцами и парками, украшенном фонтанами и скульптурами. Но Кременчуг – уездный городишко, и в самом его центре с возов продают картофель, огурцы и яйца. Да, в самом центре не дворец, не фонтан – базар. По одну сторону базара чахлый, пыльный сквер, а по другую – городские торговые ряды, где лабазники предлагают все, что может понадобиться в жизни. Конский волос? – Пожалуйста! Пшено? – Сделайте одолжение! Желаете рахат-лукум? – С полным удовольствием!

Я начинаю свой театральный путь в Кременчуге. Главная улица рождается на базаре или вливается в базар, как угодно. На ней – солидные городские учреждения: почтовая контора, отделение банка, нотариус и парикмахерская. Вывеска сообщает, что вас побреет и пострижет «Станислав из Варшавы».

На главной улице – здание драматического театра. Есть еще и городская аудитория, где играют любители. Это их афишу видел я в день приезда: «Будет поставлена пьеса «Отелло» Вильяма Шекспира, любимца кременчугской публики».

Что ж, каким бы ни был Кременчуг тех лет, – для меня он навсегда особый город; здесь произошло мое посвящение в артисты, здесь начал я узнавать профессиональные актерские «тайны».

В Кременчуге ни оперой, ни драмой в те времена не увлекались. Музыкой – еще того меньше. Но наш театр миниатюр мог понравиться своей доступностью во всем. Начиная от легкого развлекательного репертуара, кончая возможностью не пользоваться гардеробом – разрешалось не раздеваться. И за полтора-два часа посмотреть и драму, и оперетту, и разного рода эстрадные номера, а в конце еще и водевиль.

Спектакли такой формы тогда только рождались, для всех являлись новинкой и нравились публике – они были откровенно развлекательны.

Зрительный зал театра в то время начал уже трансформироваться – его прилаживали для показа кинокартин. В дни поста, когда театры, по традиции, не играли, здесь размещался иллюзион. Слово «иллюзион», видимо, было не очень удобным и понятным, и в первое время, в годы становления этого необыкновенного зрелища, его переделывали и так и сяк – названия менялись из года в год: иллюзион, биоскоп, биограф, синематограф, кинематограф, пока наконец не додумались до самого простого и удобного – кино.

Приехав в Кременчуг и устроившись, сейчас же приступили к подготовке будущего репертуара. Мы должны были, как я постепенно узнавал, в один вечер играть две-три одноактные комедии или оперетки, а промежутки заполнять сольными номерами. Для открытия готовилась одноактная оперетта «Игрушечка», в которой мне доверили роль графа. А послушав мое пение куплетов, антрепренер неожиданно сказал, что это будет один из главных «номеров» дивертисмента. За пение я не беспокоился, песен я знал много, пел их с удовольствием – и о теще, и о жене, и о плохих мостовых, и старые куплеты из граммофонных сборников – издавались тогда такие.

Но вот как сыграть графа? Настоящих графов я никогда не видел, играть вообще не умею, да и опыта – никакого. Пожалуй, как только выйду на сцену – сразу все и догадаются, что я самозванец. От этих мыслей меня начинало лихорадить.

На первую репетицию я пришел пораньше, стал в сторонке и начал следить, как и что делают другие.

Из разговоров я понял, что графу Лоремуа, которого должен играть я, восемьдесят лет, а другому графу – Шантерель (его играет опытный актер Ирский) – восемьдесят два. Изображать этих графов, сказал режиссер, надо как стариков-рамоли. Что такое рамоли – понятия не имею. Спросить – стесняюсь. Молодые люди не любят обнаруживать своих слабых мест. Как же превратиться мне, семнадцатилетнему, стройному и легкому, в восьмидесятилетнюю развалину? Я, правда, уже пробовал старить свое лицо, подолгу сжимая его складками, но оно почему-то плохо поддавалось и предательски быстро снова становилось гладким. Ну ладно, ведь Ирскому тоже не восемьдесят, а только двадцать пять. Посмотрю, что он будет делать, тем более что в нашем первом выходе диалог начинает он.

– Ирский и Утесов, выходите! – крикнул режиссер. Мы вышли. Павел Ирский, как и многие актеры в то время, на репетициях говорил вполголоса. Услышав его первую шамкающую фразу, я в ответ ему тоже прошамкал свою, но только громко.

– Ирский! Павел! Виноват! – надрывался режиссер, – не слышу вас. Говорите громче, как Утесов... – Поставленный в пример, я обрадовался и воспрянул духом. И когда режиссер сказал:

– Утесов, больше смелости!

– Пожалуйста! – ответил я.

Первая репетиция прошла блестяще. Никто не догадался, что это была первая профессиональная репетиция в моей жизни. А Скавронский, довольный своим протеже, никому об этом не сказал.

Репетиции шли каждый день, ибо мы готовили одновременно несколько оперетт и комедий – и в каждой я исполнял по две и по три роли. Как в училище Файга, я поспевал всюду. У меня быстро набирался опыт, я был весел, счастлив. И вообще, до чего же удивительна жизнь!

Наступил вечер спектакля. О костюме я не беспокоился. Мой черный фрак – костюм графов и лакеев. Разница только в цвете галстука-бабочки: у графов он белый, у лакеев – черный. Но вот как гримироваться? Коробку с красками я купил заранее (она лежала у меня на дне чемоданчика). Чтобы хоть как-то скрыть свою растерянность, я углубился в газету.

– Отложите газету и получите свой парик, – услышал я над собой голос. Я робко посмотрел на куафера. Какой чудесный старик! Какая умница! Уж если кто мог догадаться, что это моя первая премьера, так это он. Взяв мои руки, парикмахер наложил их на виски парика и безмолвно показал мне, как его надо надевать. Но потом ушел.

Ладно, хоть парик на голове. Будем гримироваться. Я посмотрел на Ирского и, усмехаясь про себя, стал повторять, как на репетиции его игру, так сейчас его грим. На сцену вышли два графа, похожие, как близнецы.

Актерский кураж всегда дремал во мне, а стоило только переступить порог сцены, как меня что-то подхватывало и несло. Я вдруг почувствовал себя старым. Я вдруг понял, что такое восемьдесят лет и что такое, когда не хочется, чтобы было восемьдесят, а хочется быть молодым, но проклятые кости не хотят разгибаться.

Мы были два таких смешных старичка, что нас все время встречали и провожали аплодисменты.

После спектакля Скавронский сказал:

– Ледя, молодец! – и я был совершенно счастлив.

Когда возбуждение первых спектаклей прошло, когда я немного успокоился и привык, заработала мысль, и я начал подмечать особенности своей новой профессии.

Однажды, на четвертом спектакле, я подклеил баки чуть ниже обычного – совершенно случайно! Но из зеркала на меня глянуло новое лицо. Самодовольство и высокомерие графа исчезли, появились забавная чудаковатость и даже расслабленность, что очень соответствовало его состоянию.

Это было открытием! Значит, я могу сделать своего графа таким, каким захочу? Надо только понять, какая морщина что значит, какой смысл скрывается в каждой черте, нанесенной на лицо. Я начал присматриваться к гриму других актеров, к живым лицам людей. И открыл для себя какой-то новый, причудливый мир жизни лица, его соответствия или несоответствия настроению и характеру человека. Наверно, вот тогда-то и начался во мне актер. Я стал наблюдать за собой и обнаружил, что если я ощущаю человека целиком, всего сразу, то какие-то его характерные черты приходят сами собой, а иногда и одна удачная деталь подсказывала мне что-то в его характере или настроении – вроде тех низко приклеенных бакенбард. Но все-таки меня всегда почему-то больше радовало, когда жесты или походка, взгляды или интонации голоса появлялись как бы сами собой – то есть от верного ощущения человека целиком.

После премьеры в местной газете появилась рецензия. И всего-то в ней было сказано: «Недурны были П. Ирский и Л. Утесов», но я впервые в жизни видел свою фамилию напечатанной в газете и у меня сладко защекотало где-то под ложечкой.

К своим ролям в комедиях я относился очень серьезно и вдумчиво, чувствуя, что еще не очень прочно стою на ногах. Но успех, свалившийся неожиданно на неокрепшую голову, чувство безграничной самоуверенности, еще больше укреплявшееся этим успехом, держали меня все время в каком-то приподнятом, взвинченном состоянии. Я не мог с собой совладать – меня распирало от счастья, от удовольствия, от гордости. Этому всему должен был быть какой-то выход – иначе я мог бы взорваться.

Выход нашелся в моих сольных выступлениях. Тут я чувствовал себя как рыба в воде, тут я был хозяином положения и море мне было по колено. И, боже мой, как стыдно теперь вспоминать, что я себе тогда позволял.

Мои куплеты нравились публике и, выбегая на аплодисменты, я мог крикнуть:

– Довольно хлопать, хочу лопать!

А зал гудел от одобрения, и я очень нравился самому себе: ну, как же, сказал в рифму! Одним словом, зрители и артист были равны друг другу. Но потом, когда я встречал кого-нибудь из «кременчугцев», я неизменно краснел. Тогда-то я понял, что чувство мучительного стыда – самое сильное воспитательное средство.

Впрочем, за искренность и молодость мне многое прощалось. Помню, в бенефис актера Саши Кяртсова (он был Востряк, но наоборот ему казалось живописнее), который играл обычно комические роли, а для бенефиса выбрал роль Наполеона, я играл доктора Антоммарки, который констатировал его смерть. Когда император после бурного предсмертного монолога об Аустерлице и Ватерлоо падал бездыханный и я, Антоммарки, послушав его пульс, сообщил:

– Скончался! – на галерке какие-то девчонки, привыкшие видеть Сашу в комических ролях, хихикнули. Почувствовав в этом недоверие к моим словам, я ударил себя в грудь и крикнул:

– Ей-богу, скончался!

В зале гомерический хохот.

Эти выходки нравились и многим актерам – меня похваливали, а я, не зная, что в меня вливают яд, развешивал уши. Но, к счастью, рядом были и требовательные друзья. Тот же Скавронский охотно взял на себя роль старшего товарища. И хотя ему несомненно доставляло удовольствие постоянно заботиться о новичке, которого он сам открыл, и мы вместе радовались моим первым удачам, но при случае он не стеснялся мне сказать и суровое слово правды.

Уважаемая всеми Анна Андреевна Арендс, та самая, что оценила меня с ходу в семьдесят рублей, сочувствуя моему энтузиазму и понимая его, не торопилась хвалить меня за мои проделки. А я был по-юношески влюблен в нее и именно ее похвалы ждал с нетерпением. Заслужить одобрение Анны Андреевны значило для меня очень многое. Но на первых порах я получал от нее больше замечаний. И всегда старался сделать так, как она советовала. Видя результаты каждого своего совета, она внимательно следила за мной и постепенно начинала даже хвалить. Каждое ее доброе слово для меня означало, что я поднялся пусть на маленькую, но новую ступеньку актерского мастерства.

Замечания и советы товарищей-актеров и режиссера – это и была моя единственная школа. Да еще собственная сообразительность и старание. Сравнивая себя с другими, я с радостью убеждался, что многое у меня получается не хуже. Конечно, по молодости лет, может быть, я и не всегда был сурово-объективен по отношению к самому себе. Теперь я себе это прощаю за то, что всегда во мне жило убеждение: хочешь быть хорошим актером – надо много и упорно работать, несмотря ни на какие способности. Это было дельное убеждение, оно, к счастью, не покинуло меня и по сегодняшний день.

Да и где я мог учиться в то время? В Кременчуге, где не то что театральных, и простых-то школ было не густо? Конечно, ни о каких этюдах, ни о каких упражнениях в то время не было и речи. «Занятия» и «школа» у меня получились сами собой.

Впоследствии встречались на моем пути образцы, которые сами по себе были великой школой. Как, например, встреча с одним из самых могучих русских трагиков — Мамонтом Дальским, о таланте и жизни которого ходило столько легенд и слухов.

Впервые я увидел его не на сцене, а в одесском артистическом клубе у карточного стола. Меня поразил его вид. При среднем росте он показался мне огромным. В лице было что-то львиное. Взгляд серых глаз и каждое движение были полны осознанной внутренней силы. В этом артистическом клубе крупная карточная игра велась в специальной, так называемой золотой комнате. Здесь на столе обычно возвышалась гора золотых монет, а люди напускным равнодушием прикрывали свой азарт. Нервные возгласы, растерянные лица, сосредоточенные взгляды, дрожащие руки, капли пота на склоненных лбах — это была великолепная иллюстрация к тому, как «люди гибнут за металл».

Мы, молодые актеры, часто забегали туда, не играть, нет, — на что? — а только посмотреть на этот своеобразный театр. Меня, между прочим, всегда забавляли алогичные фразы игорного жаргона:

— Мои деньги идут? — спрашивал игрок, сделавший ставку последним.

— Раз они стоят, они идут.

Или после очередного хода партнер спрашивал:

— Вы мне отвечаете?

— Раз я молчу, я отвечаю.

В такой-то вот обстановке и увидел я однажды Мамонта Дальского. Чувствовалось, что его здесь знали и уважали: «Мамонт Викторович» звучало почти как «ваше превосходительство». В его облике было столько властного, львиного, что ему всегда уступали дорогу. Торопливо раздвинулись и теперь, пропуская к столу.

— Сколько в банке? — спросил он.

— Пять тысяч, — ответил крупье...

В Херсоне Мамонт Дальский играл в трагедии Августа Стриндберга «Отец».

Одна сцена, где с особенной яркостью проявились и его могучий темперамент и блестящая актерская техника, не могла не стать для молодого любознательного актера самой лучшей школой. Герой Дальского, ротмистр, вел ссору с женой, не повышая голоса, приличными светскими интонациями, но в последний момент терял над собой власть и, когда жена поворачивалась, чтобы уйти, внезапно хватал со стола зажженную лампу и бросал в нее. Этот контраст ошеломлял публику.

Я тоже был потрясен. Несколько раз смотрел я этот спектакль, и лампа каждый раз пролетала в считанных сантиметрах от актрисы, никогда не задевая ее. Наверно, актриса волновалась, и однажды я услышал, как Дальский уговаривал:

— Умоляю вас, не бойтесь! И главное, ради бога, не оборачивайтесь! Тогда все будет в порядке. Не забывайте ни на секунду, что стоит вам оглянуться — и лампа угодит вам в голову!

Я понял тогда, что значит профессиональная актерская честность. Ведь Дальский мог бросить лампу и после ухода жены, но тогда зрители не почувствовали бы с такой остротой характер героя, атмосферу его жизни. Владение, казалось бы, необузданным грандиозным темпераментом и тщательность мастерства, точное понимание, что́ именно нужно для выразительности сцены, – вот что поразило меня тогда в его игре.

Мне было всего семнадцать лет, и соблазны жизни манили меня неудержимо, а тут еще мой веселый, общительный характер. И влюбчивость. Я влюблялся, мучительно влюблялся в красивых девушек, да еще, как на грех, и сам им тоже не был противен. Тем не менее я не мог себе представить, что не приду раньше всех на репетицию или не досижу до конца всех сцен всех актеров – не только в тех спектаклях, в которых я должен был играть, но решительно во всех...

Молодежь, я говорю это специально для вас!

Почему я так делал? Я был любопытен, мне все было интересно, все доставляло необыкновенную радость. Но самое главное – уж очень мне хотелось скорее стать настоящим актером.

Память у меня была молодая, цепкая, и я всегда знал наизусть все роли, хотя пьесы менялись чуть не каждый день. Я знал не только роли, но и все музыкальные партии, потому что мог, как прикованный, часами сидеть у рояля, слушая, как их разучивают актеры, и мысленно пропевая их про себя. Так же я знал и все танцы всех оперетт – ведь танцевать я любил не меньше, чем петь, и еще в училище считался хорошим танцором.

Все это доставляло мне великую радость. И однажды сослужило хорошую службу.

В тот вечер должна была идти оперетта Лео Фалля «Разведенная жена». Я играл незначительную роль сторожа суда. Когда все собрались перед спектаклем, режиссер Николай Васильевич Троицкий вызвал нас на сцену — такое бывало только по случаю аврала. Мы с тревогой пришли на вызов. А он — бледный, растерянный — сказал:

— Господа! Что делать? Заболел Никольский. — Это был актер, исполнявший главную роль — кондуктора спальных вагонов Скропа. — Спектакль должен начаться максимум через двадцать минут. Ни отменить, ни заменить его уже невозможно. Умоляю, кто может сыграть Скропа?

Все смущенно молчали. А во мне вдруг словно что-то завертелось, забилось, и роль мгновенно пронеслась у меня в голове. Неожиданно для себя я выпалил:

— Я могу!

— Вы-ы? — удивленно и недоверчиво повернулся ко мне Троицкий.

— А почему бы и нет? — сказала Анна Андреевна Арендс. Святая женщина, она неколебимо верила в меня.

— Вы разве знаете роль?

— Всю.

— И арии?

— И арии.

— И дуэты?

— И дуэты.

— И танцы?

— И танцы тоже.

— А ну, пройдите дуэт, — сказал Троицкий. И мы с Анной Андреевной тут же, под аккомпанемент концертмейстера, спели и станцевали дуэт «Он идет все за ней».

— А ну-ка, трио. — Было исполнено и трио.

— Идите, одевайтесь, — сказал воспрянувший духом Троицкий.

Я быстро оделся и через десять минут вышел на сцену Скропом — в моей первой большой роли. Вот так, без единой репетиции, на одном энтузиазме молодости с примесью некоторой доли нахальства.

Как я играл? — Этого я не помню.

Я словно забыл, что в зале публика, что я актер. Я был только Скропом. Словно четвертая стена Станиславского, о которой я тогда понятия не имел, отгородила меня от всего света, и я целиком оказался в таком причудливом, искусственном, но в тот вечер для меня таком естественном мире оперетты Лео Фалля. И если нужно определить одним словом мое тогдашнее состояние, то я определил бы его словом «восторг». Вы можете добавить «телячий» и, наверно, будете правы.

Зрители провожали меня аплодисментами, актеры за кулисами наперебой поздравляли. А суфлер по прозванию Пушок — за коротко подстриженные усы — сказал:

— В последний раз тебе говорю — крестись и поезжай в Москву.

Такая похвала суфлера много значила. С Колей Литвиным — официальное имя Пушка — все старались поддерживать дружеские отношения: от него, как от суфлера, многое зависело. Ведь каждые два дня шла новая пьеса и выучить всю роль наизусть не было никакой возможности, а Литвин подавал реплики только премьерам. Дружеское расположение Коли означало, что роль на первых порах можно знать приблизительно.

По молодости и неопытности я верил любому его слову. А по этим словам выходило, что со всеми великими актерами он на дружеской ноге. И не только с актерами.

— Иду это я в прошлом году в Москве по Кузнецкому с Колькой и встречаю Пашку и Мамонта. Идемте, говорят, выпить с нами в Трехгорном. Идем. Только свернули на Дмитровку — в глаза нам Костя. «Стой, — говорит, — ты мне нужен». И стал меня уговаривать: переходи, мол, ко мне, довольно тебе в грязи там лежать.

Такими речами завораживал новичков Пушок. Что Пашка, Мамонт и Костя — это Орленев, Дальский и Станиславский, я догадывался.

— А Колька-то кто? — спросил я его.

— Как кто? Император Николай II.

Но суфлером и для премьеров Коля был ненадежным. Дело в том, что он был наркоманом, и актеры зависели от его настроения.

В начале спектакля после изрядной дозы кокаина он весел, и на сцене царит оживление. Когда же к концу зелье переставало действовать и Коля засыпал, в будку то и дело посылали рабочего сцены будить суфлера.

Однажды во время спектакля «Теща в дом — все вверх дном» Пушок уснул, склонив голову на чахлую грудь. Помчались его будить. Литвин встрепенулся, схватил тетрадь, но с испугу выронил ее и все листки рассыпались в разные стороны. Пушок пополз их собирать.

Актеры тем временем «творили» на сцене кто как мог. Несли несусветную ахинею, а иссякнув, умолкли и уставились на суфлерскую будку. Зрители думали, что это психологическая пауза, и тихо переживали.

Неожиданно из будки высунулась голова Пушка, который деловито и невозмутимо объявил:

— Нашел восемьдесят третью страницу — играйте!

Через минуту мы снова услышали его голос:

— Вернемся немного к прошлому — нашел шестьдесят вторую страницу.

Мы едва дожили до конца спектакля. События ускорил рабочий сцены. Найдя, что один из актеров настолько удачно произнес очередную реплику, что зрители забудут о белиберде, которую актеры несли в течение изрядного количества времени, он опустил занавес. Расчет оправдался. В зале раздались аплодисменты.

Так что получить похвалы такого важного человека, как Пушок, многое значило для начинающего актера...

А после спектакля, когда меня вызвал в контору Шпиглер, успех моего выступления приобрел вполне конкретные очертания. На его лице играла добрейшая улыбка, какой я никогда у него доселе не видал.

— Сколько вы получаете, молодой человек, за ваше творчество? — с иронией спросил он.

— Шестьдесят пять рублей, господин Шпиглер.

— С сегодняшнего дня вы получаете сто десять.

И с этого же дня роль Скропа никому, кроме меня, не поручали.

Вот, молодые люди, жаждущие поскорее выдвинуться и завоевать первое место в труппе, что значит знать все роли, все арии и танцы! Приходите раньше всех на репетиции! Не стесняйтесь!

Скроп не единственная большая роль, которую мне довелось сыграть в этом сезоне. Было и еще несколько подобных. Сезон уже подходил к концу, и я мог считать его — мой первый театральный сезон — удачным. Тем более что однажды мне предложили... бенефис.

Выходным актерам, то есть тем, кто играл маленькие роли, бенефисов давать не было принято. Но Шпиглер, при всех его недостатках, не был крючкотвором. Он не стал лишний раз смотреть, что написано в нашем контракте, и дал мне бенефис «верхушки». Это означало, что в мою пользу накинули на билеты три-пять копеек. Бывали еще бенефисы, когда артист получал полсбора, а бывали и фальшивые – деньги от надбавок получал антрепренер, а артист – только афишу. Так сказать, одному вершки, а другому корешки.

Для бенефиса я взял оперетту «Тайны гарема» и маленькую пьесу «Без протекции». Теперь уж и не помню, о чем шла в них речь, но, видимо, они чем-то мне импонировали, раз я их выбрал для своего первого актерского праздника.

Все прошло очень удачно. Товарищи меня поздравили и поднесли, как тогда полагалось, подарки – на собранные по подписному листу деньги мне купили часы и серебряный портсигар с дарственной надписью.

Я был безмерно рад и горд, когда получал свои «вершки». Суфлер Пушок снова произнес хвалебные слова. Но когда на следующий день он пришел ко мне в поисках двадцати копеек, мне пришлось ему отказать, потому что все деньги ушли на уплату долгов. Пушок побагровел и, отрекаясь от своих похвал, процедил сквозь зубы:

– Черт знает что такое, всякое дерьмо на сцену лезет...

Но кроме радости конец сезона принес мне и печаль – он означал, что все мы должны расстаться.

В те времена во многих небольших городах труппы менялись ежегодно, а то и два раза в год — в каждом сезоне. Со многих точек зрения это было совсем неплохо. И вот почему.

Представьте себе маленький провинциальный город. Узкие повседневные интересы, сосредоточенные главным образом на соседях. И когда на новый театральный сезон приезжает новая труппа — это переключает внимание. Город несколько дней находится в возбужденном состоянии. Приехавшие актеры тоже неравнодушны к этому событию. Нравиться — это их профессиональное свойство. Они надевают все лучшее, что у них есть, и величественно прогуливаются по главной улице.

Конечно, разглядывая актеров, обыватели ведут и такие разговоры:

— Скажите, кто этот красивый мужчина? — спрашивала жена владельца магазина готового платья.

— Это Гетманов! Герой-любовник!

— Не знаю, какой он герой, но любовник, я думаю, он хороший.

— А эта красавица, что проехала на штейгере?

— Это гранд-кокет Сундицкая.

— Не знаю, хорошо ли она играет, но кокетничает отменно.

Пошлость живуча, она и перед раскаленным железом сарказма устоит. Но у большинства интерес к новой труппе будоражил умы и сердца ожиданием необыкновенного.

За короткое пребывание труппы в городе не успевало установиться панибратское отношение к актерам, не успевал разрушиться и померкнуть их романтический ореол, без которого театр теряет свою притягательную силу.

Когда же в маленьком городе труппа не меняется и актеров знают десятки лет, опрощение наступает само собой.

– А вот идет Сережа Кириллов. Вы не знаете, что он играет сегодня?

– Сегодня же «Отелло».

– Сережа, смотри, не задуши Клавочку. Сережа служит в городском театре много лет. Его знают все, и о нем знают всё. Клавочку тоже все знают: она приехала сюда совсем молоденькой, и ее по привычке называют Клавочкой, хотя она уже лет пятнадцать играет Дездемону. А когда она возвращается с рынка, у нее можно узнать, почем сегодня мясо или капуста. В таких условиях таинство театра не уберечь.

Но это теперь, умудренный опытом, я могу так рассуждать. Тогда же, после первого моего сезона, меня до слез пугало расставание и с Кременчугом, и с его зрителями, и, главное, с моими новыми товарищами. Что делать, в семнадцать лет я привыкал к людям с какой-то трогательною нежностью. Впрочем, и в тридцать тоже... И в пятьдесят... И...

Труппа стала моей семьей. Может быть, давало знать себя то, что я рано ушел из дома и ненасытился семейной жизнью, а может быть, потому, что ко мне все сердечно относились, стали для меня родными и близкими. И вот теперь надо было расставаться. Уезжали – кто куда...

В последний раз мы собрались на прощальный ужин. Актеры перебирали недавние события, вспоминали неожиданные встречи, строили планы на будущее. А я едва мог высидеть за столом несколько минут. Меня душили слезы, я убежал в какую-то отдаленную комнату и горько плакал от тоски!

Была и еще причина для слез. Каким бы ни был я ревностным служителем Мельпомены, но молодое сердце не закроешь на замок. Я был влюблен. Ее звали Розочкой. Перед отъездом на вокзал я стоял возле ее дома, смотрел на нее пронзительным взглядом и все никак не мог от нее оторваться. Видя, что конца этому не будет, режиссер Троицкий отозвал меня в сторону:

— Ледя, идите сюда на минутку. Поцелуйте ее последний раз и уйдите, не оглядываясь. Оглянетесь — обязательно вернетесь в Кременчуг. А вам пора искать иные сферы вращения.

Я ушел и не оглянулся.

Молодое сердце отходчиво. Я приехал в Одессу, окунулся в аромат ее жизни — и Кременчуг стал далеким-далеким воспоминанием. В Одессу я вернулся вместе с Арендс и Скавронским, которые не оставляли меня своим покровительством. Скавронский, например, всем в Одессе рассказывал, какой я артист, как я показал себя в Кременчуге. Это была реклама, великолепная реклама, и она сработала. Не успел я приехать в Одессу, как меня вызвал антрепренер летнего театра миниатюр Григорий Константинович Розанов и пригласил на сезон на положение второго актера. Он положил мне жалованье шестьдесят рублей. Против ста десяти, что я получал у Шпиглера, это было как бы возвращение на исходные позиции. А хотелось ведь во всем двигаться вперед. Но огорчали меня вовсе не деньги, хотя они никогда еще никому не мешали. Положение второго актера угнетало. Вот самонадеянность молодости! Ведь за спиной у меня всего один, пусть даже и очень удачный сезон. Я еще и актером-то по-настоящему называться не имел права. Но в юности ведь так торопишься поскорее заявить о себе и получить признание. Может быть, и потому еще я был удручен, что понимал, как непросто здесь выдвинуться. Это не Никольского заменять. Тут такие актеры!

Ну, да ладно! Поживем, увидим. Зато радовало, что в ту же труппу вошли Скавронский и Арендс. Значит, будет дружеская и моральная поддержка.

Театр Розанова помещался в саду, в конце Екатерининской улицы, на площади, где стоял памятник императрице Екатерине. Это был легкой конструкции летний закрытый театр, со сценой и рестораном. Он назывался «Юмор» и имел примерно шпиглеровский репертуар: миниатюры, дивертисменты, фарсы, маленькие пьесы и оперетки.

Хотя все это было для меня привычным, не без робости пришел я на первую репетицию. Одесса – не Кременчуг, и вон какие сидят знаменитости: Поль, Баскакова, Хенкин... Преодолевая смущение, я втягивался постепенно в колею общей жизни, общих забот и волнений. И скоро уже настолько овладел собой, что мог задумываться над вопросами чисто профессиональными, с пользой для себя приглядываться к тому, как работают большие мастера этого трудного легкого жанра. Я сурово сравнивал себя с ними и, казалось, взрослел, то есть начинал понимать, что мне надо совершенствовать свой вкус и вырабатывать свои личные жизненные и сценические принципы.

Это было и трудно и легко в окружении таких ярких талантов. И как не хотелось бледно выглядеть на их фоне.

Вот блестящий Павел Николаевич Поль. Никто бы с первого взгляда не сказал, что этот, похожий на бухгалтера или юрисконсульта грузный человек — великолепный актер. Чувствовалось, что в узких рамках миниатюр ему тесно. Это был широкого диапазона театральный комедийный актер. Не случайно впоследствии он такое заметное место занял в Московском театре сатиры, явившись одним из его организаторов.

Необычайно гибкий и богатый интонациями голос. Тончайшая интуиция. И поэтому, как бы ни был остер рисунок его роли, он всегда был правдивым и естественным. А блестящая актерская техника делала для Поля разрешимыми самые сложные сценические задачи.

Он бесподобно играл чиновников, мелких предпринимателей, слабовольных мужей, находящихся под башмаком у жены. Юмор, мягкость и изящество исполнения не мешали сатирическому звучанию этих ролей.

Даже и двести рассказов об актере не заменят одного спектакля, увиденного собственными глазами. Но спектакли исчезают. И Поля теперь можно увидеть только в единственном его фильме «Девушка с коробкой», где он блестяще сыграл доживающего последние дни нэпмана, безумно боящегося своей жены.

В том году, когда я пришел в театр Розанова, Поль среди прочих ролей играл забитого, задерганного мужа в одноактной пьеске «У домашнего очага». Крикливые семейные ссоры, истерики, обмороки, компрессы и трогательное непрочное примирение — во всех этих сценах Поль был изящен, достоверен и убийственно сатиричен.

Партнершей Поля в этой пьеске была Елена Михайловна Баскакова. Я видел потом много замечательных комедийных актрис, но равных Баскаковой – ни одной, за исключением, может быть, только Елены Маврикиевны Грановской.

Самым главным достоинством Баскаковой было острое ведение диалога, простота интонаций, которую я в то время старательно пытался воспроизводить. Когда Поль и Баскакова вступали на сцене в спор, казалось, что они фехтуют и фразы, как шпаги, так и сверкают в воздухе.

Но самым замечательным из всех был, конечно, Владимир Яковлевич Хенкин. Он обладал секретом необыкновенной власти над публикой, власти почти гипнотической. За его игрой следили затаив дыхание. Его тонкое чувство комического, его поразительная наблюдательность и способность к мгновенным зарисовкам, его неиссякаемый юмор – все это делало Хенкина на эстраде каким-то непостижимым чудом. Он перевоплощался мгновенно. И в его исполнении даже непритязательные жанровые сценки превращались в произведения искусства.

Он выходил на сцену с недовольным лицом – эта гримаса сопровождала его всю жизнь, – недоверчиво и придирчиво всматривался в людей, сидящих в зале. Он словно изучал материал, из которого собирался лепить разные замысловатые вещи. Увидев, что «материал» готов и достаточно сосредоточен, Хенкин, да нет, уже не Хенкин, а чудаковатый старый еврей – главный герой его сценок того времени – делал такой характерный жест обеими руками, что нельзя было сомневаться: то, что он скажет и сделает, необыкновенно весомо и значительно. А на самом деле все, что он говорил и делал, было вздорно и бессмысленно.

Зритель, особенно одесский, хорошо знал таких стариков, их нехитрую обывательскую философию, их жесты и интонации. И мог по достоинству оценить артистическую виртуозность Хенкина, точность, с какой изображал он живописных одесситов.

Что бы Хенкин ни играл — еврейский рассказ, водевиль, миниатюру, комедию, — ему достаточно было одного-двух взглядов, жестов, движений, чтобы сразу было понятно, с кем вы имеете дело — характеристика, при всей ее лаконичности, была исчерпывающа.

Хенкин был блестящим пародистом — его портреты известных людей, его «душещипательные» цыганские романсы всегда отличались точной мерой преувеличения и осуждения. Суть человека или явления он схватывал и передавал со всей беспощадностью.

В советское время Хенкин с присущим ему мастерством читал рассказы Михаила Зощенко, и многие фразы, для которых он нашел своеобразную интонацию, становились крылатыми формулами определенных ситуаций.

Став актером Театра сатиры, он переиграл немало ролей. Ходили специально «на Хенкина». Но главную мечту своей жизни — исполнить роль Аркадия Счастливцева в «Лесе» Островского — ему удалось осуществить частично: вместе с Василием Ивановичем Качаловым они разыграли знаменитую сцену из второго акта. К счастью, это осталось записанным на пленку. Уже одно то, что такой мастер, как Качалов, выбрал себе партнером Хенкина, говорит о многом.

При всей легкости его дарования Хенкин был комедийным актером в традициях русского драматического театра. В его зарисовках никогда не было зубоскальства. Оскорбительная и пустая насмешка над персонажами еврейских рассказов в исполнении Хенкина превращалась в сочувствие и сострадание. А в лучших его созданиях звучал подлинный драматизм.

Он не просто осмеивал пошлость, зазнайство, склочничество, стяжательство — он обличал человеческие пороки. Его смех никогда не был добродушным, он всегда был со злинкой. А себя артист характерным защитным жестом как бы отгораживал от своих персонажей, и слушавшие его вместе с ним презирали этих людей.

Этот небольшой энергичный человек был на эстраде словно заряжен высоким напряжением и всех безоговорочно вел за собой.

— Откуда эти дети? — неожиданно спрашивал он, уставившись в какую-нибудь точку в зале или на сцене. И все, как по команде, как завороженные смотрели туда, куда смотрел Хенкин, и начинали тоже видеть детей, которых не было, и даже различать их особенности.

— Эй, вы! Что вы там делаете наверху? — спрашивал артист с возмущением, глядя вверх, в пустой воздух. И все, следуя за его взглядом, тоже были полны, возмущения.

Я был моложе Хенкина лет на двенадцать, и он относился ко мне снисходительно и покровительственно. Это не мешало мне любить его, восхищаться им и... пародийно копировать. Где только можно и перед кем только можно, я изображал Хенкина. Видимо, это было похоже и смешно, ибо в зрителях и смехе недостатка не было.

— Слушайте, Ледя, что вы даром растрачиваете такое богатство. Прочитайте на сцене рассказы «под Хенкина», — сказал мне однажды Розанов. Мысль мне понравилась. А тут еще и сам Хенкин уехал на гастроли. Так что бог и обстоятельства вывели меня на сцену с эстрадным номером под названием «Впечатления одессита, слушавшего Хенкина».

Публика хохотала до слез. Хохотал и сам Хенкин, когда посмотрел номер по возвращении. И тут же предложил мне сыграть с ним пьеску «Американская дуэль».

В этой миниатюре, вернее даже театрализованном анекдоте, участвовали четыре человека. Я играл роль секунданта одесского коммивояжера. Самого коммивояжера, попавшего в неприятную историю и весьма слабо разбиравшегося в аристократических обычаях, играл Хенкин.

Предстояла американская дуэль. В цилиндр клали две записки, на одной написано «жизнь», на другой — «смерть». Вытянувший «смерть» должен уйти в другую комнату и застрелиться. Герой Хенкина вытягивал роковую записку, уходил за кулисы, раздавался выстрел. В полном восторге он выскакивал на сцену и радостно кричал: «Слава богу, промахнулся».

Я напрасно опасался, что в театре «Юмор» не найдется для меня «ступеньки». Подняться на нее помог мне Хенкин. С его легкой руки я начал новый для себя жанр — эстрадного рассказчика.

В таких театрах программы менялись часто, и актеры, что называется, без дела не сидели. Роли в скетчах, водевилях, оперетках, маленьких комедиях приходилось готовить энергично, а это быстро вырабатывало профессионализм. При таких темпах

5-949и

пассивные в театре не удерживались. Но иногда в этой гонке мы не замечали вещей парадоксальных, а подчас и просто нелепых.

В оперетте «Граф Люксембург» я играл художника Бриссара. А его возлюбленную (кажется, ее звали Жюльетта) играла дородная дама, весившая, как два Бриссара. Не заметив этого контраста, режиссер, ставя дуэт «Прочь тоску, прочь печаль», предложил моему Бриссару петь этот дуэт, держа возлюбленную на руках. Все бы ничего, человек я тогда был выносливый и по поднятию тяжестей достаточно тренированный, но беда в том, что ария кончалась словами: «Скоро ты будешь, ангел мой, моею маленькой женой». На репетиции никто не заметил курьезности этой мизансцены. Но я никогда не слышал такого хохота, какой раздался на спектакле, когда я, держа на руках огромную даму, пел о будущей маленькой жене. Я ее чуть не выронил от неожиданности. Однако такую реакцию зрителей надо ценить, и мы оставили в спектакле невольную «находку» режиссера. Хорошо, что репертуар у нас менялся часто!

Одесса – не провинция, и в театре «Юмор» той семейной обстановки, какая была у нас в Кременчуге, быть не могло. Впрочем, на этот раз я не страдал – теперь я жил дома и не чувствовал себя одиноким. Когда кончился летний сезон, о будущем я мог не волноваться, ибо заранее был приглашен в другой одесский театр – Театр миниатюр, которым руководил известный тогда в Одессе художник-карикатурист М. Линский.

Это был всего лишь третий мой сезон. Конечно, я еще мало знал и мало умел, но жадности до работы во мне было на десятерых – я за все брался смело, и мне казалось, что я все могу. Вообще-то это качество неплохое, но для молодого актера опасное: легко безоговорочно поверить, что это так и есть, тем более если ты пользуешься успехом. Но природа, наградив меня смелостью, снабдила и противоядием: когда я начинал осуществлять свои замыслы, то чаще всего оставался собой недоволен. С годами это начало у меня превращаться в неуверенность, и, уже глядя на других, я часто думал: «Нет, так сыграть я никогда бы не смог».

Но, наверно, все так и должно было быть – и кураж и неуверенность, ведь я пришел в театр, не понимая, что это такое, по интуитивному влечению. Но когда познакомился с актерским делом именно как с профессией, вот тогда-то и начали одолевать меня сомнения и беспокойство. Терзаний не могли рассеять даже щедрые похвалы рецензий: «Опять много смешил публику талантливый г. Утесов», «Особенными симпатиями публики пользуется Утесов», «Знаменитый Коклен из миниатюр г. Утесов готовит массу новинок», «Даже г. Утесов бессилен был рассеять облака скуки», «Инсценированный рассказ Аверченко «Рыцарь индустрии» под непрерывный хохот публики исполняет г. Утесов». Таких рецензий было много, я, конечно, собирал их и наклеивал в специальный альбом – ведь мне было всего восемнадцать лет!

Впрочем, сомнения свои я не выставлял напоказ, я держал их и мучился ими про себя, продолжая оставаться веселым, живым юношей, с которым друзьям и подругам не было скучно.

Однако это беспокойство и вечное желание найти, попробовать что-то новое толкали меня в различные жанры. Я мучительно искал себя.

У Линского почувствовал, что встал, пожалуй, на рельсы, по которым покатится моя жизнь: актер театра миниатюр и рассказчик – это мне нравилось, это было по мне, и я готов был заниматься этим всю жизнь. И пойди я по этому пути, может быть, и достиг бы неплохих результатов в эстрадном чтении рассказов. Я действительно долго не расставался с этим жанром и был даже удостоен премии на конкурсе чтецов в 1933 году.

У Линского я читал много рассказов, но еще больше замыслов теснилось в голове. Появились даже постоянные авторы – для меня писали одесский фельетонист Соснов, известный под псевдонимом Дядя Яша, и сам Линский. Как я читал? Но, может быть, лучше сначала сказать, как я готовился к чтению рассказов. Хорошо это или плохо, я не знаю, но только я никогда не мог создавать свой репертуар втайне. Едва получив от автора новый рассказ и прочитав его, я тут же его запоминал. Но к собственному впечатлению от рассказа я относился недоверчиво, мне надо было проверить его воздействие на слушателе. Пусть самом случайном. Я мог схватить на улице за рукав едва знакомого человека, затащить его в подъезд дома или другой тихий закуток и там прочитать ему рассказ. Я читал и придирчиво следил за впечатлением. Если слушатель не смеялся, я сразу же решал, что рассказ плох или что я плохо его прочитал. А если он смеялся, то тут рождались сомнения: почему он смеется? Может быть, глуп? Или на самом деле смешно? Я отпускал свою жертву и дальнейший путь совершал в мучительных раздумьях. Дело кончалось тем, что во мне разгорался спортивный азарт, и вечером я читал для публики. И уже по ее реакции проверял себя окончательно – был ли я достаточно умен, выбрав именно этот рассказ. И правильные ли я нашел для него интонации и манеры. Скажу честно, на первых порах я часто оставался в дураках. Молодости свойственны ошибки – их чаще всего совершаешь из-за азарта, из-за нетерпения. Не хватает выдержки и спокойствия. Но не думайте, что ошибки – это привилегия только молодости. На склоне лет их совершаешь из-за слишком долгих размышлений. О, где ты, безошибочная золотая середина?! Впрочем, твоим рыцарем я никогда быть не умел.

Признаюсь, что в то время самое главное для меня в выступлениях был смех. Он был моей целью. И моим удовольствием. И моей наградой. И моей оценкой. Что ж, смех на эстраде – это не так мало. Хотя, с сегодняшней моей точки зрения, он не исчерпывает всех достоинств номера. Смех на эстраде – дело вообще сложное. А в Одессе, городе острословов, где самый простой разговор на рынке или в трамвае превращается в дуэль на репликах, – особенно. Это поражает всех, кто бы ни столкнулся с Одессой.

Наш современный эстрадный артист номер один – вы, конечно, поняли, что я говорю о Райкине, – рассказал мне, как лет десять – пятнадцать назад он свой первый спектакль в одесском Зеленом театре закончил экспромтом:

– Ну вот и все! Идем домой! – Спустившись по лесенке в зрительный зал, он пошел по проходу. Публика поднялась и устремилась за ним. Так они и прошествовали до самой гостиницы.

В следующий вечер Райкин решил повторить этот трюк. Но когда он спустился в зрительный зал и публика снова за ним потянулась, кто-то сзади дернул его за пиджак. Он обернулся. Одессит лет десяти – двенадцати сказал ему:

– Товарищ Райкин, вчерашняя хохма сегодня уже не хохма.

Больше он этого трюка не повторял. – Вот и попробуйте рассмешить одесситов! Надо быть свеженьким каждый день.

Так что для молодого артиста простая задача рассмешить – не так-то уж и проста. Но когда я увидел, что справляюсь с ней, я невольно начал задумываться: над чем же смеюсь я сам и заставляю смеяться публику? И однажды меня осенило, что в жизни есть множество серьезных вещей, которые просто необходимо высмеивать.

Теща, трамвай, общество местного благоустройства, которое печется о порядке на улице, – это были постоянные, испытанные юмористами объекты для шуток. Они действовали безотказно. И в самом деле, что это за существо такое – теща? Откуда в ней такое богатство содержания? Откуда неиссякаемость тем? Ведь вот уже которое десятилетие она верой и правдой служит эстрадным юмористам. Не знаю, была ли она на эстраде в средние века и в эпоху Возрождения – если не была, то только потому, что тогда еще и самой эстрады не было, – но с начала XX века, а может, и еще раньше, не было на свете куплетиста, который бы не пел и не острил на эту тему. Даже если он сам никогда и не имел собственной тещи, как я, например.

«Теща» выручала в любом случае жизни, и задумываться о ней особенно было нечего. Задумался я, когда увидел, что некоторые эстрадные артисты отваживаются затрагивать и гражданские темы, поют о Государственной Думе, о Пуришкевиче, которому была даже дана кличка «Соло-клоун Государственной думы». Публика это принимала с энтузиазмом и с аплодисментами. Исполнителям, конечно, часто влетало. Некоторых даже высылали по этапу из города.

Впервые я услышал нечто подобное у Алексея Григорьевича Алексеева, выступавшего в одесском Малом театре с сатирическими обозрениями, среди которых особой популярностью пользовалось пародийное обозрение «Сан-Суси в Царевококшайске». Меня вдруг словно что-то обожгло. И глаза мои прозрели. Я увидел, что есть над чем смеяться, есть что высмеивать, над чем поиздеваться и кроме тещи. Даже и над самим собой, над нашей беззаботной эстрадой и театрами миниатюр, над их штампами, пошлостью, невзыскательностью, над их легкомысленным смехом.

Сдвиг в «мировоззрении», может быть, и не ахти какой великий, но увидеть смешное в том, что прежде считал нормой, — это настраивало на критический взгляд вокруг себя. И с этих пор я начал приглядываться к окружающим и к себе с этой новой для меня точки зрения.

Итак, как же я читал? Выходя на сцену, я выбирал себе в первом ряду человека с благожелательным лицом и делал его своим партнером. А все остальные становились как бы его родственниками или близкими знакомыми. Я обо всем рассказывал ему, а у них искал сочувствия, поддержки, понимания, одобрения. Если мой «партнер» оказывался легким на реакцию, охотно смеялся, то я уже словно бы ставил его в пример всей остальной публике и он делался моим сообщником.

У людей в зале два восприятия – зрительное и слуховое. Нити внимания того и другого сходятся ко мне. Я ощущаю почти реально, как каждая ниточка заканчивается крючком, и на этих нитях и крючках я веду зрителей-слушателей за собой, куда хочу.

Правда, все это я открыл далеко не сразу и вначале, когда только подходил к этому приему, делал много глупостей. Чувствуя, например, что ниточки внимания рвутся, я начинал громко говорить, суетиться, винил публику в рассеянности. А она никогда не бывает виновата. Вместо этой суеты и форсированного голоса и надо-то было всего лишь посмотреть сосредоточенно и с любопытством, ну хотя бы на свой указательный палец. Всем непременно захочется узнать, что такого интересного я там увидел? И дальше на этом «пальце» я могу вести зрителя, куда захочу. Ах, как поздно порой познаем мы истину, даже ту, что лежит на поверхности.

Номера чтения, с которыми я выступал, не всегда были, так сказать, просто или только чтением. Иногда они превращались в своего рода инсценировки. Например, рассказ «Лекция о дамских модах от Евы до наших дней» сопровождался демонстрацией этих самых мод, а я как бы их комментировал. На вращающемся кругу тридцать красивейших женщин демонстрировали изготовленные в Париже туалеты.

Среди, как мы бы сейчас сказали, манекенщиц меня поразила одна – своей яркой итальянской красотой. Она и в самом деле оказалась итальянкой, но еще и женой полицейского пристава бульварного участка. Мы познакомились и даже влюбились друг в друга. Узнав об этом, пристав совершенно серьезно грозился убить меня. А я поверил в это. И хотя было мне восемнадцать лет и юноша я был спортивный, но у пристава был пистолет и шашка, да и роста он был аграмадного! – Я бежал в Херсон.

Так удачно начатый сезон и мои грандиозные планы – все полетело в тартарары. Ах, зачем я отступил от своего принципа: «Театр прежде всего!» Зачем не дано человеку прожить без промахов и ошибок?!.

Я «прибежал» в Херсон в самый разгар сезона, не успев подумать о том, как же я устроюсь. Правда, на худой конец оставалась скобяная лавка, в которой я уже имел некоторый опыт по продаже лопат и гвоздей. Но в Херсоне устроиться в театр оказалось нетрудно – «одесский Коклен» был здесь фигурой известной. Недаром же, как я уже говорил, меня заметила пресса. А может, лучше бы и не замечала? Читаешь сейчас эти рецензии и думаешь: странное было время, если об актере приличным считалось писать вот так:

«Уй, кто ж его не знает?

Одесский смешняк и каламбурец!

Сейчас стал уже самостоятельно на ноги и выработал свой, «утесовский», жанр и манеру.

Пьет, так сказать, из маленького, но собственного стаканчика. Помимо родного языка г. Утесов превосходно владеет языком персонажей Юшкевича.

Любит уверять, что бросит современные анекдотики и куплеты и посвятит себя серьезному искусству.

Только раньше хочет сколотить состояние, по крайней мере в полмиллиона.

Это будет еще не скоро».

Такой оскорбительный тон считался тогда в порядке вещей.

Что же касается Юшкевича, имя которого упомянул рецензент, то действительно встреча с его

«Повестью о господине Сонькине» имела для меня огромное значение.

Семен Юшкевич был в то время очень популярным. Его ставили многие театры. Наибольший успех выпал его пьесе «Miserere» в Художественном театре. Излюбленные герои Юшкевича – мелкие торговцы, еврейская беднота. Эти люди, их среда были мне знакомы с детства. Персонажи «Повести о господине Сонькине», например, были очень похожи на приятелей моего отца, да и в нем самом было кое-что от Сонькина. Готовя эту роль, мне не надо было заниматься раскопками и изысканиями – мои детские и юношеские впечатления были совсем свежими. Рецензент был прав, когда писал, что я «рисовал тип Сонькина искренне» – вот уж где действительно, если бы даже и старался, я не мог сфальшивить.

...Мелкий конторщик Сонькин мечтает о выигрыше двухсот тысяч рублей. Ему кажется, что тогда его серая жизнь переменится, превратится в нескончаемый праздник. И вдруг, в самом деле он выигрывает двести тысяч. Значит, он свободен от нищеты, которая не только отравляла его жизнь, но и душила в нем человека, подавляла личность. Теперь он ни от кого не зависит! Он может поступать, как хочет. Почувствовав себя всемогущим, он пачками разбрасывает только что полученные двести тысяч и кричит: «Все маленькие, забитые, несчастные, идите ко мне!» Это был истинный миг свободы. Но, опомнившись и поняв, что он наделал, Сонькин сходит с ума – слишком долго он жил в нищете, чтобы это не повлияло на его душу, не отравило ее ядом собственничества.

После пустеньких, развлекательных ролей роль Сонькина показалась мне тогда, молодому и неопытному актеру, целым богатством. Я готовил и играл ее с безграничным удовольствием. Может быть, здесь я впервые почувствовал, что такое настоящая роль. Каждый его жест, каждая черта его характера, каждый его поступок были для меня полны значения, были мне ясны и понятны до самых глубин. Мне нравилось, что он любит рассуждать, что он склонен к обобщениям, наблюдателен. Я понимал, почему он добр, мягкосердечен и не переносит чужих слез. Я понимал, откуда его робость, нерешительность и даже трусливость. Я видел, как он в нервном порыве и нетерпении грызет ногти и ерошит волосы. Мне было близко его чувство собственного достоинства, которое проявляется и утверждается порой так уродливо. Его нелепые и некрасивые поступки вызывали во мне не только возмущение, но понимание и жалость. Я старался показать в этом образе то, что постоянно видел вокруг себя: благородные побуждения, перед которыми неодолимой преградой стоят обстоятельства жизни, вынуждающие к мелочности, ограниченности, отупению.

Меня радовало, что хотя бы на миг мой Сонькин сумел вырваться в прекрасный мир бескорыстия и единения с людьми. Да, он дорого за это заплатил! Но мне хотелось, чтобы все поняли, как этот миг прекрасен, и стремились как можно дольше длить такие мгновения своей жизни.

Наверно, тогда я не сумел бы так четко сформулировать свои ощущения, но не сомневаюсь, что именно они волновали меня в этой роли.

«Повесть о господине Сонькине» не была шедевром, да к тому же она была слишком громоздкой для театра миниатюр, но я все-таки выбрал ее для своего бенефиса, предпочтя пустым комедиям и водевилям вроде «Суфражистки», «Блудницы Митродоры» или «Гнезда ревности». И я был рад, когда прочитал в рецензии: «Утесов рисовал тип Сонькина искренне. Его Сонькин не мозолил глаз холодностью фотографического снимка. Артист все время старался в свою игру вложить нечто, что могло бы идеализировать Сонькина и смягчить грубо реальные краски авторского рисунка. Это ему в значительной мере и удавалось. Особенно хорош был Утесов в третьем и четвертом актах. В них Сонькин жил, но не грубой, лишенной красивого смысла жизнью; артисту удавалось сухую авторскую схему облечь в плоть и кровь живого образа, дать ей привлекательность, значительность, внутренний смысл».

Работая над ролями и рассказами, я с некоторых пор стал натыкаться на места, которые ставили меня в тупик. Словно в них оставалось что-то скрытое от меня. И однажды я обнаружил, что мне не хватает знаний. Я с удивлением оглянулся вокруг и словно увидел мир впервые – он стал для меня полон загадок. Я повсюду искал возможность узнать новое: приглядывался к людям, выспрашивал их, прислушивался к чужим разговорам, а потом понял, что кроме книги нет ничего лучшего для человека, который хочет понять окружающую его и незнакомую ему жизнь.

Вот когда я начал читать! Запоем! Все, что попадалось мне в руки, – романы, повести, сказки, статьи, научные трактаты. И все было интересно. Сегодня, глядя на себя с вершины своих лет, я удивляюсь, как хватало у меня времени, чтобы столько читать? Ведь я работал в театре миниатюр, а это минимум два спектакля в вечер, а в воскресенье и праздники – три!

Ах! Мои молодые коллеги, знаете ли вы, что такое работать почти целый год без единого выходного? Знаете ли вы, что такое ежедневные репетиции новых спектаклей – ведь каждые два-три дня премьера! Правда, был суфлер. Но, как я уже говорил, он подсказывал только актерам первого положения. И все-таки я читал! Запоем, со страстью. С той самозабвенностью, с какой брался за любое дело. Когда? – Ночью. И откуда у меня сил хватало? Кабы сейчас мне эти возможности – чего бы я только не натворил!

Переезд из Херсона в Александровск – приятное путешествие. Вы садитесь на пароходик, немного похожий на тот, что описал Марк Твен, – деловитый, неторопливый, с колесами по бокам, и берега Днепра медленно проплывают перед вами, наполняя душу успокоением и тихой радостью.

В Никополе – пересадка. Оттуда в Александровск вы едете поездом, по земле.

Я ступил на борт пароходика солидно и независимо. Мне было все еще восемнадцать. Для солидности я накидывал себе (чудак!) лет пять-шесть, а для доказательства, что мне никак не меньше двадцати четырех, отрастил бачки и, разговаривая с кем-либо, презрительно опускал уголки рта для получения предмета моей постоянной заботы – морщин. Но душу-то не загримируешь, она была у меня восемнадцатилетней и со всей непосредственностью сжималась и расширялась от впечатлений. Это приятное, неторопливое путешествие совсем размягчило ее. У меня было блаженное настроение. Я был готов, как говорит поэт, «для жизни, для добра».

Никополь теперь город. А тогда это было местечко. Одесситы людей из Никополя презрительно называли «никополитанцы». Я должен был пробыть там всего один вечер. Но он оказался решающим в моей жизни.

В этот единственный вечер я пошел в единственное место развлечения «никополитанцев» — кафе. Здесь обычно собирался местный бомонд. Я был одессит и поэтому с презрительной миной сидел за столиком и глядел на провинциалов.

В кафе вошли двое — маленькая девушка и мужчина. Мужчину я узнал — мы вместе ехали на пароходе из Херсона. Мы не были знакомы, но ему было известно, кто я и куда еду. А ехал я в труппу Азамата Рудзевича. Мужчина глазами указал на меня своей даме и что-то шепнул. Она взглянула на меня и сделала презрительную гримасу.

Вот и все события этого вечера. А чего еще можно было ждать от какого-то местечка?

Утром я уехал в Александровск.

И вдруг, через день после моего приезда, во время репетиции на сцену вошла новая актриса... та самая, столь презрительно фыркнувшая в Никополе. Нас представили друг другу. Это была Леночка Ленская. Ей был двадцать один год.

Когда кончилась репетиция, я спросил ее, как можно галантнее:

— Что вы намерены сейчас делать?

— Сначала пообедать, а потом искать комнату.

Чтобы отомстить ей за недавнее «фу», я решил быть галантным до конца и пригласил ее обедать в ресторан.

Но за обедом, в беседах и шутках, на которые мы оба не скупились, она, ей-богу, начинала мне нравиться по-настоящему. Я заметил, что и с ее стороны не было больше ни «фу», ни презрительных гримас.

Всякие хорошие дела начинаются в дождь, а когда мы вышли из ресторана, он уже шел.

Комната, которую я снял, была неподалеку. Я сказал:

— Может быть, мое предложение покажется вам нелепым, но давайте зайдем ко мне и переждем непогоду. А потом я помогу вам найти комнату.

Искать комнату Леночке Ленской не понадобилось — она вошла в мою и больше из нее не вышла. Как будто бы дождь шел сорок девять лет. Она стала моей женой.

В Александровске мы прослужили несколько месяцев, а потом получили приглашение в Феодосию. В Феодосии было очень хорошее дело, великолепная труппа. А может быть, это нам только все казалось необыкновенным — мы были счастливы, любили друг друга, любили театр. Господи! Как хорошо жить на свете!

Война вернула нас на землю. Антрепренера мобилизовали как офицера запаса, труппа распалась. Надо было действовать быстро и решительно. Я отвез Леночку в Никополь, к ее сестрам, а сам помчался в Одессу — устраиваться.

В это время устроиться в Одессе было трудно — театральная жизнь почти замерла. Да и не только театральная. Проливы Дарданеллы и Босфор были закрыты. Порт не работал. Но я устроился. Даже сразу в два театра миниатюр. Кончив пьесу в одном театре, я на извозчике ехал в другой, потом возвращался обратно в первый, играл там второй сеанс и снова мчался во второй, потом опять в первый — одним словом, Фигаро здесь, Фигаро там. Но за всю эту суету семейный теперь уже Фигаро получал два рубля в вечер. Извозчик, перевозивший меня из театра в театр, зарабатывал больше.

Наконец я смог выписать Леночку к себе. Все было бы хорошо, но была одна сложность: мы не были повенчаны. Загсов тогда еще не было, а венчать меня отказывались, потому что я не был приписан ни к какому призывному участку. Естественно, что перемену в моей судьбе я скрыл, и о нашей «преступной», не оформленной законом жизни ни мои родители, ни ее сестры не знали. Конечно, можно было бы скрывать это и дальше – кому какое дело! Но приближалась катастрофа – должна была родиться Эдит Утесова. Вы понимаете, что было бы, если бы она родилась внебрачным ребенком?! Ужас!!!

Мне удалось уговорить городского раввина повенчать нас. Ах! Какая это была свадьба!

Начну с того, что у меня было всего пять рублей. Я взял свою незаконную жену под руку, и мы всем семейством – как вы понимаете, нас было уже почти трое – отправились в синагогу. Я был счастлив, но предвидел во время венчания различные затруднения.

Во-первых, требовалось золотое кольцо. Хорошо еще, что по еврейским обычаям нужно только одно. Кольцо у меня было. Медное. Позолоченное. Но нужны еще десять свидетелей. А где их взять? Никто из родственников и знакомых ничего не должен был знать. Меня выручил синагогальный служка. В последний момент он выскочил на улицу, где обычно кучками стояли биндюжники – это была их синагога, – и крикнул:

– Евреи, нужен минен!* По двадцать копеек на брата.

---

* Минен – обрядовое число свидетелей на свадьбе.

Они вошли в синагогу, огромные, бородатые, широкоплечие гиганты. Они были серьезны и величественны. От них пахло дегтем и водкой.

Раввин был импозантен не менее любого биндюжника – с длинной седой бородой, в бобровой шапке и шубе с бобровым воротником (была зима, но синагогу по случаю войны не топили).

А невеста была маленькая, да и жених небольшой – мы стояли в их окружении, как Мальчик-с-пальчик и Дюймовочка. Над нашими головами развернули шатер, и раввин глубоким, торжественным басом спросил:

– Где кольцо?

Я подал ему мое поверхностно золотое кольцо, он подозрительно взглянул на него:

– Золотое?

– Конечно! – нагловато ответил я.

– А где же проба?

– Оно заказное, – соврал я, не моргнув глазом.

Он иронически улыбнулся, сделал вид, что поверил. И приступил к обряду надевания кольца на палец невесты, произнося при этом ритуальные древнееврейские слова, которые я, как попугай, повторял за ним, ни одного не понимая.

Я надел кольцо на палец Леночки, раввин пожелал нам счастливой жизни.

Я отдал служке два рубля, и он роздал по двадцать копеек биндюжникам. Рубль, он сказал, надо дать раввину на извозчика. Рубль я дал ему самому за блестящую организацию моей свадьбы. И у меня осталось капиталу на ближайшую семейную жизнь ровно один рубль.

Взяв теперь уже мою законную жену под руку, я вывел ее из синагоги и пригрозил:

— Теперь ты от меня никогда не сможешь уйти — у тебя нет своего паспорта. Ты будешь прописана в моем.

Она была послушная жена и не уходила от меня сорок девять лет. Не знаю, что бы я делал без нее...

«Взнуздала ты меня, коня, —
Я конь был норовистый.
Верхом вскочила на меня —
И бег мой стал неистов.

Но ноша милая легка.
Ты мчишься вдаль, ты скачешь.
То шпоришь ты меня слегка,
То лаской озадачишь.

И нет дороже ласки той,
И боль неощутима —
Я мчусь дорогою большой,
И жизнь несется мимо...

Мчусь летним утром, зимним днем,
Влетаю в снега комья.
Гордишься ты своим конем,
Доволен седоком я.

Освободи ж слегка узду —
Я не споткнусь о камни.
Благословляю я судьбу,
Пославшую тебя мне».

А война шла. Люди уходили на фронт. Многие не возвращались. Некоторые возвращались искалеченные. Призвали в армию и меня.

Читатель, если тебе не довелось служить в то время, ты не знаешь, что такое старая царская армия. Что такое унизительное положение солдата, пренебрежительное отношение офицера и затаенная взаимная вражда. Ты не знаешь и самого страшного для солдата — фельдфебеля. Самое страшное — это маленький человек, жаждущий большой власти.

Над нами был поставлен Назаренко.

Назаренко еще не «ваше благородие», он еще только «господин подпрапорщик», но лучше уж иметь дело с «вашим превосходительством», чем с ним.

Был он простым солдатом, остался на сверхсрочной и дослужился до фельдфебеля. Погон не золотой. Характер железный. Службу несет рьяно и жмет, как полагается.

Матерщины хватит не только на роту, а и на целую дивизию. Руки все время в движении и ищут, куда бы ткнуть кулаком.

Фельдфебель старателен. Его благополучие зависит от количества наскоро обученных солдат. Чем больше обучит, тем дольше просидит в тылу. Солдатской «науке» полагается пять недель — и пошел в маршевую роту, в окопы, «грязь месить, вшей кормить».

Разные солдаты приходят в запасной полк. Приходит и неграмотный, приходит и не знающий русского языка. Война.

Система обучения у Назаренко «верная». На строевых занятиях он гуляет по плацу и наблюдает.

— Ну, как идет? — спрашивает Назаренко.

— Плохо, господин подпрапорщик, — отвечаю я. — Они по-русски не понимают, я не виноват.

— А я вас и не виноватю. — Не знаю, почему, но мне Назаренко говорит «вы». Всем остальным он тыкает.

— Да я бьюсь с ними, а они не понимают, что «налево», что «направо».

— А ну-ка, дайте команду.

— На-пра-а-а-гоп, — командую я.

Отделение поворачивается налево.

— Ну вот видите, господин подпрапорщик.

— Видю. Эх, артист, артист, — презрительяо говорит он. Он подходит к правофланговому, берет его за правое ухо и начинает это ухо вертеть с ожесточением, приговаривая:

— Это правое, это правое, правое, сюды вертайся, направо сюды.

Ухо делается кумачовым, под мочкой показывается капля крови. Назаренко с улыбкой отходит в сторону, закладывает большие пальцы обеих рук за пояс, резким движением оправляет гимнастерку и командует:

— На-пра-а-а-гоп!

Отделение поворачивается направо.

— Вот и уся наука. Понятно?

Бывают случаи, когда Назаренко проявляет гуманизм и своеобразную заботу о человеке. Это когда его хотят угостить и посылают кого-нибудь из солдат за водкой. Тут он обычно говорит:

— Дайти сразу на две бутылки, чтобы не гонять человека два раза.

По воскресеньям занятия не проводятся, и солдаты отдыхают. Чудесный день. Можно лежать на койке, расстегнув пояс, болтать с соседом, говорить о доме, о своих тяжелых крестьянских заботах, мечтать о возвращении домой, если «богу будет угодно». Но Назаренко знает, как надо проводить воспитательную работу. Сегодня в полку спектакль. Идет пьеса «Подвиг

Василия Рябого». Назаренко идет по проходу между коек. В руке у него ремень. Он хлещет им направо и налево, приговаривая:

– Подымайся у теятры, у теятры подымайся!

– Эх, туды твою... – ворчат солдаты. – Ни минуты спокою! То на занятия, то у церкву, то у теятры.

В театре они сидят мрачно. Мысли не здесь... там, далеко... дома.

Назаренко ходит между рядами и спрашивает:

– Нравица?

– Терпим, – отвечают солдаты.

Живет Назаренко при роте. Если подняться по лестнице на второй этаж, то налево огромное помещение роты, уставленное койками, направо – квартира Назаренко. Квартирка в три комнатки, из коих одна – кабинет ротного командира.

Что хорошего есть у Назаренко – так это его жена Оксана. До чего же хороша! Высока, фигурна. Прямой пробор разделяет черные волосы. Они зачесаны на уши и стянуты в крепкий узел на затылке. Глаза карие, а белки отливают синевой. Чудной формы нос и рот с жемчужными зубами. Писаная красавица, честное слово. И как это она пошла за Назаренко – кургузого, белесого, гнилозубого? И разговаривает он с ней, как с солдатом:

– Чего тебе издеся надо? А ну, марш отседова!

Она покорно уходит, стыдливо наклонив свою чудесную головку.

– Господин подпрапорщик, – говорю я, – дозвольте уволиться в город.

– А шо вы там не видали, шо у вас тут работы нема? Узяли бы отделение на ружейные приемы.

– У меня в городе жена.

– И у меня жена.

– Так ваша ж при вас!

– А вы до меня возвысьтесь и ваша при вас будет.

– Я не мечтаю о карьере фельдфебеля, – улыбаясь, говорю я.

– Чего, чего? – В глазах Назаренко злоба и подозрительность. Слово «карьера» его пугает непонятностью. Он переходит на «ты»:

– Ты ето шо, ты чего? А ну-ка, кру-у-гом! Пшел к...

Беседа закончена.

Однажды я шел вверх по лестнице, направляясь в ротное помещение, на площадке стояла Оксана. Я подошел к ней, ловко стукнул каблуками и нарочито торжественно произнес:

– Здравия желаю, госпожа подпрапорщица!

Оксана смутилась, покраснела и протянула мне руку «лопаткой», то есть не сгибая пальцев. Я взял руку и поцеловал. Рука задрожала. Она быстро вырвала ее, покраснела еще больше и убежала.

Последствия этого эпизода были для меня неожиданны и приятны. Кто шепнул об этом Назаренко? Не знаю. У него было достаточно осведомителей. Через полчаса Назаренко подошел ко мне и, пытаясь скрыть недовольство искусственной улыбочкой, сказал:

– Шо вы крутитесь у роте, шо вам у городе нема шо делать? У вас же там жинка! Пишлы бы!

– Нет. Уж лучше я отделением займусь, да и идти в город на один день неохота.

– Зачем на день, я вам записочку на неделю дам.

Я сразу понял, что поцелуй руки Оксаны – это увольнительная записка. Я стал пользоваться этим. Возвращаясь из города, я дожидался, когда Оксана выйдет на лестницу, подлетал к ней, «здравия желаю, госпожа подпрапорщица», рука, поцелуй и... увольнительная записка на неделю.

Я торжествовал победу, а Оксане, наверное, влетало. Я был молод и этого не понимал. Сегодня я бы этого не сделал. Ах, бедная Оксана! Ей так хотелось, чтобы ей целовали ручку! А от Назаренко разве этого дождешься! Только и слышишь:

– И чего тебе издеся надо? А ну, марш отседова!

Ах, Оксана, Оксана!

Но если бы не было ни одного хорошего человека в офицерских погонах, то, может быть, и не было бы этой книги – автор бы исчез.

Полк, в котором я служил, квартировал в нескольких верстах от Одессы. Командиром нашей роты был подпоручик Пушнаренко. Подпоручик не очень высокое звание, вроде нашего сегодняшнего лейтенанта. Но если ты человек – ты в любом звании останешься человеком.

Так как в городе у меня были жена и дочка, то меня, естественно, всегда тянуло туда. До целования ручки прекрасной Оксаны получить увольнительную у Назаренко было не так-то просто. Но однажды я такую записку получил за подписью ротного командира Пушнаренко.

Прошло слишком много лет, и за давностью события преступление, совершенное мною, уже ненаказуемо. Тем более что перемены произошли немалые: нет той армии, тех людей, нет всего того, что уничтожила революция.

Что же я сделал? Я вошел в комнату ротного командира, когда там никого не было, и стащил пустой бланк увольнительной записки. Когда моя увольнительная закончилась, я накрыл ее чистым бланком, приложил их к оконному стеклу и перевел подпись подпоручика Пушнаренко. Записку я пометил тринадцатым числом.

Но прошло тринадцатое, прошло четырнадцатое, а я был в городе. Тогда я, недолго думая, сделал из тройки пятерку и уже тогда отправился в полк.

Специальный патруль, проверявший увольнительные у солдат, остановил меня. Я показал сфабрикованную мною записку.

— Подделка, — сказал он сразу. — Это же кажное дите видит, что из трех сделано пять. Отведите в роту, — сказал он двум пожилым ополченцам.

Мы пошли. Я шел быстро, как ходил всегда. Пожилые же ополченцы — два одессита с Молдаванки, вооруженные винтовками системы «Бердана» («берданка», как называли ее для краткости), едва поспевали за мной.

— Что вы так бежите?! — говорили они мне. — Что вы там забыли?

— Мне некогда, — говорил я, задыхаясь от волнения.

— Вам нет когда, а мы не можем бежать. Мы же несем ружье.

Когда мы пришли в помещение ротного командира, ополченец доложил:

— Ваше благородие, вот... Ефрейтор задержал его с этой запиской.

Пушнаренко посмотрел на записку, потом на меня и сказал ополченцам:

— Ступайте. — Те ушли. — Зачем вы это сделали? — спросил он меня. — Ведь это так заметно, что тройка переделана на пятерку. Вы бы просто попросили еще одну увольнительную.

— Ваше благородие, я застрял в городе, не знал, что делать, вот и сделал глупость.

— Ну ладно, ступайте. И никогда больше этого не делайте.

Это было в 1916 году.

Прошло двенадцать лет. Я был в Париже и однажды на улице увидел Пушнаренко. Он тоже узнал меня:

— Утесов, что вы тут делаете?

— Путешествую.

— Тогда давайте пройдемся. Я покажу вам Париж.

И мы с ним пошли по набережной Сены. Вспоминали наш полк, плохих и хороших офицеров. Вдруг Пушнаренко остановился и спросил:

— Помните, как вас привели ко мне с запиской, на которой тройка была переделана на пятерку?

— Помню, — сказал я.

Он молча и внимательно посмотрел на меня.

А ведь и подпись моя тоже была подделана. Я это заметил сразу, но не сказал вам.

— Почему?

— Подделка подписи ротного командира грозила штрафным батальоном. А если бы судьба пощадила вас на фронте, то по возвращении вас ожидали каторжные работы... до восьми лет. Даже если бы я сказал вам, что прощаю вас, это бы все равно лишило бы вас сна и испортило жизнь.

Я запоздало поблагодарил его. Да, как просто можно испортить себе жизнь легкомыслием...

Планида что ли была у меня такая, но военная служба никак мне не давалась – я то и дело попадал в различные происшествия.

Это было на Дерибасовской улице – самой шумной и оживленной улице Одессы. Гуляя по ней, можно было забыть, что идет война. Ах, дорогие мои земляки, умеете вы не поддаваться ни пессимизму, ни грусти. И если даже в самый трагический момент спросить вас, как вы живете, вы отвечаете:

— Весело!

Итак, я шел по Дерибасовской. Как солдат я не имел права гулять, а мог только ходить по этой улице с деловой целью. Я и шел в нотный магазин.

Знаете ли вы, как приветствуют генералов? Офицеру просто отдаете честь, а перед генералом становитесь «во фронт». Это значит: не доходя четырех шагов до генерала, вы должны остановиться, повернуться налево, вытянуться и одновременно с поворотом вскинуть руку к козырьку. Для новичков это весьма сложный балет. Единственно, когда солдат мог не отдавать честь, это когда он нес что-нибудь внушительное. Скажем, ребенка. И гулял же я со своей маленькой Дитой, дерзко смотря на проходивших офицеров!

...Выходя из магазина, я с высоты четырех ступенек увидел, что справа ко мне приближается генерал и вот-вот он пройдет мимо меня. Оставаться наверху было неловко — словно я принимаю парад. Я сбежал вниз, но не рассчитал расстояния. Вместо того чтобы остановиться в четырех шагах, я налетел на ветхого генерала и сбил его с ног. В ужасе я пустился бежать. Перебежал мостовую, вбежал в ворота дома Вагнера, потом проходным двором выскочил на Гаванную, налево через городской сад, через Соборную площадь, по Спиридоновской — домой. Я промчался километра три, не переводя дух...

Но возможно, я как-нибудь притерпелся бы и к муштре и к бесконечным происшествиям — характер у меня был легкий, общительный. Но жена, ребенок и тридцать две копейки жалования в месяц. Солдатский оклад.

Сам я, конечно, питался в полку, а Леночка с Дитой, естественно, дома на тридцать две копейки. Регулярно приносить им солдатский борщ и кашу при системе увольнительных записок было затруднительно. Их осунувшиеся лица терзали мне сердце. Надо было что-то делать. Что-то придумать.

Конечно, лучше всего было бы закончить военную карьеру, которая не сулила мне ни при каких обстоятельствах воинского звания выше ефрейтора. Правда, это дало бы мне прибавление к окладу четырнадцати копеек. Но даже они меня не соблазняли.

Был у меня в полку приятель, Павлуша Барушьянц. Полковой фельдшер. Сердечный человек. Он всячески мне помогал: то принесет чего-нибудь поесть повкусней, а то подкинет деньжонок. А Павлуша был денежный человек. Откуда деньги? – спросите вы. Ах, зачем эти подробности! Деньги были. От фельдшера всегда что-нибудь нужно. И денек не выйти на занятия, и пару дней пролежать в полковом лазарете... Ясно?

– Ледя, – сказал мне как-то Павлуша в начале семнадцатого года, – хочешь гулять три месяца?

– Вопрос, – ответил я. – Могу даже больше.

– Больше не смогу. А три устрою.

И верно, все устроил. Я получил отпуск на три месяца по «болезни сердца».

Контракт появился немедленно. В Харьков, в театр миниатюр, с огромнейшим по тем временам окладом. Действительно огромным. Без шуток. Особенно по сравнению с тридцатью копейками. – Тысяча восемьсот рублей в месяц.

Скажу честно, успех был пребольшущий. А после такого перерыва и нудной солдатской жизни особенно для меня радостный. Я играл свой прежний репертуар – миниатюры, смешные рассказы, куплеты. Может быть, потому и был так велик успех, что сам я с неимоверным, опьяняющим наслаждением снова выходил на сцену, общался с публикой, растворялся в реально-фантастическом мире образов. Я был счастлив, и это придавало наверно, моим выступлениям задор и заразительность.

Я был счастлив, и не хотелось думать, что счастье это кратковременно и что скоро снова надо возвращаться из Харькова в казарму, к Назаренко, к тридцати двум копейкам.

Однажды, в приподнятом настроении – а я теперь был в нем постоянно – я вышел из дому. И сразу же почувствовал созвучное мне настроение улицы. Или это оттого, что у меня все поет на сердце? Нет, на площадях и улицах молодежь собиралась кучками, толпами, они что-то громко кричали, перебивая друг друга, кажется, произносили речи. Я подошел поближе и прислушался. Вдруг я уловил слово «революция» и слово «Петроград». А потом увидел, как тут же, из чего бог послал, была сооружена трибуна, на нее вскочили сразу несколько взволнованных людей с горящими глазами, пылающими щеками и звонкими голосами. Во всем этом и вправду было что-то радостно опьяняющее.

Атмосфера накалялась с каждым днем, и в одно поистине прекрасное утро я проснулся под звуки «Марсельезы». Подскочил к окну. Играл духовой оркестр. За оркестром шел полк. На штыках красные банты. Впереди полка на лошади ехал офицер с красным бантиком на груди.

Да, это свершилась Февральская революция. Харьков встретил ее восторженно. Хотя в банках попрежнему сидели банкиры. Заводчики по-прежнему восседали в своих кабинетах и выжимали все, что только можно выжать из людей труда.

И все-таки было радостно, а если хотите, то даже и весело. Скажите, разве не весело идти с четырьмя студентами арестовывать самого военного коменданта города Харькова, полковника со зверским характером, в комендантском управлении которого процветал самый ожесточенный мордобой?

За несколько дней до этого я имел «счастье» лично с ним встретиться и на себе испытать «замечательный» характер полковника. Меня задержали во время облавы в ресторане, в котором я как солдат, пусть хоть и в отпуску, не имел права находиться. Я был приведен в городскую комендатуру дать объяснение.

Ах! Как же он теперь был удивлен, когда я произнес сакраментальную фразу:

– Господин полковник! Именем революции вы арестованы!

Ну разве не весело?!.

Мой контракт в Харькове закончился, и я вернулся в Одессу. С отпусками стало легче, и Павлуша устроил мне отпуск на полгода. Так до Октябрьской революции я в полк и не возвратился.

Что же принесла мне Февральская революция? Или, может быть, точнее будет сказать, моей семье в широком смысле.

Первое радостное событие – вернулся с каторги брат жены, революционер, который был приговорен к смертной казни за покушение на убийство херсонского губернатора. Но так как ему было только девятнадцать, то по несовершеннолетию смертную казнь заменили пожизненной каторгой. Революция его освободила.

Жена была несказанно рада. Трудно, наверно, найти семью, подобную ее семье, в которой бы за короткий срок произошло столько трагедий.

Ее мать умерла в доме для умалишенных (когда бесследно исчез старший брат, мать сошла с ума). Отец умер от холеры. Старшая сестра вышла замуж за сына священника и приняла православие. Надо только представить себе, что это значит – креститься в еврейском местечке на заре нашего века! Конечно, от нее все отвернулись. Отдалилась и семья. Самая младшая сестра отравилась на могиле отца из-за несчастной любви... Я всегда изумлялся, как при стольких ударах судьбы моя жена, эта маленькая женщина, сумела сохранить не только бодрость духа, но и готовность всех и каждого одарить своей добротой.

И вот вдруг, через одиннадцать лет возвращается с каторги брат, которого уже и не чаяли видеть.

Вернулись из-за границы, из эмиграции, и моя сестра с мужем. Он был в партии со второго, а она с четвертого года. Это на нее ворчал отец, когда у нас в доме собиралась революционная молодежь и из комнаты сестры раздавались громкие речи:

– Только наш лозунг «В борьбе обретешь ты право свое» может поднять народ на восстание!

– Нет, – спорил кто-то, – наш лозунг «Пролетарии всех стран, соединяйтесь!» объединит все народы в революционном порыве.

Отец слушал-слушал, пожимал плечами, потом поднимался, подходил к двери, осторожно стучал и тихо, назидательно говорил:

— Молодой человек, пролетарии всех стран, соединяйтесь, только не у меня в квартире...

Все это были личные, семейные радости. Но была и еще одна огромная общая радость — отмена черты оседлости. Для меня это значило очень многое. Я получал право расширить «географию» своей актерской деятельности. И действительно, сразу же получил приглашение приехать в Москву, в кабаре при ресторане «Эрмитаж» Оливье, который помещался на Трубной площади, где потом был Дом крестьянина, а теперь много разных учреждений.

Вечером в саду ресторана, находившемся позади дома, работало кабаре. Я выступал здесь с куплетами и рассказами.

Однажды вечером в ресторане в сопровождении кавалеров появились дамы с кружками для сбора пожертвований. Они пеклись о солдатах на фронте. Мне предложили произнести призывную речь. Вы знаете, я был тогда смелее, чем сейчас. Сейчас меня на такое выступление нужно уговаривать и раскачивать. А тогда надо было удерживать.

Я вышел и начал говорить. О фронте, о солдатах, об окопах, о смерти, о страданиях... Мне стало жаль, теперь уж не помню, кого больше, себя или солдат на фронте. Но говорил я со слезами в голосе и пронял всех до костей. В кружки бросали не скупясь, как говорится, по силе возможности. А возможности у них еще не исчезли — ведь была керенщина.

Я выступал в кабаре со своим прежним репертуаром: песенками, имитацией игры свадебного оркестра, комическими рассказами. В одном из рассказов изображался один из способов распространения обывательских сплетен и слухов. Нечаянно возникшая пустяковая небылица совершает длинный путь с языка на язык, чудовищно разбухает от нелепых подробностей и возвращается уже в таком виде, что пустивший ее сам испуган и с трудом верит, что он автор этой сплетни.

Но особенно я любил исполнять сценку «Как в Одессе оркестры играют на свадьбах». В жизни это было так: на специальную музыкальную биржу приходил заказчик и просил составить ему недорогой оркестр. И вот несколько музыкантов, так называемых «слухачей», знающих только мелодии и не знающих нот и потому не нуждающихся в партитуре, играют по вполне доступной цене на свадьбе.

В таких оркестрах музыканты, не умея читать ноты, вынуждены были импровизировать гармонические сочетания, причем каждый из них последовательно играл мелодию, несколько варьируя ее соответственно своему музыкальному вкусу. Так создавалось оркестровое произведение в оригинальном, вольно-импровизационном стиле.

Думаю, что такие маленькие оркестры любителей существовали, наверно, в каждой стране. В том числе и в Америке. Там негры, как и бедные одесские музыканты, тоже не пользовались нотами, а свободно и вдохновенно варьировали темы знакомых мелодий. Особенно много подобных оркестриков было в Нью-Орлеане.

От одесских эти нью-орлеанские оркестры отличались только составом инструментов. Они играли на своем национальном инструменте банджо, а также и на саксофоне, трубе, тромбоне и других.

Надо думать, что такая вольно-импровизационная манера игры вообще свойственна народным, любительским оркестрам прошлого, когда больше полагались на любовь к музыке и фантазию, чем на музыкальную грамоту. В Америке такие оркестры стали быстро распространяться по стране, и за ними так и утвердилось название нью-орлеанских. В России же они только потому не называются одесскими, что развитие эстрадной музыки у нас пошло в ином направлении. А когда мы позже вернулись к этой вольно-импровизационной манере, она вошла в наш быт под иностранным названием «диксиленд».

И вот такую сценку подбора оркестра для свадьбы и его выступление на семейном торжестве я и показывал, голосом имитируя инструменты и передавая манеру исполнения каждого музыканта. И конечно, не только манеру исполнения, но и их живописный, неподражаемый внешний вид.

Несмотря на то, что мои выступления нравились и мне аплодировали, я чувствовал себя в Москве как-то неуютно. Может быть, потому, что улавливал некоторое непонимание. В зале словно приглядывались к непривычному. Помню, что, кроме обычного моего стремления заразить публику праздничностью, у меня где-то в подсознании жила забота: показать этой незнакомой мне, холодноватой северной публике, что за чудесный город есть у Черного моря и какие там живут удивительные люди, как умеют они придать необыкновенность самым повседневным делам, а покупку, скажем, рыбы на базаре превратить в комедию.

Я хотел, ревниво хотел, чтобы эти еще не очень понятные зрители — ведь на «севере» я был первый раз — полюбили мой город и позавидовали, что я одессит.

Но, видимо, не только они мне были не до конца понятны, но и я им. Мне аплодировали, смеялись моим шуткам и трюкам, но я чувствовал, что это не то. Или у них просто не хватает темперамента веселиться?

Я лишний раз убеждался, что Одесса – город уникальный.

В свободное время, которого не так уж много, я бродил по Москве, но и она мне не очень нравилась – судьба всех провинциалов. После Одессы Москва казалась мне уж слишком уравновешенной и даже пресной. Мне не хватало на ее улицах пестрой и по-особому быстрой, оживленной толпы, в которой, кажется, все знают друг друга. Мне казалось, что здесь никто никуда не торопится. Мне не хватало яркости, сочности языка, умения и готовности парировать любой выпад. А когда новые московские друзья высмеивали мои «одессизмы», я негодовал, я говорил, что они несправедливы, необъективны, что, наконец, они глухи к прекрасному, раз не чувствуют красочности и даже, если хотите, поэтичности «одесского языка».

Но, господи, как меняет человека время! Сейчас, и давно уже, все эти «достоинства» одесского жаргона и у меня самого вызывают ироническую усмешку. А что удивляться? Изменился не только я, изменилась сама Одесса. И только над одним время не властно – Одесса не утратила ни своего оптимизма, ни своей жизнерадостности, ни своего задора. Не потому ли и сейчас произнесенное при мне это магическое слово «Одесса» заставляет трепетать мое сердце. Ах, эта болезнь ностальгия, прекрасная болезнь! Нет от нее лекарства! И слава богу, что нет...

Месяц пролетел быстро. В конце моих гастролей меня пригласили на зиму в театр Струйского, находившийся там, где сейчас филиал Малого театра. Поэтому, быстро съездив на некоторое время домой, к зиме я снова вернулся в Москву.

Театр Струйского оказался для меня еще одной московской загадкой. Он был совсем в другом роде, чем «Эрмитаж» Оливье.

Зал заполняли мелкие купцы, мещане, ремесленники и рабочие. Легкость и бравурность одесского купца, одесского ремесленника и рабочего были им совершенно непонятны и даже чужды.

Меня принимали с явным холодком. То, что всегда вызывало веселое оживление или смех, здесь не находило отклика, и я неожиданно для себя наталкивался на равнодушную тишину. В зале все сидели словно замороженные. Это меня не только удручало – выводило из себя. Мне делалось тоскливо и муторно. Меня тянуло домой, в Одессу, к моим «единомышленникам». Я скучал по ним.

Признаюсь, этого состязания с московской публикой я не выдержал. Не закончив сезона, возвратился в Одессу, в Большой Ришельевский театр. Но мысль не столько даже о неуспехе, сколько о непонимании меня москвичами гвоздем сидела в голове. Я впервые столкнулся с этим. Да как все это может быть непонятным, а тем более неинтересным? И все-таки это было. В чем же здесь загадка? Впервые публика и вообще люди представились мне более сложными, чем я думал о них до этих пор.

Единственным приятным воспоминанием о театре Струйского было знакомство со Смирновым-Сокольским, который на афише значился куплетистом, но уже начинал выступать со своими оригинальными фельетонами...

В Ришельевском театре мое настроение быстро поправилось, и северный сплин не успел нанести урона моему душевному здоровью.

Как-то раз после спектакля ко мне за кулисы пришел незнакомый человек богатырского сложения. На нем были синие брюки-галифе, высокие сапоги и куртка, плотно облегавшая могучий торс. Он подошел ко мне твердым военным шагом.

— Разрешите поблагодарить вас за удовольствие, — сказал он и крепко пожал мою руку, — это все. Еще раз спасибо! — повторил он и направился к выходу.

— Простите, кто вы?

— Я Григорий Котовекий.

Я онемел. Легендарный герой! Гроза бессарабских помещиков и жандармов! Как и все одесситы, я с юных лет восхищался им. И вдруг он сам пришел ко мне! Я ему понравился!

Мы вышли из театра вместе. С тех пор почти полтора месяца он часто приходил в театр и просиживал у меня в артистической до конца спектакля.

Он смеялся моим шуткам и рассказывал эпизоды из своей поистине романтической жизни.

В нем чувствовалась огромная физическая сила, воля, энергия, и в то же время он казался мне человеком беспредельной доброты. А те суровые и подчас жестокие поступки, которые приходилось ему совершать, были необходимостью, единственным выходом из положения. Даже в рассказах, — представляю, как это было «в деле», — в нем вскипала ненависть к врагам. Резкий контраст богатства и бедности возмущал его романтическую душу. Чем-то он напоминал мне

Дубровского, что-то родственное было у них в сознании и стиле поступков, хотя внешне пушкинский герой представлялся мне совсем иным.

Никогда не забуду рассказа Григория Ивановича о том, как за ним охотился целый отряд жандармов.

...Когда было обнаружено место его пребывания, он выбежал из своего убежища и бросился в степь, в хлеба. Жандармы начали прочесывать хлебное поле. Колосья были высокие, и Григорий Иванович лежал, прижавшись к земле, надеясь остаться незамеченным. Но вдруг перед ним возникла толстая, красная, мокрая от пота рожа жандарма. Несколько секунд они смотрели друг на друга.

– Я понял, – сказал Григорий Иванович, – что должен кончить этого человека, но так, чтобы рожь не колыхнулась. И рожь не колыхнулась...

Григорий Иванович рассказывал мне этот эпизод с какой-то особой, я бы даже сказал, скромной улыбкой, словно хотел убедить меня, что ничего особенного, сверхчеловеческого он не сделал, что сделал он только необходимое. Необходимое-то необходимое, но какие душевные силы надо иметь для этого!

Как-то в кафе Робина какой-то человек принес кандалы и сказал, что это кандалы Котовского и что их надо продать с аукциона. Сейчас уже и не помню цель этого аукциона – то ли на подарки солдатам на фронт (ведь еще шла война), то ли для сирот и вдов погибших солдат. Мне поручили вести этот аукцион.

Когда я написал об этом в одной из своих книжек, то получил письмо, в котором читатель упрекал меня в легковерии. У кандалов Котовского, сообщалось в письме, совсем другая судьба.

Что ж, может быть. Если у лейтенанта Шмидта могло быть столько «сыновей», то что же говорить о кандалах Котовского...

К сожалению, больше я Котовского не встречал и не мог проверить подлинность кандалов. Только слышал о его военных подвигах, знал, что он был великолепным кавалерийским командиром. И однажды с глубокой грустью узнал о его трагической смерти от пули негодяя и предателя. Этот человек, которому по складу его характера если уж суждено было погибнуть, то как бойцу на поле боя, в сражении, в атаке, а погиб он от предательского выстрела...

ВРЕМЯ БОЛЬШИХ ПЕРЕМЕН

Установилась советская власть.

Мысль, как жить дальше, не мучила меня.

Я это хорошо знал.

В единстве с теми, кто трудится.

Поэтому роли, роли, роли.

Я не помню точно, в какой день 1917 года в Одессе произошло восстание рабочих. Революционная организация «Румчерод», возникшая еще при Керенском, призвала одесский пролетариат к восстанию. Рабочие заводов Анатра, Гена, Шполянского вышли на улицы с оружием в руках, чтобы выгнать белогвардейцев и петлюровцев и установить в Одессе советскую власть.

Так получилось, что некоторые события этого дня проходили через мою квартиру, оказавшуюся в самом горячем месте – на привокзальной площади. Мы снимали две комнаты у директора торговой школы, здание которой находилось как раз против вокзала. На вокзале же сосредоточились отступающие защитники недолговременного правительства, и рабочие отряды вели наступление на здание вокзала.

На рассвете неожиданно началась стрельба. Били по окнам, и через наши комнаты стали пролетать пули. Мы сидели на полу, под подоконниками, не совсем понимая, что происходит. Моя маленькая перепуганная дочурка все спрашивала:

— Папочка, а меня не будут завтра хоронить?

Время от времени, в минутное затишье, я выглядывал из окна, следя за ходом боя. Мне было видно, как из-за угла дома, что стоял на противоположной стороне, выглядывала винтовка и голова стрелявшего молодого парня. После каждого выстрела он улыбался — и голова исчезала. Вот она появилась в четвертый раз, но улыбка так и не расцвела — не успев выстрелить, он тяжело, всем телом повалился вперед. Винтовка скользнула дальше, словно стараясь доделать то, что не успел сделать ее хозяин. Но по земле протянулась другая рука и притянула винтовку к себе...

Вдруг в наружную дверь нашего дома, в которую никто никогда не ходил и которая изнутри была завалена разными ящиками, всяким барахлом и запасом картошки, раздался требовательный и торопливый стук. Осторожно я подошел и прислушался. Стук раздался снова. Но как можно было определить, кто это? Я крикнул обычное, что кричат на стук в дверь:

— Кто там?

— Товарищ, пустите раненых.

Слово «товарищ» подсказало мне, что это были свои люди. Но как открыть дверь? Я был один, рядом со мной стоял только старик, директор школы. И женщины. Я крикнул тем, за дверью:

— Сейчас, погодите! — И откуда только взялись у меня силы! Как пустые картонки начал я перебрасывать ящики, такие тяжелые, что в обычном состоянии вряд ли бы смог сдвинуть их с места. Вот наконец все. Но дверь не открылась — много лет уже не открывалась и забухла. Тогда я уперся спиной в противоположную стену и ногами вышиб эту огромную дубовую дверь.

Внесли двух раненых. Перевязочных средств не было. Женщины побежали за простыней, которую тут же разодрали на полоски. С невыразимой болью смотрел я на раненых. Хоть и был я недавно солдатом, но развороченное человеческое тело видел впервые.

Один из рабочих был ранен так, что ему уже никогда не было суждено иметь детей. Увидев это, я растерялся и нелепо спросил:

– Товарищ, что же будет?

А он убежденно ответил:

– Ничего, товарищ, буржуи за все заплатят.

Наверно, в это время он совсем не думал о своем ранении, а я так и остался в недоумении, пораженный его оптимизмом.

К утру бой закончился, и мы, жена и я с дочкой на руках, вышли через проломленную дверь и пошли по площади, усыпанной винтовочными гильзами, которые со звоном разлетались от наших шаркающих ног. Была предутренняя тишина, неправдоподобная после этой страшной, гремящей ночи, после выстрелов и стонов раненых. Тишина была нелепой, непонятной и искусственной. И мне вдруг показалось, что мы в этой тишине одиноки, словно на земле исчезли все живые существа. Невольно я крепче прижал к себе мою маленькую дочь и зашагал быстрей. А рядом тоже быстрее зашагала с потупленными, почти закрытыми от страха глазами Леночка.

Мы направлялись к моим родителям. Они жили на другой стороне города, где было не так опасно. Так у папы с мамой мы и остались жить.

Больших боев уже не было. Но неспокойное время приносило одну неожиданность за другой. Вдруг начали ходить по квартирам отряды матросов и рабочих. Они отбирали излишки белья, одежды и раздавали неимущим. Это называлось «День мирного восстания». Приходили обычно в квартиру, пересчитывали живущих и наличие одежды. И оставляли по потребностям — на одного человека одно платье, один костюм, одну простыню, одно полотенце.

Интересно, что актеров и врачей не трогали. Поэтому соседи нашего дома несли к нам свои вещи на сохранение. И если бы отряды мирного восстания заглянули ко мне в квартиру, то, конечно, решили бы, что я и есть в Одессе самый главный капиталист.

Наверное, можно рассказать о событиях той поры в строго хронологическом порядке, описать их подробно и обстоятельно. Вряд ли мне бы удалось справиться с такой задачей: слишком я был молод, слишком горячее было время, слишком частой смена не только событий, но и впечатлений, переживаний и тревог — человеческой памяти не под силу сохранить все в том порядке, как оно происходило.

Конечно, можно было бы пойти в библиотеку, познакомиться с материалами тех лет и по ним восстановить события. Но тогда это уже будет не *моя* история, не мое время. Я же хочу рассказать историю, как она проходила через меня, одного из миллионов, и как я проходил через нее вместе с миллионами.

Вскоре после Октябрьской революции Украину оккупировали немцы. Первое, чем они ознаменовали свой приход, это быстренько организовали украинский престол и украсили его гетманом Скоропадским. Жизнь повернула на старые рельсы. В театре тоже. Снова появились антрепренеры и множество всяких театров и театриков миниатюр, кабаре.

Я был приглашен в Киев, в театр миниатюр, который носил название «Интимный». В Киев ехал с охотой – я никогда еще там не был. Пожил, походил, огляделся и решил, что Одесса все равно лучше.

Конечно, приходилось выступать и с прежним репертуаром, но я считал делом своей актерской чести постоянно обновлять программу, несмотря ни на какие события.

На этот раз я придумал себе номер, каких тогда еще ни у кого не было. Это был номер пародий и имитаций. Вспомнив свою способность изображать знакомых людей, я выбрал несколько наиболее ярких актерских имен и устроил «их» маленький концерт. Номер назывался «От Мамонта Дальского до Марии Ленской» и неожиданно имел большой успех.

Что же это был за номер?

Нет, я не просто передразнивал забавные черточки известных артистов, но старался схватить особенность их дарования, их исполнительской манеры – то, что в них нравилось мне самому и что будоражило воображение зрителя. Я, может быть, только чуть-чуть преувеличивал потрясающее трагическое глубокомыслие Мамонта Дальского, хитровато-простодушную манеру Владимира Хенкина, смачную выразительность Якова Южного в его греческих рассказах, а исполняя душещипательную песенку, старался передать блестящую шантанную манеру певицы Марии Ленской.

Эти шаржи были в полном смысле дружескими, я не допустил бы в них ни одной детали, ни одного слова, которые могли бы хоть как-то задеть обожаемых мною таких разных и таких великолепных – каждый в своем роде! – мастеров.

Исполнял я этот номер дней семь-восемь под аплодисменты и смех. «Счастливая» мысль сделать его своим пожизненным жанром не пришла мне тогда в голову. Но по закону сохранения материи и энергии, в нашем мире ничего не пропадает. Эта мысль пришла (много позже) в другие головы, и они уже не захотели с ней расставаться.

Сегодня жанр так называемой эстрадной пародии и имитации стал довольно распространенным и превратился для некоторых исполнителей в постоянный и незыблемый творческий профиль — он стал жанром их жизни. Но не всем удается держаться на достойном уровне. Некоторые понимают свою задачу несколько примитивно — хорошо показывают чужие лица, но забывают приобрести свое собственное. О таких у меня даже сложилось мнение-эпиграмма:

«Мы все произошли от обезьяны,
Но каждый путь самостоятельный прошел.
А этот видит счастье в подражанье.
Ну, значит, он, как видно... не произошел».

Назвав имя Марии Ленской, нельзя не сказать хоть несколько слов об этой феноменально доброй женщине, которая прожила причудливую и даже трагическую жизнь.

Дочь бедных родителей, из глухого провинциального городка, ничем не примечательная внешне, она, благодаря своему большому таланту и счастливому стечению обстоятельств, стала одной из самых знаменитых шантанных певиц России или, как тогда говорили, шантанной звездой первой величины. Вокруг нее вертелись десятки поклонников, и она вела типичную жизнь дамы полусвета. Со славой пришло и богатство. Денег на шантаны не жалели. В Киеве, на Прорезной, Мария Ленская имела собственный многоэтажный дом. А пуговицами на ее, по тогдашней моде, высоких ботинках служили бриллианты.

Однако близкие ей люди знали, что все это мало ее радует. Выставляя напоказ свое богатство, она лишь делала то, что требовалось от шантанной знаменитости, — драгоценная оправа считалась для подобных актрис первой необходимостью. Ведь чем дороже была оправа, тем выше ценилась артистка.

Но Мария Ленская умела тратить деньги и с более глубоким смыслом. Приезжая в какой-либо город, где имелся университет или какое-либо другое высшее учебное заведение, она приходила к ректору и спрашивала, много ли студентов задолжали плату за обучение. Узнав сумму, она тут же выписывала чек.

Потом она постарела, обеднела и умерла забытая, безвестная, всеми покинутая. Когда вспоминаешь подобные актерские судьбы, невольно приходят на память стихи Беранже:

«Она была мечтой поэта,
Подайте Христа ради ей...»

Вот уже сколько десятилетий люди, читая эти строки или слушая песню, с грустью думают о судьбе старой актрисы, впавшей в нищету и просящей подаяния на улицах большого города:

«Она соперниц не имела,
Подайте Христа ради ей».

Несчастная, всеми покинутая, бродит она по городу, никем не узнаваемая. Когда-то ее окружало всеобщее признание, успех на сцене, а сегодня... «подайте Христа ради ей».

Поистине трагична судьба постаревшей актрисы в условиях буржуазного общества, если у нее нет близких, которые могли бы о ней позаботиться, или если она не сумела «сколотить капиталец». Да и у старых актеров, вынужденных покинуть сцену по возрасту, судьба не лучше.

Но если бы Беранже жил в наше время, ему вряд ли бы пришла мысль написать свое знаменитое стихотворение «Нищая». Особенно если бы он побывал в московском или ленинградском Доме ветеранов сцены Всероссийского театрального общества.

Ленинградский Дом ветеранов в свое время был создан по инициативе замечательной русской актрисы Марии Гавриловны Савиной. В те дореволюционные годы, когда по ухабистым, извилистым дорогам необъятной страны брели «счастливцевы» и «несчастливцевы» «из Керчи в Вологду» и «из Вологды в Керчь», судьба российских провинциальных актеров была подобна судьбе героини стихотворения Беранже. Но были люди с добрым сердцем, понимавшие, как нуждаются в помощи их провинциальные собратья по искусству.

О М. Г. Савиной написано много воспоминаний, где она предстает властной, склонной ко всяким закулисным интригам актрисой, и это не лишено основания. Но за пределами императорского Александрийского театра с его тогдашними нравами она была человеком отзывчивым. С необычайной энергией и настойчивостью она довела свою мысль о создании убежища для престарелых артистов до реализации. В 1896 году Дом был организован. Он был назван «Убежище для престарелых артистов». Это было небольшое здание на Васильевском острове, и, конечно, оно только в малой степени могло удовлетворить нуждающихся в его гостеприимстве старых артистов.

Сегодняшние Дома ветеранов сцены совершенно непохожи на то старое убежище. Сегодня – это современные дома со всеми удобствами, где жизнь в преклонном возрасте делается радостной и беззаботной. В каждой детали чувствуется забота о человеке. Архитектура, экстерьеры, интерьеры, обстановка – во всем видна рука художника. Комнаты обставлены большей частью мебелью самих живущих, и это создает вполне домашнюю обстановку жизни. Комнаты украшены картинами, портретами, статуэтками, всем тем, что было собрано за долгую творческую жизнь и что говорит о пройденном актерском пути. Да, это чудо-дом.

Я хорошо знаю Ленинградский Дом ветеранов сцены. Когда-то это был небольшой домик, где жили десять человек.

Сегодня здесь восемь корпусов, где живут около двухсот старых артистов. Когда-то – убежище, сегодня – санаторий. Своя амбулатория с физиотерапевтическим кабинетом, электрокабинетом, водолечебницей. Здесь все методы современной медицинской науки. Библиотека насчитывает шесть тысяч томов, среди которых есть и уникальные экземпляры. Удобный театральный зал, где кроме кино устраиваются спектакли и концерты как силами самих ветеранов сцены, так и артистами более молодого поколения, с радостью выступающими перед этой по-доброму отзывчивой и умудренной в искусстве театра аудиторией. Есть в Доме и своя стенгазета и красный уголок.

Было бы ошибкой думать, что ветераны сцены — это творчески успокоившиеся люди. Нет. Настоящий артист не может жить, не переживая творческих радостей. Поэтому многие из наших ветеранов продолжают любимое дело. Они организуют бригады-группы, выезжают на заводы и выступают в обеденный перерыв перед рабочими. Они посещают школы, высшие учебные заведения, беседуют, поют, читают, играют. И мне кажется, что вот это продолжение творческой деятельности во многом сохраняет их духовную юность.

Так все изменилось в судьбе артиста, что хочется обратиться к Беранже и сказать ему:

«О, Беранже, обитель эта
Прекраснее дворцов, ей-ей.
Актрисы, что мечтой поэта
Когда-то были, нынче в ней
Живут прекрасно. Отдыхают.
Частенько Беранже читают
И ночью белой или синей
Грустят над вашей героиней».

Но я слишком забежал вперед. Вернемся в двадцатые годы. На Украину.

Чего только не случалось в этот путаный период жизни Украины с восемнадцатого до начала двадцать первого года, пока прочно и навсегда не установилась советская власть. Немцы и Скоропадский, петлюровщина и махновщина, интервенция иностранных войск, французы, греки — если все это описывать, для истории моёй скромной жизни не останется места. Да и не упомнить всего. Давно и неоднократно было замечено, что странно работает память человеческая. Значительные события уходят, забываются, а мелкие, частные подробности остаются в мозгу навсегда.

Разве не странно, например, что из всего моего раннего детства — еще до лежания под дверью музыканта — мне запомнилось, как я и моя сестра — трехлетние двойняшки, оба в красных платьицах в черную клеточку, ходим по диагонали комнаты из угла в угол навстречу друг другу, поравнявшись, кланяемся и говорим «здрасте». Потом идем в обратную сторону и делаем то же самое. Наверно, мы играли во взрослых, но почему именно это должно было так ярко засесть в голове, и сам не пойму. Но это детство, оно причудливо и не всегда поддается логическим объяснениям взрослых.

Но вот пришли более значительные события, а помню из них отдельные эпизоды, не первой, так сказать, величины. Может быть, в этой особенности человеческой памяти есть свое рациональное зерно? Великие события и так не забываются, их помнят народы, а в маленьких эпизодах сохраняется как бы та почва повседневной жизни, из которой вырастают события большие.

Вот, например, один из таких застрявших в памяти осколков времени. Это было в восемнадцатом году. Я приглашен в Гомель, мы готовим программу для открытия ресторана-кабаре, что-то вроде «Летучей мыши». Все идет хорошо, но вдруг антрепренер вспоминает, что у него нет белых скатертей и салфеток. Достать этот ресторанный инвентарь, да еще в таком большом количестве, в то время было немыслимо.

Антрепренер в отчаянии: из-за такого пустяка может все сорваться. И тут меня осенила мысль. Я спросил хозяина:

– А белую бумагу вы можете достать?

– Можно достать газетную.

– Прекрасно! Покройте столы белой бумагой и крупно красиво на ней напишите: «Лучше чистая бумага, чем грязная скатерть!»

Посетители восприняли это как забавный кабаретный трюк, вполне в духе времени.

Но Гомель запомнился мне не только этим эпизодом. Здесь произошло мое знакомство с Аркадием Тимофеевичем Аверченко, которого я знал и любил по его остроумнейшим рассказам.

Он приехал в Гомель с целой группой журналистов и сразу же пришел в театр, в котором приютилось наше кабаре. Сначала шли спектакли театра, а после одиннадцати начинали мы. (Впрочем, я играл и до одиннадцати.)

Гомель был переполнен, приезжим устроиться было почти невозможно. Я пригласил Аверченко к себе, и он несколько дней жил со мной в маленькой комнатушке. Маленькие комнатушки удивительно сближают людей!

Не без основания принято думать, что писатели-юмористы в жизни обычно люди грустные. Слишком много они видят и понимают. Я в этом не раз убеждался. Но жизнерадостный, веселый, Аверченко опровергал это мнение сразу же. Он сам любил посмеяться и любил посмешить других. С ним было удивительно интересно. Он все время выдумывал юмористические положения.

Когда мы укладывались, например, спать, и я, по молодости лет, быстро засыпал, то Аверченко, завидуя этой благодати и не желая оставаться в одиночестве, едва только начинал я посапывать, выкрикивал:

– Дядя Ваня! (Дядя Ваня был арбитром чемпионата французской борьбы). Где Заикин? (а это был знаменитый борец).

Я вздрагивал и просыпался. Аверченко выдерживал паузу и, убедившись, что я в состоянии понимать человеческую речь, как бы за Дядю Ваню говорил:

– Заикин у постели больной матери определяет сына в гимназию.

Я с удовольствием смеялся этой абракадабре, что не мешало мне тут же легко и без усилий снова уходить в сон. И снова раздавался возглас:

– Дядя Ваня! А где Кащеев? (еще один борец, гориллоподобный человек, почти совершенно неграмотный).

Проделав ту же игру, Аверченко отвечал:

– Кащеев на Волге изучает историю римского права. – Я снова покатывался от смеха, представляя себе Кащеева, читающего по-латыни.

В свободные вечера я брал в руки гитару и пел песни. Аверченко задумчиво слушал меня, и за стеклами очков я видел вдруг загрустившие добрые глаза.

Наверно, несмотря на большую разницу лет, мы могли бы с ним подружиться – уж очень согласно звучал наш смех. Со времени нашего знакомства прошло пятьдесят три года. Аверченко давно уже нет на свете. Но его портрет с трогательной надписью: «Талантливому Утесову с благодарностью за теплый, ласковый прием и вечерние песни. Аркадий Аверченко» – всегда висит в моей комнате.

Ах, зачем же сделал он, замечательный сатирик, эту нелепость, эту обидную, роковую ошибку – покинул свою родину? Какой же пеленой застлало ему в этот миг глаза? Есть какая-то странность в том, что Аверченко не понял и не принял революцию, что она испугала его. Ведь он никогда не был монархистом и не считал нужным скрывать свою антипатию к самодержавию. В своем «Сатириконе» он открыто высмеивал все, что с ним связано, критиковал чиновников, подчас не взирая на ранги. В памятные дни семнадцатого года все ждали, как отнесется Аверченко к отречению Николая от престола.

Было известно, что Николай на понравившейся ему государственной бумаге – проекте, донесении – в верхнем углу обычно писал резолюцию: «Прочел с удовольствием. Николай». И вот Аверченко выпустил номер «Сатирикона» и на первой странице напечатал полный текст отречения Николая, а в верхнем углу написал резолюцию: «Прочел с удовольствием. Аркадий Аверченко».

И вот он покинул свою родину. А потом написал книжку «Тысяча ножей в спину революции». Ленин назвал эту книжку «талантливой» в тех местах, где Аверченко пишет о том, что хорошо знает, несмотря на то, что писал ее человек, озлобленный до умопомрачения*.

Та наша встреча была единственной – больше я его не видел, я видел в Праге только его могилу...

Из Гомеля я снова вернулся в Одессу, а там снова была неразбериха. В портовом городе положение меняется чаще, чем в других местах. Только что были немцы со Скоропадским, и вот уже самих немцев разоружают французы и греки – в Германии револю-

* В. И. Ленин, Собрание сочинений, т. 33, изд. 4, стр. 101–102.

ция. В этой суматохе другой раз сам не знаешь, что делаешь. Одно время я даже не выступал на сцене, а служил адъютантом у брата моей жены, который, пока в Одессе была советская власть, был уполномоченным «Опродкомзапсевфронт и наркомпродлитбел», что означало: «Особая продовольственная комиссия Северо-Западного фронта и народного комиссариата Литвы и Белоруссии». Я ходил в черной кожанке, увешанный оружием, — справа висит маузер, за поясом наган. Ах, какая это была импозантная фигура! Однако длилось это недолго, ибо опять пришли белые.

С их приходом в Одессе возник Дом артиста.

Как странно, в одно и то же название люди могут вкладывать совершенно различное содержание. Сегодня тоже есть Дома актеров. Там бывают вечера, лекции, работает университет культуры, иногда показывают фильмы.

У белых же «Дом артиста» в девятнадцатом году в Одессе представлял собой следующее: первый этаж — бар Юрия Морфесси, знаменитого исполнителя песен и цыганских романсов; второй этаж — кабаре при столиках, с программой в стиле все той же «Летучей мыши»; третий этаж — карточный клуб, где буржуазия, хлынувшая с севера к портам Черного моря и осевшая в Одессе, пускалась в последний разгул на родной земле. Как они это делали, я наблюдал не раз, ибо участвовал в программе кабаре вместе с Изой Кремер, Липковской, Вертинским, Троицким и Морфесси.

Все это было частным коммерческим предприятием, приносившим хозяевам солидные доходы.

Кремер выступала со своими песенками «Черный Том» и «Если розы расцветают». Она пришла на эстраду тогда, когда в драматургии царил Леонид Андреев, в литературе – Соллогуб, а салонные оркестры играли фурлану и танго. Песни Изы Кремер об Аргентине и Бразилии – она сама их и сочиняла – были искусственны. Ее спасали только талант и темперамент.

Вертинский выступал в своем костюме Пьеро, с лицом, гурто посыпанным пудрой. Он откидывал голову назад, заламывал руки и пел, точно всхлипывал. «Попугай Флобер», «Кокаинеточка», «Маленький креольчик»...

В Доме артиста я был, что называется, и швец, и жнец, и на дуде игрец. Играл маленькие пьесы, пел песенки, одну из которых, на музыку Шуберта «Музыкальный момент», распевала потом вся Одесса. Ее популярность объяснялась, может быть, тем, что в ней подробно перечислялось все то, чего в те годы не хватало – хлеба, дров, даже воды.

В этой программе были не только те обычные жанры, в которых я себя не раз уже пробовал, но и новые. Я придумал комический хор. Позже я узнал, что такие хоры уже были. Но свой я придумал сам. Внешне, по оформлению, он случайно кое в чем и совпадал, но в отношении музыки мой хор абсолютно ни на кого не был похож. Хористами в нем были босяки, опустившиеся интеллигенты, разного рода неудачники, выброшенные за борт жизни, но не потерявшие оптимизма и чувства юмора. Одеты они были кто во что горазд и представляли из себя весьма живописную компанию. Такие на улицах в это время попадались на каждом шагу. Под стать им был и дирижер, этакий охотнорядец с моноклем. Дирижировал он своим оригинальным хором так вдохновенно и самозабвенно, что манжеты слетали у него с рук и летели в зрительный зал. Тогда он, обращаясь к тому, на чьем столе или рядом с чьим столом оказывалась манжета, в высшей степени деликатно говорил:

— Подай белье.

Исполнителями в этом хоре были многие известные тогда и интересные артисты.

Репертуар у нас был разнообразный. Но одним из самых популярных номеров была фантазия на запетую в то время песенку:

> «Ах, мама, мама, что мы будем делать,
> Когда настанут зимни холода? —
> У тебя нет теплого платочка,
> У меня нет зимнего пальта».

У пианиста и хора в унисон звучала мелодия, а я на ее фоне импровизировал бесконечное количество музыкальных вариаций.

Если бы меня сегодня спросили, что было предтечей моего оркестра, то я бы сказал — этот комический хор. Не случайно я не оставил его после нескольких дней показа, как это обычно бывало с моими номерами, я застрял на нем довольно долго, чувствуя, что не исчерпал его возможностей до конца, и выступал с ним не только в Одессе, но и в Москве и в Свободном театре Ленинграда.

Как раз в то время в Одессу приехала группа артистов Московского Художественного театра. После своих спектаклей они нередко приходили в Дом артиста. И тут уж я давал себе волю и, что называется, выворачивался наизнанку.

Очевидно, художественникам я тоже понравился, и как-то в один из вечеров вся их группа собралась в отдельном кабинете, пригласили меня. Сколько же выслушал я от них теплых и ласковых слов, и на каком же я был седьмом небе!

Но кто-то в этой симпатии художественников к кабаретному артисту узрел угрозу русскому театру, отход МХТ от его чеховской линии. И журнал «Мельпомена» напечатал передовую статью некоего Л. Камышникова, которая называлась «От Чехова к Утесову». Статья заканчивалась следующим выводом: «Разве не симптоматично, что и Книппер, и Качалов, и мы сами самым ярким явлением в театре считаем сейчас выступления Леонида Утесова в Доме артиста?» – Почему обязательно надо «или – или», а почему нельзя «и – и»? – этого я до сих пор понять не могу.

Как-то раз ночью, когда я собрался уходить домой после выступления, я увидел в баре еще одно «представление».

В разных концах бара сидели две компании – одна из офицеров квартировавшего в Одессе артиллерийского полка, другая из офицеров Новороссийского полка, которые по случаю полкового праздника привели в бар свой полковой оркестр. Тамадой у новороссийцев был некий князь Нико Нишерадзе, давно уже вышедший в отставку, но служивший когда-то именно в этом полку.

Когда князю наскучило произносить тосты и чокаться, он встал и, тряхнув стариной, скомандовал:

– Хор трубачей Новороссийского полка, церемониальным маршем, ша-а-а-гом-арш!

Грянул торжественный марш, и весь оркестр продефилировал между столиками. Тогда из-за стола артиллеристов встал пожилой полковник и возмутился:

– Безобразие, приводить ночью в кабак военный оркестр.

Князь Нишерадзе обиделся:

– Кто пьян, пусть идет домой спать.

Полковник возмущенно дернул плечами и демонстративно отвернулся. Князь снова отдал ту же команду оркестру. Взбешенный полковник вскочил, за ним вскочили другие офицеры, все они ринулись к Нишерадзе – и началась «гражданская война» местного значения.

Больше всего досталось капитану, случайно забредшему в бар. Он сидел на нейтральной территории, на которой как раз и сошлись противники. Его били и те и другие.

Одно «удовольствие» было стоять в стороне и наблюдать, как ведут себя «сыны» добровольческой армии, как колотят они друг друга кулаками, бутылками, тарелками – чем попало. Больше всех переживал Морфесси – ведь офицеры били его посуду и ломали его мебель. Поэтому он потихоньку, по одному отделял дерущихся от общей массы, выпроваживал в вестибюль и дальше на улицу.

Когда бар опустел, я увидел в углу избитого капитана в изодранном мундире. Он нервно дрожал и плакал. Мне стало его жаль. Я поднес ему стакан воды. Но в эту минуту он взглянул на меня красными от слез глазами и, протягивая руку к стакану, прошептал:

– Проклятые жиды, за что они меня так!..

Не проронив ни слова, я пронес мимо его дрожащих рук воду, вылил ее на пол и ушел.

Спустя несколько дней после происшествия в баре разнесся слух, что к Одессе приближается Красная Армия. Белогвардейцы засуетились, побежали с чемоданами на пароходы. Я злорадно смотрел им вслед и испытывал удовольствие, видя их жалкими и ничтожными.

Полки красных ворвались в Одессу вихрем, и этот вихрь смел в море остатки беляков. Они уже не дрались с врагом, они дрались за каждое местечко на пароходе. Корабли отшвартовывались без гудков, посылая городу густые клубы черного дыма, словно свою бессильную злобу.

И было смешно при мысли, что все «спасители» России уместились на нескольких судах. Скатертью дорога! Но когда «дым» рассеялся, оказалось, что вместе с ними уехали Вертинский, Морфесси, Липковская и Кремер. Этого я не ожидал. Их поступок мне был непонятен и тогда уже показался нелепостью. Ну да бог с ними, мало ли что может сделать растерявшийся, слабовольный и не представляющий ясно что к чему человек.

В Одессе снова установилась советская власть, и на этот раз чувствовалось, что надолго, может быть, навсегда. Это понимали все, даже «короли» с Молдаванки, даже главный «король» – Мишка-Япончик.

Поняли и задумались, как им жить дальше.

...Небольшого роста, коренастый, быстрые движения, раскосые глаза – это Мишка-Япончик. «Япончик» – за раскосые глаза – его урканский, воровской «псевдоним». Настоящая же его фамилия – Винницкий.

У Бабеля он – Беня Крик, налетчик-романтик.

У Япончика недурные организаторские способности и умение повелевать. Это и сделало его королем уголовного мира в одесском масштабе. Смелый, предприимчивый, он сумел прибрать к рукам всю одесскую блатную шпану. В американских условиях он, несомненно, сделал бы большую карьеру и мог бы крепко наступить на мозоль даже Аль Капоне, знаменитому, как бы мы сказали сегодня, гангстеру Нью-Йорка.

У него смелая армия хорошо вооруженных урканов. Мокрые дела он не признает. При виде крови бледнеет. Был случай, когда один из его подданных укусил его за палец. Мишка орал как зарезанный.

Белогвардейцев не любит и даже умудрился устроить «на них тихий погром».

По ночам рассылает маленькие группы своих людей по городу. С независимым видом они прогуливаются перед ночными кабачками, и, когда подвыпившие «беляки» покидают ресторан, им приходится столкнуться с Мишкиными «воинами» и, как правило, потерпеть поражение. В резиденцию короля – Молдаванку – беляки не рискуют заглядывать даже большими группами.

«Армия» Мишки-Япончика – это не десятки, не сотни – это тысячи урканов. У них есть свой «моральный» кодекс. Врачей, адвокатов, артистов они не трогают или, как они говорят, «не калечат». Обворовать или ограбить человека этих профессий – величайшее нарушение их «морального» кодекса.

Возлюбленная уркана может заниматься проституцией, и это его не волнует. Это – профессия, тут никакой ревности быть не может. Но горе ей, если у нее будет случайная встреча не за деньги, а «за любовь». Это великое нарушение «морального» кодекса. И этого ей не простят. Конечно, не всегда возлюбленная или жена уркана – проститутка. Бывают и другие варианты. Жена – помощник в работе. Здесь многие достигли высоких результатов, превзойдя своих мужей и в ловкости, и в смелости, а уж что касается хитрости – нечего и говорить.

Мишка-Япончик даже во времена своего расцвета не поднимался до высот, достигнутых задолго до него Сонькой-Золотой ручкой. Как известно, под этим именем «прославилась» Софья Блюфштейн.

Мишка-Япончик – король. И как для всякого короля – революция для него гибель. Расцвет Мишки-Япончика падает на начало революции, на времена керенщины. Октябрьская революция пресекает его деятельность, но белогвардейщина возрождает ее.

И вот наступает 1919 год. В Одессе снова Советская власть. И перед Мишкой встает вопрос: «быть или не быть?» Продолжать свои «подвиги» он не может – революция карает таких жестоко. И Мишка делает ход конем – он решает «перековаться». Это был недурной ход. Мишка пришел в горисполком с предложением организовать полк из уголовников, желающих начать новую жизнь. Ему поверили и дали возможность это сделать.

Двор казармы полон. Митинг по случаю организации полка. Здесь «новобранцы» и их «дамы». Крик, хохот – шум невообразимый. На импровизированную трибуну поднимается Мишка. Френч, галифе, сапоги.

Мишка пытается «положить речь». Он даже пытается агитировать, но фразы покрываются диким хохотом, выкриками, и речь превращается в диалог между оратором и слушателями.

– Братва! Нам выдали доверие, и мы должны высоко держать знамя.

– Мишка! Держи мешок, мы будем сыпать картошку.

— Засохни. Мы должны доказать нашу новую жизнь. Довольно воровать, довольно калечить, докажем, что мы можем воевать.

— Мишка! А что наши бабы будут делать, они же захочут кушать?

— А воровать они больные?

Мишка любит водить свой полк по улицам Одессы. Зрелище грандиозное. Впереди он — на серой кобыле. Рядом его адъютант и советник Мейер Герш-Гундосый. Слепой на один глаз, рыжебородый, на рыжем жеребце. Позади ватага «перековывающихся».

Винтовки всех систем — со штыком в виде японских кинжалов и однозарядные берданки. У некоторых «бойцов» оружия вовсе нет. Шинели нараспашку. Головные уборы: фуражки, шляпы, кепки.

Идут как попало. О том, чтобы идти «в ногу», не может быть и речи. Рядом с полком шагают «боевые полковые подруги».

— Полк, правое плечо вперед, — командует Мишка.

— Полк, правое плечо вперед, — повторяет Гундосый и для ясности правой рукой делает округлый жест влево.

Одесситы смотрят — смеются:

— Ну и комедия!

...«Начал я. Реб Арье Лейб, — сказал я старику, — поговорим о Бене Крике. Поговорим о молниеносном его начале и ужасном конце». — Так начинает свой рассказ «Как это делалось в Одессе» И. Бабель. Но вот об «ужасном конце» Бабелю с Арье Лейбом поговорить не удалось.

Каков же был этот конец?

Полк Мишки-Япончика был отправлен на фронт против петлюровцев, недалеко от Одессы.

Люди, лишенные чувства воинского долга, не знавшие, что такое труд, привыкшие к паразитическому образу жизни, не смогли проникнуться психологией бойцов за будущее счастье народа. Это им было совершенно непонятно. В полку началось дезертирство. Одесса магнитом тянула их к себе.

Хотел ли Мишка удержаться или нет – трудно сказать. Известно, что он явился к коменданту станции Вознесенск и потребовал вагоны для отправки своей «армии» в Одессу. Он даже нашел предлог: в Одессе, мол, готовятся какие-то беспорядки, и он должен быть там, чтобы защищать жителей родного города.

Комендант ему отказал.

Между ними возник горячий спор, во время которого Мишка хотел прибегнуть к оружию. Но комендант обладал более быстрой реакцией и разрядил свой наган быстрее.

Это и был «ужасный конец» Мишки-Япончика.

Есть и другие варианты конца Мишки. Мне же кажется, что этот – самый правдоподобный.

Итак, в Одессе навсегда установилась советская власть. Мысль, как жить дальше, не мучила меня. Я это хорошо знал. Не потому, что у меня были какие-то философские концепции или твердая политическая программа. Мой бунтарский характер, мой веселый нрав, моя жажда постоянного обновления и внутреннее, стихийное единство с теми, кто трудится, – безошибочно подсказали мне дальнейшее направление моей жизни.

К тому же эстрада недаром считается самым злободневным жанром. Уж кто-кто, а артисты эстрады заботу или, говоря языком библейским, злобу дня» должны знать отменно. Как и во всех группах общества, здесь были люди разных убеждений, свои «белые» и «красные», и здесь это даже резче обозначалось, чем в театре, где долгое время можно спокойно «скрываться» в классическом репертуаре, петь в «Пророке», «Травиате», играть в «Осенних скрипках» и старательно не замечать, что зрители жаждут взрывов совсем других чувств.

Но и на эстраде, как во всех других областях жизни, люди по-разному относились к тому, что совершалось в России. Были и испугавшиеся, и растерявшиеся, и злобствующие, и просто непонимавшие, которым казалось, что ничего больше не нужно, раз рассказы о теще исправно веселят публику. Но даже и такие вскоре поняли, что пора «менять пластинку». Многие приспосабливали свой репертуар грубо, неумело, откровенно, может быть, даже спекулируя, меняли цвет с быстротой хамелеонов. Многие задумывались об этом по-настоящему.

Размышляя о бегстве, допустим, Изы Кремер, я где-то догадывался, что она не смогла бы отказаться от своих интимных песенок, от любования роскошной жизнью, воспевания экзотики, от мечты о «далекой знойной Аргентине», о той воображаемой Аргентине, в которой нет никаких революций и где ничто не мешает «наслаждаться» жизнью. То же самое для Вертинского, воспевавшего безысходность и отчаяние, «бледных принцев с Антильских островов», — новая действительность, разрушавшая выдуманные миры, где «лиловые негры подают манто», была не только неприемлема, но и враждебна.

А лихие тройки, рестораны и кутежи, последняя пятерка, которая ставится на ребро, — все то, о чем пел в цыганских романсах хорошим баритоном Морфесси, — все это было напоминанием того, что потеряли прожигатели жизни и за что они теперь ожесточенно сражались.

Я выступал с этими людьми на одной эстраде, бок о бок. Я ценил их мастерство, но никогда не стремился им подражать – подражать я вообще никогда никому не стремился. А заунывная манера исполнения была мне органически чужда, может быть, по все тем же свойствам моего человеческого характера. Больше того, мне хотелось быть их антиподом. Сочный бытовой юмор, пусть иногда грубоватый и фривольный, не пускал в мои песенки, тоже подчас грустные, изломов и изысков, любования и наслаждения своей болью.

Время – великий преобразователь. Вертинский вернулся, и в его песнях появились иные интонации, пришедшие с пониманием, хоть и запоздалым, того, что произошло на его земле. В них появились ирония, сарказм, насмешка над мелкостью того, что им прежде воспевалось, что ему самому нравилось.

Мой выбор произошел как бы сам собой.

Вместе с Игорем Владимировичем Нежным, моим старым другом, мы создали небольшую труппу и начали регулярно давать концерты в воинских частях, на агитпунктах в солдатских казармах. Приказ по 63-й бригаде войск внутренней охраны республики превращал нас во фронтовую артистическую бригаду и зачислил на красноармейское довольствие.

Что такое взволнованный зал, крики «бис» и «браво», я знал очень хорошо. Но только теперь, разъезжая в вагоне, на котором красовалась необычная для кабаретного артиста надпись «Первый коммунистический агитпоезд» – так официально именовал политотдел нашу группу, – только теперь узнал я, что такое настоящие, сердечные улыбки, смех и рукопожатия.

Я чувствовал, хотя тогда, может быть, еще и не смог бы объяснить, особую атмосферу зрительного зала. Наверно, ее создавало то боевое настроение, с каким зрители заполняли его ряды, оружие в их руках и их готовность в любую минуту ринуться в бой. Согласитесь, что это настроение отличается от настроения людей, которые пришли в театр поразвлечься. Актеры народ чуткий, и я, конечно, не мог не уловить этой разницы. Я с удивлением и радостью чувствовал, что во мне поднимается волна любви к этим людям и боль при мысли, что, может быть, половина из них не придет на мое следующее выступление.

В те молодые годы я редко уставал, силы и энергия рвались из меня неудержимо, но неустроенный вагонный быт, частые переезды утомляли и меня. Однако готовность выступать перед красноармейцами никогда во мне не угасала: я видел, что мои выступления нужны не для развлечения от скуки, а для дела — уставшие в боях люди на глазах обретали бодрость духа, распрямляли плечи и разражались оживляющим смехом.

Однажды, едва мы успели прилечь после очень трудного дня, как меня разбудили голоса, раздававшиеся в вагоне. Я прислушался и понял, что речь идет о каком-то новом выступлении, но голос нашего «предводителя» Нежного звучит не то что бы нежно, а как-то нерешительно. Разодрав глаза, я вышел взглянуть, что там происходит. Выяснилось, что срочно требуется концерт для ожидающего отправки на фронт воинского подразделения.

— Но ведь все артисты только что легли, был такой трудный день, просто рука не поднимается будить их, — с сокрушением заключил свое объяснение Нежный.

— И не будите! — сказал я, зевнув напоследок.

– Значит, концерта не будет?

– Будет концерт!

– Без артистов?

– Они все здесь! – рассмеялся я и стукнул себя отважно в грудь, чуть повыше солнечного сплетения. – А ну, пошли, товарищи!

Внутри у меня словно костер развели, я был готов исполнить все номера всех артистов, которых когда-либо, где-либо видел, не говоря уж о своих собственных и номерах нашей бригады.

Такой концерт я давал впервые – вот где пригодились мои способности к импровизации, трансформации и имитации. Я уходил в одни кулисы веселым куплетистом, а из других выходил серьезным рассказчиком, упархивал танцором, а выплывал задушевным певцом, я пел арии из оперетт, играл сцены из водевилей, я читал монологи и стихи, я изображал оркестр и хор, солистов и дирижера – одним словом, моноконцерт. Никогда в жизни я еще не получал таких аплодисментов, но никогда в жизни и не испытывал такого наслаждения от своего выступления.

Такими порывами и незабываемы дни творческой юности!

Совместная жизнь и работа в агитпоезде укрепили нашу дружбу с Игорем Нежным, и когда боевые события стали подходить к концу, когда стала наступать мирная жизнь и мы вернулись в Одессу, то решили вместе пробраться в Москву – поискать нового счастья. Мое первое, не очень удачное единоборство с московским зрителем не очень обескураживало меня. Меняются времена, а с ними и зритель.

Теперь, когда можно облететь вокруг земного шара за какой-нибудь час с лишним, представить себе, как можно ехать из Одессы в Москву две недели, конечно, трудно. Но мы ехали.

Какие могут быть претензии к расписанию поездов, к железнодорожной точности! Все это мелочи. Главное — влезть в вагон. Мы с Игорем влезли.

В купе набилось народу видимо-невидимо, словно всем в одну и ту же минуту приспичило куда-то ехать. Мешочники и спекулянты лезли уверенно, опытно и ни с кем не церемонились. Они забивали своими тюками все пространство купе, ставили их не только что на ноги, но и на головы — не на свои, конечно. Было не продохнуть. Увещевательных слов и просьб они не понимали. И тогда мы с Игорем, перемигнувшись, взялись разыгрывать комедию.

Я вдруг начал подергиваться, а потом с искаженным лицом и безумными глазами пристально разглядывал соседей и тянулся пальцами к их лицам. А Нежный за моей спиной, вертя пальцем у лба, давал всем понять, что везет сумасшедшего.

Когда я замечал, что кто-нибудь начинал стоя дремать — упасть ведь в такой давке было невозможно, — я диким голосом выкрикивал: «Ой, чудо!» — и все вздрагивали. После нескольких таких «чудес» наиболее слабонервные уходили из купе, освобождая жизненное пространство. Наконец мы с Нежным остались вдвоем. А ночью, когда и я засыпал, он время от времени дергал меня за ногу, чтобы я снова выкрикивал свое заклинание — для профилактики, так сказать. «Чудом» мы и добрались до Киева.

В Киеве сделали привал — решили посмотреть, как он живет, и как в нем живется. Киев жил так же, как Одесса, — тяжело и голодно.

Вечером мы отправились в рекомендованное нам местной интеллигенцией кафе под странным названием «ХЛАМ», что означало «Художники, Литераторы, Артисты, Музыканты». В этом кафе, как и в других, ни спаржей, ни омарами не кормили – морковный чай с монпансье. Черный хлеб посетители приносили с собой. Самой главной достопримечательностью этого кафе была надпись на фронтоне: «Войдя сюда, сними шляпу, может быть, здесь сидит Маяковский». Мы вошли и сняли шляпы, хоть Маяковского здесь и не было... наверное, никогда.

С Маяковским я встретился позже и совсем в другом месте – об этой встрече я расскажу в свое время.

В Киеве задерживаться не было смысла, и, немного передохнув, мы двинули на Москву.

Я хорошо помню наш приезд. Заснеженная, холодная, голодная Москва января двадцать первого года. Худые люди тянут деревянные саночки, на которых лежит какая-то скудная кладь: пара поленьев, мешок с какой-то рухлядью, могущей служить дровами, иногда краюха хлеба, завернутая в тряпицу.

Боже мой, нынешние молодые люди! Если бы вы все это видели, если бы вы смогли почувствовать все, что чувствовали тогда мы, может быть, вы сумели бы по-настоящему оценить те перемены, те великие свершения, которые произошли в нашей стране! Сравнение не доказательство, но убедительный аргумент.

И я был совсем не похож на себя сегодняшнего – худ, мускулист, голоден, безмерно оптимистичен и весел. Ни голод, ни холод не могли испортить моего настроения.

Прямо с вокзала я уверенно направился к Никитским воротам, в театр, который назывался «Теревсат» – «Театр революционной сатиры». Он помещался в нынешнем здании Театра имени Маяковского. Я знал, что там есть режиссер Давид Гутман.

Я знал о Гутмане, но не знал самого Гутмана. Меня встретил невысокий человек с несколько сгорбленной фигурой. Глаза его светились юмором. И мне очень понравились эти ироничные глаза.

— Вам нужны актеры? — спросил я его.

Он ответил:

— У нас их четыреста пятьдесят, а если будет еще один — какая разница.

— Так этот четыреста пятьдесят первый буду я.

— Кто вы и откуда?

— Я Утесов, и я из Одессы.

— Что такое Утесов, я не знаю, но Одесса меня устраивает.

— А жить у вас есть где?

— У меня есть.

— А у меня что будет?

— А у меня будете вы.

И я поселился у Гутмана.

Ах, что за невероятный человек был Давид Гутман! Он жил на Тверском бульваре и помещался с женой в одной комнате. Они располагались на большой широкой кровати, в ногах которой стоял диванчик. На диванчике располагался я. Он приютил меня, он меня кормил, он относился ко мне по-отечески.

Никогда в жизни я не встречал человека, который бы был так пропитан, так наспиртован и нашпигован юмором. Он не только ценил и понимал его — он умел его творить. На сцене, в драматургии, просто в жизни.

Все время, что мы знали друг друга, мы играли с ним в одну игру, которая называлась «игра в образы». Встречаясь где бы то ни было, один из нас говорил фразу, которая непосвященным могла бы показаться странной:

– Тимофей Иванович, вчера я был у вас в больнице – оказывается, вы терапевтическое отделение перевели на первый этаж.

– А-а, вы уже заметили, но ведь мы и гинекологическое переместили на четвертый.

– А куда же вы дели сердечников?

– Отпустили их на все четыре стороны... – Мы стояли друг против друга в позе двух солидных врачей и с ученым видом рассуждали о своих проблемах.

– Скажите, Никифор Сергеевич, а что, сечение вашего маховика, оно соответствует синусу?

– Нет, косинусу, раз он поставлен на параллелограмм...

Эта абракадабра могла продолжаться бесконечно. Но термины означали, что мы играем в инженеров.

А еще была игра в интонации: он задавал мне один и тот же вопрос, на который я должен был отвечать одними и теми же словами, но с разной интонацией, которая зависела от обстоятельств. Стоило мне среди десятков разных интонаций повторить хоть одну, его чуткое ухо улавливало это и мне засчитывался проигрыш.

Однажды в Баку мы шли с Гутманом вечером по Приморскому бульвару. Шли, перескакивая через лужи, которые остались от только что пронесшегося ливня. Миновало уже много лет после нашего знакомства. И вдруг мне захотелось узнать, а верен ли еще Гутман нашей старой забавной игре. Я резко повернулся к нему и в упор спросил:

– Вы император Александр II?

– Конечно! – ответил он, не моргнув глазом.

– Тогда мы сейчас будем вас кончать, – сказал я решительно и мрачно.

– Мне интересно – чем? – спросил он.

– Бомбой! – крикнул я. – Бах! – и кинул ему под ноги сверток, который был у меня в руках, – мокрую концертную рубаху, завернутую в газету. Ни на секунду не задумываясь, Гутман, как был в сером новом костюме, плюхнулся в лужу и истошно закричал:

– Православные! Царя убивают!

Ему было в это время уже за пятьдесят.

На него всегда можно было положиться в любой проделке.

В те годы, что я работал в его театре, меня особенно мучила игровая жажда, мне хотелось исполнять все роли во всех пьесах. Гутман понимал меня и шел навстречу моим желаниям. Например, в смешной антирелигиозной пьесе Марка Криницкого «У райских врат» я действительно переиграл все роли: всех апостолов, ангелов, пророков и черта. Мне не достался только бог Саваоф. И, естественно, именно его-то я и жаждал сыграть. Но бога играл артист Николай Плинер. Это была его единственная роль, и уступать ее он никому не собирался.

Тогда мы с Гутманом написали письмо: «Слушай, Плинер, если ты будешь играть нашего Господа Бога Вседержителя, то знай, что через неделю ты будешь избит, а через месяц убит». Для пущего устрашающего эффекта нарисовали череп и скрещение костей. И подписались: «Верующие». Письмо положили Плинеру в карман пальто.

Самое смешное произошло на следующий день, когда Плинер пришел в кабинет к Гутману. Я, конечно, был уже там и с совершенно серьезным видом наблюдал за разворотом событий.

Плинер бросил на стол письмо и сказал:

– Читайте.

Гутман громко прочел письмо и спросил:

– Ну и что?

– Как это что? – сказал возмущенно Плинер. – Я не собираюсь умирать.

Тут вступил я:

– Как вам не стыдно бояться каких-то жалких негодяев.

Плинер посмотрел на меня злорадно и сказал:

– А если вы такой храбрый, то и играйте.

Я отважно согласился. Вечерами после спектакля, когда я шел домой, Плинер в отдалении следовал за мной, предвкушая зрелище свержения, а может быть, даже и распятия бога, он был уверен, что оно обязательно состоится.

Но зрелище не состоялось. Вдоволь наигравшись, я открыл Плинеру наш коварный замысел и отдал ему его единственную роль обратно.

Надо сказать, что пьеса эта была довольно злая, и многие актеры даже не решались играть в ней, боясь возмездия верующих. А некоторые втихомолку думали: «Еще и в рай не попадешь».

Режиссером Гутман был необыкновенным. Он умел не только добиваться нужного результата, но умел и учить. Когда он показывал актерам, как нужно играть ту или иную роль, то казалось, что, если бы он сам сыграл все роли перед зрителем, – это был бы гениальный спектакль.

Созданием в нашей стране Театра сатиры мы во многом обязаны Давиду Григорьевичу Гутману. И как жаль, что этот человек ушел из жизни, не отмеченный никаким званием, никакой наградой, которые он несомненно заслужил.

Эти годы моей жизни отмечены и еще одним знакомством – с Всеволодом Эмильевичем Мейерхольдом.

Я приехал в Москву в странном виде – шикарный серый френч, галифе с кожаными леями, краги и кожаная фуражка. Вид мой был импозантен, и поэтому первое время знакомые водили меня по разным домам и выдавали за иностранного гостя – актера или офицера, который перешел на сторону красных. Когда оказалось, что в одном доме мы увидим Мейерхольда, мне предложили выдать себя за английского режиссера.

Нас познакомили. И Мейерхольд «мной» сразу же заинтересовался. Я по-английски знал только один акцент, поэтому мы говорили по-немецки, то есть по-немецки говорил Мейерхольд, а я отвечал немецкими или русскими восклицаниями с английским произношением.

Таким странным образом мы общались с ним до пяти часов утра. Он рисовал схемы, рассказывал о своих постановках, я одобрительно кивал головой и важно произносил: «yes».

Наконец я встал и сказал:

– Хватит валять дурака! – На его лице застыл ужас. – Никакой я не режиссер и не англичанин, я актер из Одессы. Моя фамилия Утесов...

Мейерхольд на миг растерялся, услышав мою русскую речь. Потом мы весело посмеялись. Мы с ним стали добрыми знакомыми. И однажды я даже попросил его поставить мне программу с джазом.

– Хорошо, – сказал Мейерхольд, – я поставлю вам программу в цирке. Представьте себе красный бархат барьера. Желтый песок арены. На арену выходят музыканты. Сколько их у вас?

— Семнадцать.

— ...Семнадцать белых клоунов. В разноцветных колпачках, вроде небольшой сахарной головы. В разного цвета костюмах с блестками. Шикарные, элегантные, красивые, самоуверенные. Они рассаживаются вокруг по барьеру и начинают играть развеселую, жизнерадостную музыку. Вдруг обрывают ее и играют что-то очень-очень грустное. И вот тут появляетесь Вы — трагический клоун. В нелепом одеянии, в широченных штанах, в огромных ботинках, несуразном сюртуке. Рыжий парик и трагическая маска лица. В юмористических вещах вы находите трагизм. В трагических — юмор. Вы трагикомический клоун. Вы это понимаете?

Я понимал... И отказался. Сказал, что я работаю на эстраде и в клоуна мне превращаться не хочется. Но, честно говоря, я побоялся той большой задачи, которую предлагал замысел Мейерхольда. Наверно, я напрасно струсил.

Может быть, кого-нибудь удивит, что в Теревсате была такая многочисленная труппа. Но, по сути дела, в ней сливались несколько театров, в нее входили актеры всех мыслимых жанров — эстрада, цирк, опера, балет, оперетта. Естественно, что таким же пестрым был и репертуар. Ставились большие, в несколько актов, «настоящие» пьесы, но шли и буффонады, вроде «У райских врат», балеты, например «Весы», выступали куплетисты и жонглеры, одним словом, номера на все вкусы и случаи жизни.

Такой стиль театра мне был привычен, и я чувствовал себя отлично. Я по-прежнему стремился везде поспеть и исполнял в одной постановке по нескольку ролей. Все роли я играл с удовольствием, но, как это обычно бывает, одна почему-то особенно запомнится публике. Так, в большом сатирико-политическом обозрении «Путешествие Бульбуса 17–21» Гутмана, Адуева и Арго я, играя и эсера Чернова, и старого спеца, и дирижера оркестра Малой Антанты, больше всего запомнился зрителям именно этим дирижером, которого я почему-то изображал румыном. А так как ни афиш, ни программ тогда не выпускали, то зрители и прозвали меня «румын из Теревсата».

Оркестр был квартетом и состоял из «грека», «чеха», «серба» под управлением «румына». Это был комический аттракцион – в оркестре не было инструментов, мы имитировали их звучание. «Оркестр» получился очень смешной, ибо участников Малой Антанты мы изображали с темпераментом. Кроме удовольствия этот оркестр имел для меня и более важное значение. Тогда, конечно, я этого не знал, но после догадался, что вслед за комическим хором он был как бы вторым этапом на подступах к моему эстрадному оркестру.

Обычно Теревсату в различных серьезных изданиях отводилось мало места и уделялось мало внимания. Порой в суждениях о нем можно уловить нотки пренебрежения и даже осуждения. «Мелкотравчатость», «развлекательность», «зубоскальство». Я всегда считал это несправедливым. Теревсат оказал большое влияние на последующее развитие многих жанров театральных представлений, и из его недр вышло много интересных актеров. И недавно я с большим удовлетворением и благодарностью прочитал в журнале «Театр» (1971, № 1) подробный рассказ Д. Золотницкого о Теревсате и теревсатчиках.

И, конечно, заслуги Гутмана в этом немалые. Он был человеком на редкость изобретательным, он всегда был полон идей и замыслов. Когда-то он начал свою деятельность режиссером драматического театра. А в годы Первой мировой войны руководил московскими театрами миниатюр — Мамонтовским и Петровским. Он чувствовал стиль и потребность времени. Это-то, наверно, и сделало его мастером театра миниатюр — подвижного, живого, всегда откликающегося на события быстротечной жизни. Ведь это он, кстати сказать, изобрел для Вертинского его знаменитую маску Пьеро, так удивительно совпадающую и с манерой певца и с потребностями минуты. Не только Вертинский, но и другие наши советские актеры, в том числе и я, многим обязаны Гутману.

Тот «Эрмитаж», который известен сегодня не только москвичам, но и людям, побывавшим в Москве проездом, в командировке или во время отпуска, этот «Эрмитаж» возник в 1921 году. Именно летом двадцать первого года там был дан первый эстрадный концерт, в котором приняли участие многие московские артисты.

По своей закоренелой привычке я не мог прийти в новый театр со старым номером. И, как всегда, решил показать что-то еще неизвестное москвичам. Мне подумалось, что мой «одесский газетчик» оказался бы сейчас очень кстати. Но я о нем, кажется, еще не рассказывал.

Теперь, наверно, уже осталось мало людей, видевших газетчика своими глазами. Не того, что сидит в стеклянной коробочке и ждет, когда к нему выстроится очередь за «Вечеркой». А того паренька, что бежит по улицам с пачкой газет, на ходу выкрикивая ошеломляющие новости. Он был необходимейшей частью жизни горожан и достопримечательностью для приезжих. Одесситы, любящие, когда дело ведется с фантазией и азартом, относились к газетчику покровительственно, снисходительно, но в то же время гордились им, ибо это было настоящее дитя Одессы, нечто вроде парижского гамена.

Наш газетчик соединял в себе все особенности гамена одесского, взращенного в порту, где у причала швартуются и откуда уплывают пароходы из разных стран, увозя с собой свои звучные и непонятные названия, где на каждом шагу бывалые морские волки, иностранные моряки со своими необычными манерами и привычками. Ими надо и в меру восхищаться и себя не уронить, а для этого соленая шутка, жаргонные словечки, небрежная манера лучше всего – так вот и складывался своеобразный облик мальчишек одесской улицы.

От уличного продавца газет требовалась расторопность, сообразительность, умение заманить покупателя. Этим качествам одесских мальчишек учить не надо было. Газетчик отлично чувствовал и психологию одесской толпы и особенности своей профессии. Поэтому он всегда куда-то ужасно торопился. Он останавливался на миг, чтобы схватить монетку и кинуть газету с видом крайнего нетерпения. И вы тоже начинали невольно торопиться – грешно задерживать человека, которого ждут миллионы людей.

Все, конечно, понимали, что спешить ему некуда и никакие миллионы его не ждут, но охотно поддерживали игру. Так он и мчался по улицам, размахивая газетой, неистово и нарочито неразборчиво крича – так можно кричать только тогда, когда в мире случается что-то невероятное. Вы невольно прислушивались, стараясь схватить то ли фамилию политического деятеля, совершившего подвиг или предательство, то ли название корабля, который, может быть, сейчас, сию минуту, тонет или, наоборот, уже спасен. И так как газетчик часто кричал о том, о чем в газете не было и в помине, ему чаще всего не верили, но газету покупали, движимые обычной человеческой слабостью и надеждой: а вдруг именно сегодня-то он и не врет. Ну а если и опять соврал – невелика беда. Зато какое представление! Какой театр! – а к этому одесситы всегда неравнодушны.

Одесский газетчик был мне понятен и близок, я чувствовал его, как себя, и однажды у меня мелькнула мысль перенести этот жизненный театр на эстраду. Так родился необычный номер, который у одесситов имел шумный успех.

Мой молодой газетчик был так нетерпелив и так сам наслаждался этим вечно меняющимся миром, битком набитым новостями и событиями, что невольно начинал пританцовывать и распевать свои новости – так органично в номер входили куплеты. В них рассказывалось о тех же городских событиях, о которых в данный момент судачили на всех улицах, а также и о мировых катаклизмах, мимо которых одесситы не могли пройти равнодушно. Помните, у Аверченко один одессит говорит другому, крутя пуговицу на его пиджаке: «Франция еще будет меня помнить».

Когда я начал выступать с этим номером, имя одесского налетчика Мишки-Япончика приводило всех в трепет – и я пел про старушку, ограбленную и обесчещенную бандитами на Дерибасовской.

«Ну, а налеты стали все заметней.
На Дерибасовской так, примерно, в шесть
У неизвестной бабушки столетней
Двое бандитов утащили честь».

Москва живет московскими новостями и событиями всего мира, поэтому газетчик, выскакивавший на подмостки «Эрмитажа», был начинен информацией глобального содержания. Он, как тумба, был весь увешан и обклеен плакатами и рекламами, заголовками иностранных газет, а на груди его красовался символ вранья – огромная утка. В то время про Советскую Россию распространялось множество нелепейших небылиц. Так что темы куплетов было сыскать нетрудно – стоило только развернуть газету. Каждый вечер куплеты менялись, и тут уж в самом прямом смысле осуществлялся боевой лозунг эстрады: утром в газете – вечером в куплете.

К моему приходу в «Эрмитаж» несколько авторов и в том числе мой друг, незабвенный Николай Эрдман, уже ожидали меня с готовыми куплетами. Я вклеивал их в газету, которую обычно как рекламу держал в руках, и поэтому мог не ограничивать себя количеством «новостей» – учить их наизусть было не надо. Между куплетами я лихо отплясывал, стараясь и в танец вложить настроение куплетного сообщения.

И в Москве номер имел оглушительный успех. Собственно с этого номера некоторые зрители старшего поколения, может быть, и помнят меня как артиста.

Стиль «живых газет» оказался очень созвучным настроениям времени, стремительности его темпов, задору его энтузиазма. И подобные номера все чаще и чаще стали появляться на эстрадах. Постепенно они трансформировались, росло количество участников, менялся стиль исполнения – куплеты заменялись коллективной декламацией, а танцы – ритмическими движениями спортивного характера. Вскоре появилась и своя униформа – синие рубахи, заправленные в комбинезоны. И название «Синяя блуза» закрепилось за новым эстрадным жанром. Обрастая традициями и штампами, этот жанр просуществовал на эстраде довольно долго.

Это было начало нэпа. Одна за другой стали появляться антрепризы. В «Славянском базаре» открылся театр оперетты. А так как я еще в «Эрмитаже» вместе с замечательной опереточной актрисой Казимирой Невяровской исполнял дуэты из оперетт, то нас пригласили в этот театр.

Здесь были все особенности опереточного стиля. Ни о каких реформах, поисках нового не могло быть и речи. Да, наверно, и в голову никому не приходило, что оперетта заштамповалась и ее надо реформировать. И такая она имела успех у зрителя. А что еще надо антрепренеру?

Однако в театре работало много хороших актеров, которые силой своего таланта оживляли отмиравшие опереточные приемы, придавали им видимость жизни. Среди всех уже тогда выделялся Григорий Маркович Ярон – человек безграничного комедийного дара. Становилось смешным все, к чему бы он ни прикасался. А его музыкальность и его танцевально-акробатическая техника помогали создавать неповторимые образы.

Ярон уже тогда был типичным опереточным комиком, но в самом лучшем смысле этого слова. Не углубляясь в психологические тонкости, не ища разнообразия характеров, он умел сделать неисчерпаемым один и тот же характер в довольно сходных опереточных обстоятельствах и коллизиях. Для этого надо иметь недюжинную фантазию и изобретательность. И уж в этом с ним, пожалуй, никто тягаться не мог. Смешные ситуации он умел находить во всем, а это помогало ему видеть уродливое и отмирающее – и уж с ними он расправлялся безжалостно. Знаменитые яроновские отсебятины становились потом каноническим текстом. Так и не родился на свет такой мрачный зритель, которого не мог бы рассмешить Ярон.

Являясь автором своих ролей, Ярон, по существу, переделал, переосмыслил маску комика-рамоли. Он умел, всегда оставаясь в образе, виртуозно соединять в единое целое эффектные эксцентрические трюки и танцы, неожиданные контрасты ситуаций, вставные комические номера и создавать произведение искусства неповторимое и заразительное.

Так же неожидан и интересен он был и на режиссерском поприще, а став теоретиком оперетты, сумел не притушить, не засушить ее зажигательного задора.

Я легко акклиматизировался в оперетте, потому что умел и петь, и танцевать, и не чуждался эксцентрики. После долгого пребывания в театре малых форм в оперетту я шел с надеждой. Мне казалось, что здесь я смогу создавать образы-характеры, смогу играть роли уж если не трагедийного, не драматического, то хотя бы лирического плана – все комики одержимы этой страстью.

Я играл Бони в «Сильве» и пытался оживить этот образ, найти в нем хоть что-то не от маски, а от живого человека, вернуть ему то, что было выхолощено штампами, – я наделял его чувством, находил возможность сделать по-настоящему лиричным. Но меня упрекали, что я пошляка выдаю за порядочного человека. Не за порядочного, а за живого, сказал бы я. Ведь пошляк – это еще не мертвец. Примерно так же были встречены мои «эксперименты» и в опереттах «Мадемуазель Нитуш», «Гейша», «Граф Люксембург» – все мои попытки драматизировать роли объявлялись неуместными и ненужными для данного жанра. Впрочем, может быть, мои критики были и правы – ведь я пытался оживить образы венской оперетты, давно уже ставшей развлекательным зрелищем с чисто условными характерами. И все-таки одно мне так и осталось непонятным: если в произведении есть люди, то почему возбраняется сделать их живыми?

Одним словом, мало-помалу я сам стал думать, что приукрашивание сентиментальных и недалеких героев венской оперетты – дело неблагодарное. И при всем веселье жанра мне становилось в нем скучно. По сути дела, я не нашел в оперетте того, что надеялся найти (а советских оперетт тогда еще не было), и решил поискать в другом месте.

Как раз в это время мне представилась возможность переехать в Петроград, что я и сделал с большим удовольствием.

В Петрограде было два опереточных театра: Палас-театр – товарищество без антрепренера, и антреприза Ксендзовского. Я вступил в труппу Палас-театра с мыслью оглядеться и найти что-нибудь более приемлемое, более родственное моей душе.

В Палас-театре оперетта была бы как оперетта, ничем особенным от «Славянского базара» не отличающаяся, с такими же профессионально крепкими актерами, если бы не Елизавета Ивановна Тиме, актриса бывшего Александрийского театра. Дело в том, что она, великолепная драматическая актриса, обладала прекрасным голосом, три года училась пению в Петербургской консерватории и потому ее непреодолимо тянуло в музыкальный театр – вот она и совмещала Александринку и оперетту.

А для оперетты ее участие было величайшим благом. Она своим строгим стилем актрисы драматического театра, серьезным отношением к делу невольно облагораживала атмосферу театра, которая иногда начинала уж очень быть похожей на ту, что разыгрывалась в самих спектаклях. Кроме того, ее драматическое мастерство помогало актерам преодолевать мертвые штампы опереточного жанра.

Я дебютировал ролью Бони, Сильву играла Елизавета Ивановна Тиме. Я играл эту роль не менее семисот раз, со множеством разных партнерш, умел к ним быстро приноравливаться, но на первых спектаклях с Тиме мне все время было как-то непривычно. Наверно, она была не совсем опереточной Сильвой и мой Бони никак не мог к ней пристроиться.

Но Тиме была опытной актрисой и неплохим педагогом – она, словно ребенка, взяла меня за руку и повела по другой дорожке, где мне легче было сделать своего Бони умнее, лиричнее, искреннее.

Кроме «Сильвы» мы играли с ней в «Прекрасной Елене», она – Елена, я – Менелай.

Вообще репертуар в Палас-театре у меня был обширный: «Мадам Помпадур», «Вице-адмирал», «Баядерка» и множество других оперетт – не стоит их все здесь перечислять. Но о роли матроса Пунто в «Вице-адмирале» мне хочется сказать. Я играл эту роль с особенным удовольствием, наверно потому, что она напоминала мне милых сердцу одесситов. Лихой матрос, певец и острослов, честный и скромный малый – в нем было все, что составляло мечту моего детства. Особенно волновали меня слова Пунто, когда он просится на берег, в родной город Кадикс, где «его каждая собака знает». В этих словах мне слышалось что-то до боли понятное. И я не случайно наградил Пунта одесскими манерами. Он, например, лихо, с характерным присвистом сплевывал сквозь стиснутые зубы. Впрочем, в этом увидели опошление образа «революционного матроса». Может же такое прийти в «критическую» голову. Пунто – революционный матрос!

Конечно, не всегда работа оставляла меня неудовлетворенным. Я любил играть в классических опереттах, таких, как «Прекрасная Елена», «Маскотта», «Зеленый остров». А работа в двух опереттах – «Девушка-сыщик» и «Дорина и случай» – доставила мне особенно большое удовольствие.

«Девушка-сыщик» была поставлена еще до создания первой советской оперетты. Ставил этот спектакль С. Радлов и попытался отойти от опереточных штампов даже и в построении фабулы. В эту буржуазную в общем-то оперетту он включил мотив погони за революционными документами. А образы буржуазных героев решил в сатирическом стиле, придав им какой-то дурацкий налет. Но самым интересным и близким мне, по существу, было то, что Радлов уничтожил здесь слащавую красивость этого жанра, придал всему тон народного балаганного театра.

Мне досталась роль сыщика, который ищет эти документы. Мой сыщик был ловким, тренированным, физически сильным человеком. Когда надо, мог пройти по канату, натянутому под колосниками (с которого я однажды свалился, но все-таки быстро пришел в себя и довел спектакль до конца, хотя, как написали в газетах, получил «сильное сотрясение всего организма»). Но, несмотря на все эти отличные спортивные качества, мой сыщик был предельно самоуверенным дураком. Если бы тогда уже были картины о Джеймсе Бонде, этот образ мог быть воспринят как сатира на супермена.

Прелесть большой, трехактной оперетты «Дорина и случай» заключалась в том, что в ней не было ни хора, ни балета и было всего шесть действующих лиц — пять мужских и одна женская роль. Оригинальность этой оперетты заключалась и в том, что начиналась она со спора между актером, стоящим перед занавесом на сцене, и «зрителем», сидевшим в зале, — со спора на тему «закономерность и случай». Спор заканчивался тем, что артист приглашал «зрителя» на сцену. Тогда и начиналась сама оперетта — как аргумент, как цепь доказательств в этом споре. В ней все строилось на «закономерных случайностях».

Я играл две роли одновременно и был слугой четырех господ. Я был французом и русским, который все время, обращаясь в зрительный зал, комментировал действия француза с точки зрения случайностей и закономерностей. И, естественно, мне все время приходилось менять язык — то я говорил по-русски чисто, то с французским акцентом. Роль эта была сложна не только этой постоянной сменой «языка», но и тем, что требовала предельной подвижности внешней и внутренней — четыре мои хозяина, любители музыки, хотя и собирались иногда вместе, составляя квартет, но жили на разных этажах дома, а я метался между ними и старался, чтобы они не догадались, что на четверых я у них один.

Но, как я уже говорил, в оперетте я все-таки чувствовал себя гостем, которому когда-нибудь, а придется отправиться домой. Узнать бы только, где он – мой дом. Вокруг меня такое разнообразие видов и жанров театра! Глаза разбегаются. Меня тянет в разные стороны. Какая же перетянет? Пока я все только пробую. «Все испытайте, – советует Лев Николаевич Толстой, – хорошего держитесь». И вот я ищу и испытываю, испытываю и ищу.

Не раз я уже говорил о том, как меня всегда жгла и томила жажда работы – она делала меня всеядным. И, наверно, именно поэтому я никогда не понимал людей, влюбленных только в один какой-нибудь вид искусства. Мне нравилось и нравится все – ну, конечно, хорошее. И, кажется, нет такого жанра, в котором бы я не пробовал свои силенки. В разное время, а иногда и одновременно, я был актером драматическим, комическим, опереточным, эстрадным, даже балаганным.

И вот однажды мне пришла в голову неожиданная и, может быть, даже крамольная мысль: а не попробовать ли в один вечер показать все, что я умею?! Мысль эта мне показалась заманчивой, я загорелся и тут же начал составлять программу этого необыкновенного вечера, упиваясь контрастами.

Первым номером я выйду в чем-нибудь очень драматическом, даже лучше трагическом. Ну, например, Раскольниковым. Сыграю одну-две сцены из «Преступления и наказания». Да, Достоевский – это хорошо. Никакого писателя никогда не любил и не люблю я так, как Достоевского. Возьму, пожалуй, самые тонкие и психологически напряженные сцены с Порфирием Петровичем. А партнером приглашу лучшего исполнителя этой роли – Кондрата Яковлева, он играл Порфирия с самим Орленевым.

А после этого, одного из самых сложнейших и драматических образов, я выйду... я выйду... кем бы мне выйти? – Менелаем! Соседство парадоксальное, почти ужасающее. Отлично!

Что дальше? Дальше я сыграю маленький забавный скетч «Американская дуэль», а в нем одессита, несколько трусливого, но ловкого и находящего забавный выход из трудного положения.

Потом дам дивертисмент, то есть маленький эстрадный концерт, где различные жанры, а у меня их наберется немало, будут мелькать, как в калейдоскопе, – короткие, броские номера.

Так, теперь опять надо перевести публику совсем в другое состояние, а для этого исполним что-нибудь грустное, элегическое. Что же выбрать? И как исполнить? А вот как. Трио – рояль, скрипка и виолончель – разыграет романс Глинки «Не искушай», ну и его же «Жаворонка». Себе я возьму партию скрипки.

Затем, аккомпанируя себе на гитаре, спою несколько русских романсов.

Какой бы еще придумать контраст? – Классический балет! Что может быть лучше! С профессиональной балериной, с классическими поддержками я исполню настоящий балетный вальс.

После балета прочитаю комический рассказ, спою злободневные куплеты... Кажется, хватит на один вечер? Пожалуй, не хватает эффектного, острого и неожиданного завершения. Что бы такое изобрести? Ладно. Пусть будет еще мой «хор». Каких же еще нет у меня жанров? – Трагедия, комедия, оперетта, эстрада... и цирк. Ну, конечно! Должен быть цирк – ведь в нем я начинал! Теперь я им закончу. На трапеции в маске рыжего отработаю полный ассортимент трюков, возможных на этом снаряде... И назову вечер... назову просто: «От трагедии до трапеции»!

Я понимал, конечно, что в этой программе, кроме мастерства и самоуверенности, немало и озорства. Тем лучше! Мысль о том, что я могу не справиться с таким вечером, даже не приходила мне в голову. Молодость тем и хороша, что безоглядно верит в свои силы.

Спектакль шел больше шести часов! Успех и сбор были сенсационными. Я выложился весь. Пожалуй, никогда в жизни я так не выдыхался. Еще один такой вечер, и я бы скончался от истощения в довольно раннем возрасте – двадцати восьми лет от роду. А на могиле была бы уместна такая эпитафия: «Здесь лежит обжора, объевшийся искусством». Но все сошло благополучно. Даже пресса.

Одну из рецензий написал критик Эдуард Старк (Зигфрид), известный своей монографией о Шаляпине – самом великом, что есть для меня в искусстве. Не случайно я на своем синтетическом вечере не исполнил ни одной оперной арии. Впрочем, тогда бы сразу все узнали, что у меня нет никакого голоса.

Эдуард Старк писал: «...когда афиша возвестила о его «синтетическом вечере» в «Паласе», на котором Утесов вознамерился явиться под всевозможными масками, когда рядом стали Менелай из «Прекрасной Елены» и Раскольников, то многие даже непредубежденные люди, вероятно, подумали:

– Ой! Уж нет ли тут шарлатанства какого-нибудь... Менелай и Раскольников? Наверно, здесь скрывается трюк!

И что же? Трюка не оказалось. Был уморительно смешной Менелай, без всякого шаржа в пластике и тоне. А следом за ним появился Раскольников. И едва только переступил он порог кабинета судебного следователя, как вы тотчас же почувствовали человека, живьем выхваченного со страниц романа Достоевского. Контраст с Менелаем был так велик, что произвел, на меня по крайней мере, ошеломляющее впечатление.

Самое замечательное здесь было даже не разговор, не тон речи Утесова, а нечто гораздо более трудное: его пластика. То, как он сидел и молча слушал Порфирия Петровича, причем все существо Раскольникова обнаруживало необыкновенный нервный трепет, боязливую настороженность. То, как артист сумел сконцентрировать всю смуту души Раскольникова в выражении глаз, проводя все это с поразительной выдержкой, доказало, что Утесов владеет исключительной техникой. Надо заметить еще, что отдельно выхваченный кусок большой роли сыграть труднее, чем всю роль... Несомненно, что в лице Утесова мы имеем дело с большим и притом многогранным талантом»*.

Вторая рецензия была написана режиссером Г. Крыжицким. Я приведу из нее несколько строк: «Это был даже не успех. Скорее, какой-то бешеный фурор, необычайная сенсация. Битком набитый театр. Публика неистовствовала, аплодировала, и галерка бесновалась, как в доброе старое время. Спектакль, который, судя по всему, грозил быть очередной «гросс-халтурой», превратился в один из интереснейших вечеров. Утесов — гимнаст, танцор, певец, скрипач,

* «Вечерняя Красная газета», П., 1923, № 26, стр. 4.

трагик и, наконец, – цирковой рыжий, великолепный рыжий и эксцентрик.

Конечно, Утесов все-таки прежде всего артист эстрады. Но он изумительный работник, и потому «кто знает, что завтра его ждет впереди...»*

Ролей переиграно было немало. Какие-то нравились всем – и мне, и публике, и рецензентам, какие-то не нравились никому. Таких, к моему счастью, было меньше. Почему нравились? Почему не нравились? Самому актеру, наверно, все равно не рассказать, как он создал тот или иной образ и чем он трогал публику. Я ничего не хочу придумывать. И признаюсь, что мною при создании образа чаще всего владела интуиция.

Вот Эдуард Старк пишет, что я как-то особенно сидел в роли Раскольникова, но я бы не мог сказать, почему я сидел так, а не иначе. Наверно, только так и мог сидеть мой Раскольников перед Порфирием Петровичем, наверно, так ему сиделось, так ему было удобно, нужно, наконец, – он ведь тоже не думал, как он сидит перед следователем.

Может быть, с точки зрения театральных теорий это и нехорошо. Но ведь надо учесть одно обстоятельство – я никогда не учился театральному искусству, у меня не было в нем учителей. Только старшие товарищи. И всем своим существом я старался от них воспринять все, что казалось мне хорошим.

Я вовсе не хочу сказать, что театральные студии не нужны и что актерскому искусству не надо учиться. Учиться-то можно по-разному.

Как, например, раньше можно было стать актером? Допустим, так. Молодой человек, закончив гим-

---

* «Музыка и театр», 1923, № 5.

назию, приходил в театр к антрепренеру, ну, скажем, в Харькове к Синельникову, и говорил:

– Николай Николаевич, не могу жить без театра, хочу быть актером.

Синельников, как правило, старался его отговорить от рокового шага и советовал учиться дальше, поступить в университет. Но молодой человек со свойственной юности уверенностью и упорством настаивал:

– Без театра не могу!

И Синельников соглашался:

– Ну что ж, попробуйте.

И молодой человек начинал играть бессловесные роли в массовых сценах. Если у него хоть что-то получалось, ему доверяли произнести слова: «Графиня, чай подан». Если получалось и это, давали маленькую роль, потом побольше, глядишь, к двадцати двум – двадцати трем годам он становился уже актером. Общение с мастерами, строгий взгляд старших товарищей, вовремя поданный практический совет делали свое воспитательное дело. Это была школа, но школа, если говорить языком современным, – на производстве, на практике.

Вот эту школу я и прошел.

Сейчас у нас, по моим наблюдениям, много «книжных» актеров. Все знающих о своем герое, но неспособных заразить его страстями зрителей. Мне приходилось встречать актеров, удивительно экономно награжденных умом, но когда они выходили на сцену, то интуиция делала чудо, и даже зритель говорил:

– Ну какой же умный человек этот актер X.

А актер X не анализировал свою роль, не копался в психологии образа, а интуитивно достигал огромных результатов. Я мог бы даже назвать фамилии таких актеров (равно как и музыкантов, и даже, как ни парадоксально это прозвучит, писателей) не только из прошлого, но и из современности тоже.

Опять-таки я не хочу сказать, что ум актеру в тягость. Чем его больше, чем он гибче – тем лучше. Плохо только, когда он подавляет и охлаждает чувство, и уж совсем плохо, когда он на сцене заменяет талант.

Ах, как хорошо, когда есть и то и другое!

Одновременно с опереттой я выступаю в «Свободном театре», созданном в 1922 году. Здесь, как в любом театре миниатюр, идут маленькие пьески, скетчи, водевили и много сольных номеров. Особенность этого театра в том, что программа меняется два раза в неделю. Только уж если программа имела особенно большой успех, ее показывали более продолжительное время. Был даже случай, когда спектакль шел по два раза в вечер два месяца подряд. Правда, это была не миниатюра, а, говоря языком кино, полнометражная комедия – инсценировка рассказов американского писателя Д. Фридмана «Мендель Маранц».

Менделя Маранца играл я – и сто пятьдесят раз превращался в этого домашнего философа.

Что же это был за человек, Мендель Маранц, почему он так полюбился зрителям? Молодому поколению это имя, может быть, уже и незнакомо, поэтому скажу о нем несколько слов – он того стоит.

Это человек добродушный и неунывающий, относящийся к жизни философски и с юмором. Он понимает природу человека и многое ему прощает. У него наблюдательный глаз и острый ум, склонный к обобщениям, – свое мнение о жизни он выражает афористически и парадоксально. Жена и дочь постоянно отвлекают его от размышлений и вовлекают в свои предприятия, участвовать в которых ему вовсе не улыбается. Поэтому жена – предмет его постоянных удивлений, раздумий, постоянный сюжет его афоризмов:

– Что такое жена? – не раз спрашивает себя Мендель Маранц и в зависимости от обстоятельств и степени докучливости отвечает: – Это гвоздь в стуле, который не дает тебе сидеть спокойно. А еще это насморк, который легко схватить и от которого трудно избавиться.

Мендель Маранц изобретатель-самоучка, у него богатейшая фантазия, и изобретения следуют одно за другим, как и изречения. Но он неудачник, и ни одно его изобретение не реализуется. Однако этот человек абсолютно недоступен отчаянию – после очередной неудачи он сейчас же принимается за новые проекты. Он изобретает не ради денег, не ради богатства – у него творческая натура и он не может жить просто так. А деньги?..

– Что такое деньги? – спрашивает Мендель Маранц. – Болезнь, которую каждый хочет схватить, но не распространить. А что такое бедность? – продолжает он развивать свою мысль. – Это грязь на поверхности. А богатство? – Больше грязи под поверхностью.

Может быть, потому так привлекал этот чудак людей, что он был очень добр и никому не завидовал. И ему для счастья было нужно очень мало – возможность заниматься любимым делом, изобретательством. Своей невозмутимостью он доказывал, что самое прочное и надежное счастье – творчество!

Я играл Менделя Маранца с удовольствием, он дорог мне постоянной и упорной борьбой за счастье, непоколебимым оптимизмом, мудростью и умением философски и с юмором относиться к трудностям жизни. Сколько подобных Менделю Маранцу людей встречал я в своей Одессе! Да и мой отец в какой-то мере походил на него. Так что не случайно так близок и понятен мне был этот образ.

Как часто это бывает, в прессе появились отзывы, взаимно исключающие друг друга. В газете «Смена» был даже брошен клич «Никаких Маранцев», но потом та же газета признала, что слишком погорячилась, и согласилась с юнкорами Н. Сенюшкиным и Л. Дергуновым, которые считали, что «великолепно играет Утесов Менделя Маранца. Смеяться заставляет часто и от всей души... Никакой скуки и нудности. Ежеминутно в зале здоровый смех».

Не меньшим успехом пользовалась и комедия В. Ардова и Л. Никулина «Статья 114 Уголовного кодекса». Это была одна из первых пьес о советском быте в период нэпа, обличающая взяточничество. И хотя в пьесе, может быть, и было подчас остроумие ради остроумия и даже зубоскальство, но спектакль отражал многое, характерное для того времени. Недаром же он выдержал более ста представлений.

«Свободный театр» был одной из последних частных антреприз со всеми вытекающими отсюда особенностями. Он много ставил, много показывал. И, конечно, было в его репертуаре и случайное, и пошловатое, порой и низкопробное, навеянное временем, когда расцветал и уверенно захватывал жизненные позиции нэп. Но все-таки неправы те, кто «награждал» этот театр только отрицательными

Старая Одесса. Много есть на свете городов, но такого прекрасного нет

Родители

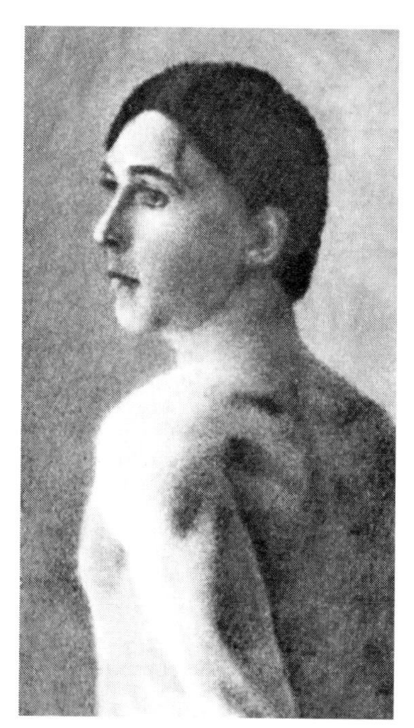

В училище молодой Утесов считался одним из лучших гимнастов и борцов

1911 год. Начинающий артист

Гордость Одессы – Городской театр оперы и балета

Оркестр Ярчука-Кучеренко в иллюзионе «Люкс». Утесов – вверху крайний справа

Труппа театра «Юмор». 1912 год

В. Хенкин читает рассказы

Леонид Утесов в роли Дюбуа в оперетте «Шалунья». Большой Ришельевский театр

Леонид Утесов с женой Еленой Ленской и дочерью Эдит. 1916 год

В.И. Качалов

В.Н. Давыдов

Дядюшка. Пьеса «Красное яблочко».
Георг. Оперетта «Девушка-сыщик»

«Семейка». Д. Гутман, Л. Утесов, Н. Смирнов-Сокольский и А. Нельсон. Москва, 1923 год

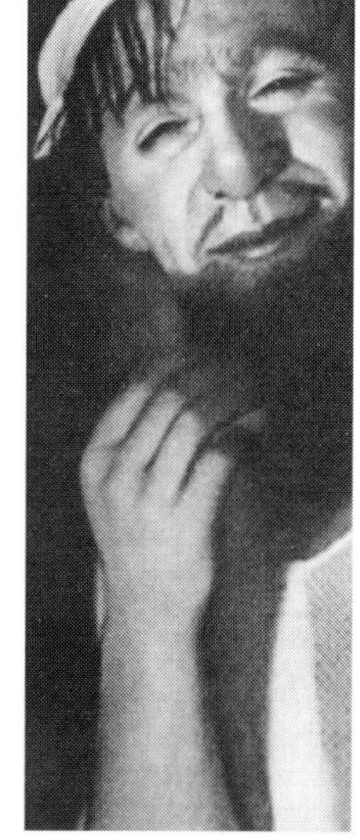

Л. Утесов в спектаклях «Дорина и случай» и «Подхалимка»

Свободный театр. Хор Утесова

Мендель Моранц в одноименной комедии Реб. Альтов. Пьеса «Мезельтов»

Писатель. Пьеса «Фабрика канители»

«Песня Коломбо». С О. Дегтяревой

Лонид Утесов читает рассказы Зощенко

Михаил Зощенко

СВОБОДНЫЙ ТЕАТР.

ПРОГРАММА

с 12-го по 17-е Октября.

Тел. № 550-57.

„Бенефис Артура Лим"

пьеса в 1-ом действии Вл. Шмидтгоф

Елизавета Тидевиц	К. А. Куракина
Вацлавский, директор театра	В. Л. Самурский
Карл фон-Эммерхард, жених Тидевиц	Вл. Шмидтгоф
Отто фон-Брацлау, его друг	А. Л. Гепнер
Артур Пим, выходной актер	**Л. О. Утесов**
Краус, помреж	А. Д. Богданов.

Мира Мар — новый репертуар.

Марион и Пярн исп. эксц. ТАНЕЦ „ВАНЬКА АМЕРИКАНЕЦ"

Римма Валова — Романсы

= Кусочек ЛЮБВИ =

пьеса в 1-м действии Вл. Михайлова

Матреша, прислуга	А. П. ПАНОВА
Илюша, дворник	А. Д. Богданов
Хозяин	А. Л. Гепнер
Хозяйка	М. М. Перрен
Их дочь	С. И. Соколова

Конферансье **А. А. Грилль** и Вл. Шмидтгоф.

Завлитчастью — В. Н. Владимиров.
Зав. Муз. частью — С. Л. Фрейденберг
Постановка спектакля — В. С. Михайлова.
Спектакль ведет — Алексеев П.
Художник — М. А. Глазман

Начало в будни — 7½, 9, 10½ ч. в.
Начало в праздники — 7, 8½, 10 час. веч.

Анонс: со вторника 19-го Октября ежедневно популярная пьеса

„Мендель Маранц"

В заглавной роли — **Утесов**

Постановка — **Н. В. Петрова**

Художник — **Н. П. Акимов**

Сонькин. Спектакль «Повесть о господине Сонькине»

Fotografijas:

Paraksts:

Pazīšanas zīmes:

Vispārējās: Seviškās:

1. Uzvards Utesows
2. Vards Leonids
3. Tēva vārds
4. Kad un kur dzimis 1895
5. Piederibas vieta
6. Nodarbošanās
7. Dzīves vieta:
 a) agrākā
 b) tagadējā
8. Apvainojums
9. Piezimes

Kas sniedz ziņas un zem
Ienāk. № 160794
Lietas № 160794
Reģ. akta №

Перевод с латышского языка

Фамилия – УТЕСОВ
Имя – Леонид
Отчество – Осипович
Когда и где родился – 9 марта 1895 г. в гор. Одессе в Советской России

Занятие – актер
Местожительство:
а/ раньше – Советская Россия, Петроград, Надеждинская ул., 21, кв. 27;
б/ теперешнее – гор. Рига, ул. Меркеля, 19, кв. 17.
Обвинение – Прибыл из Советской России с целью пропаганды и выступал на сцене кино-варьете "Марине", где восхвалял порядки Советской России и в разговорах с латвийскими актерами говорил, что в скором времени в Латвии будет Советская власть и советское искусство. Материалы дознания направлены Административному департаменту МВД для выдворения из Латвии 8 октября 1927 г. № 160794.

Фотографии:
УТЕСОВА Л.О. две за №№ 9286 и 9287

Опознавательные приметы:
общие:
а/ рост – средний
б/ волосы – черные
ц/ глаза –

Кто дает сведения и под каким № – Рижский район Политохранки.
вх. № 160794/1927 г.
Дело № 160794/1927 г.

Протокол допроса Л.О. Утесова политической полицией Латвии. 1927 год

Портрет композитора Глазунова работы Ф.И. Шаляпина

После концерта теаджаза на Ленинградском металлическом заводе

Джаз второго призыва. 1931 год

На репетиции

Кинофильм «Веселые ребята»

Джаз-пароход

Спектакль «Два корабля». 1938 год

Песня «Раскинулось море широко». 1938 год

И.О. Дунаевский, Л.О. Утесов и Д.Д. Шостакович. 1930-е годы

оценками. Пресса, часто довольно суровая к нему, все же признавала, что «лучше из всех (имеются, конечно, в виду театры миниатюр. — *Л. У.*) это «Свободный». Несмотря на случайную, уличную публику, театр ведет линию, далеко не всегда направленную к угождению ее вкусам. Он даже позволяет себе задания чисто культурного характера, как, например, неделя Н. Н. Евреинова. Постоянные гастроли артистов всех актеатров (то есть академических. — *Л. У.*), лучших персонажей частных сцен... сделали этот театр наиболее посещаемым из всех.

Не всегда поэтому понятны бывают нападки на этот единственный уцелевший у нас театр миниатюр: ведь его пьесы, по содержанию, во всяком случае, не хуже трех четвертей картин, идущих в государственных кинотеатрах. Дивертисмент — с одной и той же биржи! Чем же он хуже или вреднее?»

Действительно, если «Свободный театр» до какой-то степени и потрафлял вкусам нэповской публики, то в то же время он часто позволял себе и входить в конфликт с ее запросами. Примеров можно привести не так уж мало. С прекрасным составом исполнителей часто шли классические водевили и оперетты, в том числе Оффенбаха, сатирические представления. Но, конечно, и покритиковать его было за что. Молодые критики, как правило, относились к нему неблагожелательно. И часто неблагоприятные рецензии появлялись в ленинградской печати. Тогда один из антрепренеров (а их было два), тот, что выполнял функции художественного руководителя, Г. Юдовский, встречался с критиком, написавшим ругательную рецензию, и приглашал его заведующим литературной частью, причем предлагал солидный оклад.

Критик тут же соглашался, полный надежд выправить репертуарную линию театра. Но, так как спектакли менялись каждые три дня, то через три дня другой юный критик снова писал отрицательную рецензию. Юдовский вызывал новорожденного заведующего литературной частью и говорил ему:

– Мы так на вас надеялись, мы были уверены, что вы знаете, как наладить наш репертуар. А теперь нам придется расстаться. – И предлагал это место последнему по очереди критику «Свободного театра». Так он испробовал почти всех юных авторов.

В «Свободном театре» мне было интересно еще и потому, что здесь я имел возможность работать рядом и вместе с замечательными актерами Ленинграда, прямо надо сказать, с лучшими актерами. Дело в том, что, выбирая какую-нибудь пьесу к постановке, мы назначали на роли актеров из любого театра – тех, кто, по нашему мнению, сыграет лучше всех; на всякий случай, если основной исполнитель будет занят в своем театре, из нашей труппы назначался дублер.

Кстати сказать, благодаря этой свободе выбора театр и получил свое название. А актеры шли к нам охотно – и из бывшего Александринского, и из Большого драматического, и из Комедии. Их имена даже просто перечислить приятно: В. Н. Давыдов, Е. П. Корчагина-Александровская, Кондрат Яковлев, И. В. Лерский, Б. С. Борисов, Б. А. Горин-Горяинов, В. Я. Хенкин...

Но и этим разнообразие творческой жизни «Свободного театра» не исчерпывалось. По понедельникам, когда театр был закрыт, его антрепренеры организовывали драматические спектакли в других театральных помещениях и приглашали в них участвовать приезжих гастролеров. А в «Свободный театр» охотно приезжали артисты театра и эстрады из других городов, потому что это был не только свободный, не только веселый, но и сытный театр.

Для меня же эти спектакли вообще были праздником – в настоящих, больших, серьезных пьесах я играл драматические роли.

Одна из самых любимых моих ролей была главная роль в комедии О. Дымова «Певец своей печали». Певец своей печали – это Иошке-музыкант, благородное сердце которого «обожгла большая любовь». Она «подняла его выше денег и выше богатства». Сын местечкового водовоза, он дарит любимой девушке свой выигрыш – сорок тысяч рублей. Ради нее он терпит мучительные унижения. Но ей не дано понять смешного Иошку. Безграничное великодушие Иошки кажется ей просто глупостью, ибо ложь и корыстолюбие – ее естественная среда.

– Ты добрый, – говорит она ему, – а я не люблю добрых людей.

И любит ничтожного пошляка, соблазнившего и обманувшего ее.

Но на этом не кончаются суровые испытания Иошки. Отдав деньги возлюбленной, он лишил этих денег отца, давно уже заслужившего покой и отдых. На помощь надеялись и его товарищи, городская беднота. Они проклинают его. Они забрасывают его камнями. Он сходит с ума, и мальчишки, бегая за ним по пятам, дразнят его.

И вот он бродит одинокий, всеми гонимый и презираемый, и лишь одно у него утешение – письмо, которое он написал от имени любимой им девушки к ее возлюбленному – в нем он выразил свою любовь к ней.

Есть у него и еще одно утешение – скрипка. На ней он изливает свою печаль. «Жил был поэт с большим сердцем, – говорит автор, – и никто не заметил этого».

Дымов почему-то назвал свою пьесу комедией. Но я, игравший Иошку, стремился показать трагичность его судьбы, гибель прекрасного человека, родившегося не в свое время.

В пьесе была и излишняя красивость, и манерность языка, и искусственно создаваемая загадочность. И я чувствовал все это лишним, ненужным – мне казалось, что гораздо сильнее будет, если рассказать о печальной судьбе Иошки просто, безыскусно, реалистично. Мне казалось, что его лирика сильнее всяких эффектных приемов и надрывных ноток.

Спектакль этот принес мне большое удовлетворение. Среди бессодержательного, пустого и даже, что греха таить, пошловатого репертуара, который приходилось играть в годы нэпа артистам театров миниатюр, эта пьеса была как глоток свежего воздуха.

«Понедельники» были моей отдушиной. Я не только играл с увлечением, но и с особой тщательностью отделывал свои роли.

В общем, так получалось, что в Ленинграде я жил, как говорится, на два дома. И на первый взгляд могло показаться, что мне будет трудно из них выбирать – если выбирать придется. В «Свободном театре» – успех. И в оперетте – успех, аплодисменты, приглашения на гастроли, похвальные рецензии, которые говорят, что оперетта – мое прямое дело. Рецензенты начинают и уже что-то обобщать и делать какие-то выводы: «Вероятно... период опереточной юности переживает сейчас и Утесов, ибо каждое его движение, каждая интонация дышат этой «весенней» самовлюбленностью. Но надо отдать ему справедливость — он на девять десятых прав. В «Хорошенькой женщине» он демонстрирует себя актером значительных опереточных возможностей. В то время как последние могикане этого жанра вымирают или разлагаются, Утесов растет не хуже сказочного Гвидона. Этот актер вызвал недавно жестокий разнос по всей линии нашей театральной критики. Каюсь, отчасти и я в том был повинен, но Утесов... в «Славянском базаре» и сейчас — явный шаг к лучшему. Я смотрел его недавно в роли Фишбахера из «Гоп-са-са» и теперь с удовольствием заметил, что он прежде всего актер, может быть, и не нуждающийся в стереотипах»*.

Писали даже так: «С каждым своим выступлением этот новый для Петрограда артист... привлекает все большую и большую симпатию публики. Талант Утесова громадного диапазона — он одинаково блестящ и в ролях комиков и в ролях простаков... В Бони Утесов дает прекрасный образ молодого бонвивана, весело и легко танцует, и нам кажется, что роль Бони одна из удачнейших у Утесова. Можно поздравить «Палас» с приобретением такого актера, каким является Утесов»**.

И даже так: «Пришел, сыграл и победил, — вот что можно сказать по поводу последнего выступления Утесова»***.

Посудите сами, как решиться оставить оперетту, если о тебе пишут такое. Но постепенно я начинал ощущать какую-то тяжесть при мысли о ней. Я с

---

* «Зрелища», М., 1922, № 8, стр. 21.
** «Обозрение театров и спорта», П., 1922, № 39, стр. 7.
*** Там же, 1922, № 41, стр. 4.

неудовольствием – это я-то! – думал о том, что вот завтра или послезавтра опять играть в оперетте. И с радостью и нетерпением дожидался выступлений в «Свободном театре».

Чем это было вызвано, для меня самого выяснилось только со временем. Однажды я понял: в оперетте я играл то, что играли другие актеры до меня, во время меня и после меня. Мне это было и непривычно и скучно. А в «Свободном театре» можно было дать волю фантазии и делать то, чего не делали раньше, не делают даже и теперь. Уникальность – это всегда заманчиво.

Кого я только не переиграл в «Свободном театре». По сути дела, мой «синтетический вечер» длился у меня все время, пока я работал в «Свободном театре». Нет, мне было совсем нетрудно выбирать. И хоть, по жадности, я не переставал выступать в оперетте, своим родным домом считал «Свободный театр» – как бы его (и меня) ни ругали, какими бы словами его ни называли.

Умоляю вас, не думайте, что, когда я приводил похвальные отзывы о своей работе, я хотел похвастаться или показать, какой я уже тогда был хороший. Обо мне писали немало и плохого, обидного, резкого. Прочитав эти горькие для каждого артиста слова, я ночами лежал с открытыми глазами, глядя в потолок, часами мучительно обдумывая – что же дальше? Неужели это тупик? Но меня всегда выручал мой одесский характер, девиз которого, как известно: «Не унывать!» Пересиливая приступ пессимизма, я вновь обретал энергию и жажду творчества. Но как я иногда завидовал некоторым, умевшим спокойно и размеренно работать в искусстве. Как им хорошо, думал я, они ложатся и быстро засыпают, а утром, проснувшись, довольные собой и всем на свете, идут в свой творческий коллектив продолжать утверждать свое прочное положение на пьедестале. Их не мотает из стороны в сторону, их не ругают газеты, они не знают этих бессонных ночей сомнений. Но тут ко мне приходила утешающая мысль: может быть, они не знают и той бурной, той всезахватывающей радости, которая вихрем выносит артиста на сцену. Пусть себе их дремлют. Спокойной им ночи!

Я приводил отрывки из рецензий, чтобы доказать, что никакие привходящие обстоятельства, никакие рецензии не могли повлиять на мой выбор. Значит, оперетта мне действительно была чужда, раз я из нее ушел, несмотря на заметный успех и похвалы. И никогда об этом уходе не пожалел.

Этот период моей жизни был особенно богат событиями и встречами, частыми гастрольными поездками. Немало в это время изъездил я городов нашей страны, гастролируя с опереттой и театрами миниатюр. Об одной такой поездке напомнило мне полученное недавно письмо от моего друга, журналиста, живущего в Горьком... Это было в 1923 году. Нэп «набирал силы». Дельцы-антрепренеры были отменно изобретательны и делали все, чтобы привлечь публику. А так как всякий предприниматель заботился прежде всего о своих барышах, то, естественно, реклама появлялась самая невероятная. Однако невероятного в то время было столько, что оно уже переставало поражать и рекламному трюку надо было быть сверхзавлекательным, чтобы он кого-нибудь пронял. Сегодня же, когда реклама превратилась просто в объявление, прочитав в газете:

«ВЕСЕЛЫЕ МАСКИ»
(2-й город, театр, Грузинский пер.)

ТЕЛЕГРАММА! ТЕЛЕГРАММА!

На Ньюпоре
летит из Петрограда в Нижний-Новгород!
КОРОЛЬ СМЕХА!
Премьер Московского театра «Эрмитаж»
и Петроградского театра «Палас»

ЛЕОНИД УТЕСОВ

СПУСК! 27 февраля 1923 г., в 8 ч. вечера
в театре «ВЕСЕЛЫЕ МАСКИ»

Читайте афишу, –
управляющий театром А. Н. Анисов, –

вы, наверно, так бы и застыли в изумлении.

Фотокопию этой рекламы и рецензию из газеты «Нижний-Новгород» и прислал мне мой друг, нашедший недавно эту старую газету.

Конечно, ни на каком «Ньюпоре» я не летал, а приехал на концерт самым обычным поездом. Но обыватель падок на экзотику, да и только ли обыватель!

Во всяком случае, я очень благодарен другу: эта курьезная реклама заставила меня улыбнуться, а рецензия напомнила о том, о чем я и сам забыл, – оказывается, в то время я выступал и как трансформатор.

«Войдя сюда, сними шляпу, может быть, здесь сидит Маяковский», – если вы помните, это было написано над входом в киевский подвальчик «ХЛАМ». Я не знал тогда Маяковского, знал только, что он есть. Все же «шляпу» снял, правда, это была кожаная фуражка.

Но вот однажды я с ним познакомился. Каким был Маяковский, все знают – большой, с мощным голосом, дерзко остроумный и, если хотите, даже внушающий страх. И в то же время легко уязвимый человек. Так что вся эта внешняя дерзость была, несомненно, броней, выработанной необходимостью постоянной защиты от нападок, оскорбительных выпадов, неприятных выкриков из зала во время выступлений, да и просто в жизни.

Никогда не забуду, как в Ленинграде Маяковский позвал меня на свое выступление в зале Академической капеллы. Читал он в тот вечер мастерски, его хорошо принимали и не было никакого основания тревожиться. И все же, когда я вошел к нему в антракте, он схватил меня своими большими руками за плечи и, пытливо глядя в глаза, неожиданно робко спросил:

– Утесик, что они меня там, ругают?

– Что вы, Владимир Владимирович, все очень довольны.

Он посмотрел немного успокоенным взглядом и вдруг снова сказал:

– Только правду, Утесик, только правду...

Я, желая его рассмешить, широко и лихо перекрестился:

– Вот вам одесский истинный крест.

Он в самом деле расхохотался.

Однажды Маяковский пригласил нас с женой на вечеринку. Он жил тогда в Лубянском проезде. У него собралась небольшая компания. Время было скудное, и всех радовала обильная еда и все то, что «принимается» до еды. Когда наступил момент коронного блюда, Маяковский объявил:

– А сейчас я угощу вас таким кушаньем, какого вы никогда еще не ели.

Маяковский ушел на кухню, а гости с нетерпеливой и недоверчивой улыбкой глядели друг на друга.

Владимир Владимирович торжественно внес блюдо, на котором лежал аппетитно зажаренный поросенок с кисточкой петрушки в пятачке, окруженный чудесным сооружением из гарнира.

Все радостно оживились – поросенок в это время был редкостью. Но что же в нем необыкновенного?

– Это поросенок-самоубийца, – объявил Маяковский.

– Как это так? Почему? – послышалось со всех сторон.

– Потому что он покончил жизнь самоубийством, – сказал смеясь Маяковский. И мы тоже все расхохотались. Уж слишком необычное сочетание понятий.

– Что вы рычите! Я вам расскажу, как это произошло. Мы купили живого поросенка и собирались его откармливать на кухне. Если хотите знать, мы его даже полюбили. Как он очутился на подоконнике и умышленно или невольно бросился из окна, я не знаю. Мы только услышали визг. Пошли и забрали его. Но он уже был не поросенок, а свинина.

Встречался я с Маяковским и дальше. То тут, то там. Однажды даже в Париже, на вечере сотрудников нашего посольства и торгпредства, где выступали А. В. Луначарский, В. В. Маяковский и, так уж мне повезло, я. Были и потом разные встречи, ничем особенным не запечатлевшиеся. Можно много раз встречаться с человеком, но один какой-нибудь эпизод навсегда останется в памяти. Как, например, вечер на открытии сезона Клуба мастеров искусств в Старо-Пименовском. На нашем капустнике были интересные люди, известные политические деятели, знаменитые артисты Художественного и Малого театров. Была веселая, разнообразная, талантливая программа. Все были в хорошем, радостном настроении. И только Маяковский мрачно сидел где-то в углу у сцены.

Вдруг кто-то голосом, в котором даже не было надежды на свершение своего желания, тихо сказал:

– Просим Маяковского.

Владимир Владимирович сумрачно оглядел зал. Но тихий этот выкрик: «Просим Маяковского» – вызвал бурную реакцию.

– Маяковского просим! Просим Маяковского!

Он встал, тяжелым шагом прошел между столиками и начал читать:

«Уважаемые
товарищи потомки!
...над бандой
поэтических
рвачей и выжиг
я подниму, как большевистский партбилет,
все сто томов
моих
партийных книжек!»

Маленький зал клуба огласился неудержимым «браво».

Я, как и все, почувствовал, что стоит гигант, человек огромного таланта, если хотите, предвидение будущего.

А потом пришел день, когда его не стало. Все думали, гадали: почему? отчего? Придумывали разные причины, и никто не знал точно. Но все чувствовали — произошла трагедия, ушел великий человек.

Я по многим причинам с благодарностью вспоминаю «Свободный театр», но особенно потому, что именно здесь в двадцать втором году я начал читать рассказы Зощенко, в двадцать четвертом — Бабеля, а в двадцать шестом — стихи Уткина, его «Повесть о рыжем Мотеле», иначе говоря, я начал читать произведения советских авторов.

Когда я думаю о писателях-юмористах, которых знал лично, в памяти прежде всего встают две фигуры — Аркадий Аверченко и Михаил Зощенко. И на стене моего рабочего кабинета до сих пор их портреты всегда висят рядом, как хранятся они в моей памяти.

Оба юмористы, но писали о разном и по-разному. И люди были разные.

Зощенко всегда был грустным человеком. И его смех был подобен гоголевскому — он был сквозь слезы. Даже когда он смешно рассказывал о чем-то забавном, в его глазах была грусть. Он скорбел, что люди никак не научатся жить благородно, разумно, красиво, что они постоянно и упорно делают глупости. Он смеялся над ними и верил: его рассказы помогут людям, смогут убедить их, что надо жить иначе.

Есть у него рассказ «Беда»... Крестьянин несколько лет копил деньги на лошадь, два года солому ел — собрал деньги, купил лошадь. Эта покупка — праздник его жизни. Повел он лошадь домой, но радость переполняла его и требовала выхода, надо было с кем-то ее разделить. Он пригласил земляка вспрыснуть покупку, да невзначай и пропил ее. Этот рассказ написан смешно, но грусть ходит в нем подводным течением, и весь он как сожаление о безволии человека, о его неумении обуздывать себя.

Как я узнал Зощенко?

Однажды я ужинал в одном доме. Гостей было много. Устав от шума, я ушел в кабинет хозяина, просто посидеть в одиночестве. На столе лежала небольшая книжонка со странным рисунком на обложке – на нем был изображен полуопрокинутый чайник. И называлась книжка неожиданно: «Аристократка». Я с любопытством начал читать первый рассказ, который тоже назывался «Аристократка». Не помню, смеялся ли я когда-нибудь еще так неудержимо. Дочитав рассказ, я вбежал в столовую и неистовым голосом крикнул:

– Молчите и слушайте!

Общество, которое было уже несколько навеселе, послушно умолкло. Я читал, и все помирали со смеху.

На следующий день я попросил директора «Свободного театра» связать меня с Зощенко, который, как я узнал, жил в Ленинграде.

Это был год двадцать второй. Мы встретились в кафе «Де гурме».

Я увидел человека примерно моего возраста (он был моложе меня на год, значит, ему было тогда двадцать шесть лет). На красивом лице – несколько робкая улыбка и грустные, мягкие глаза. Со свойственной мне горячностью я наговорил ему кучу восторженных слов и тут же попросил разрешения читать его рассказы со сцены. От этого натиска он немного опешил, но читать охотно разрешил. В тот же вечер я прочитал

«Аристократку» со сцены «Свободного театра». Это и было началом исполнения советской прозы на эстраде.

С тех пор я не расставался ни с автором, ни с его произведениями: постоянно включал рассказы Зощенко в свой репертуар, в Театре сатиры играл в его пьесе «Уважаемый товарищ». Мы дружили, мы любили друг друга.

Есть друзья, которые ушли, но каждое воспоминание о них туманит взор. Были и у меня такие. Я о них еще напишу. Михаил Михайлович Зощенко – один из лучших.

Сказать, что рассказы Бабеля были мне близки или очень понятны, – это ничего не сказать. Они мне были – как дом родной. Ведь в родном доме не надо думать, что значит тот или иной предмет, кому и для чего он нужен, – он как часть вашего существа. Когда я читал его рассказы, мне казалось, что я сам жил в тех историях, которые он рассказывал. Да ведь так собственно оно и было. Старая Одесса говорила в его рассказах на моем родном, одесском «языке», одесскими выражениями, словечками и оборотами речи. Я был воспитан на этом языке. И когда я читал «Как это делалось в Одессе» или «Король», мне не надо было подыскивать интонации, движения, манеры, добиваться их правдивости и достоверности – они уже были во мне, они впитались в меня с молоком матери, мне надо было только отбирать из этого богатства наиболее выразительное и точно соответствующее ситуации, рассказанной Бабелем.

Когда я начал читать его рассказы, я его еще не знал, но мне казалось, что его человеческий облик незримо присутствует в его произведениях. Я узнал его потом, позже, узнал так хорошо, что мог бы рассказывать о нем часами.

Написать о Бабеле так, чтобы это было достойно его, – трудно. Это задача для писателя (хорошего), а не для человека, который хоть и влюблен в творчество Бабеля, но сам не очень силен в литературном изложении своих мыслей.

Своеобразие Бабеля, человека и писателя, столь велико, что тут не ограничишься фотографией. Тут нужна живопись, и краски должны быть яркие, контрастные и безмерно выразительные. Они должны быть так контрастны, как «Конармия» и «Одесские рассказы». Быт одесской Молдаванки и быт «Первой конной» – два полюса, и оба открывает Бабель. На каких же крыльях облетает Бабель оба полюса? На крыльях романтики, сказал бы я. Это не быт, а если и быт, то романтизированный, поднимающий прозу на поэтическую высоту. Почему же все-таки я пишу о Бабеле, хоть и понимаю свое «литературное бессилие»? А потому, что я знал его, любил его и всегда помню его. Писать о Бабеле трудно еще и потому, что о нем написано много и написано хорошо.

Это было в 1924 году. Мне случайно попался журнал «ЛЕФ». В журнале были напечатаны рассказы неизвестного еще тогда мне писателя. Я прочитал рассказы и «сошел с ума». Мне открылся какой-то новый мир литературы. Я читал, перечитывал бесконечное число раз. Я уже знал рассказы наизусть. И вот решил прочитать их со сцены. Было это в Ленинграде. Включил в свою программу «Соль» и «Как это делалось в Одессе». Позже и другие.

Так состоялось мое знакомство с Бабелем-писателем. Успех был большой, и моей мечтой стало увидеть волшебника. Я представлял себе его по-разному. То мне казалось, что он должен быть похож на Никиту Балмашева из рассказа «Соль» – белобрысого, курносого парнишку. То вдруг нос удлинялся, волосы темнели, фигура становилась тоньше, появлялись хвостики-усики – и мне чудился Беня Крик, вдохновенный, ироничный гангстер с одесской Молдаванки.

Но вот в один из самых замечательных в моей жизни вечеров, а было это в Москве, в помещении, где играли потом Театр сатиры и «Современник», я выступал с рассказами Бабеля. Не помню, кто из работников театра прибежал ко мне и взволнованно сказал:

– Ты знаешь, кто в театре? В театре Бабель!

Я шел на сцену на мягких, ватных ногах. Волнение мое было безмерно. Я глядел в зрительный зал и искал Бабеля – Балмашева, Бабеля – Беню Крика. Я его не находил.

Читал я хуже, чем всегда. Рассеянно, не будучи в силах сосредоточиться. Хотите знать – я трусил. Да-да, мне было очень страшно. «Дважды я волновался, как заочно влюбленный, встретивший наконец предмет своей любви, – так было с Бабелем, а десять лет спустя – с Хемингуэем», – так пишет Илья Эренбург о Бабеле.

Но вот я его увидел.

Он вошел ко мне в гримировальную комнату. Какой он? О, воображение, помоги нарисовать! Ростом невелик. Приземист. Голова, ушедшая в плечи. Верхняя часть туловища кажется несколько велика по отношению к ногам. Ну, в общем, скульптор взял корпус одного человека и приставил к ногам другого. Но голова! Голова удивительная. Большелобый. Вздернутый нос. И откуда такой у одессита? За стеклами очков небольшие, острые, насмешливо-лукавые глаза. Рот с несколько увеличенной нижней губой.

– Неплохо, старик, – сказал он, – но зачем вы стараетесь меня приукрасить?

Я не знаю, какое у меня было в это время выражение лица, но он расхохотался.

– Много привираете.

– Может быть, я неточно выучил текст, простите.

– Э, старик, не берите монополию на торговлю Одессой. – И он опять засмеялся.

Кто не слышал и не видел смеха Бабеля, не может себе представить, что это такое. Я, пожалуй, никогда не видел человека, который смеялся, как Бабель. Это не громкий хохот – нет. Это был смех негромкий, но безудержный. Из глаз лились слезы. Он снимал очки, вытирал слезы и продолжал беззвучно хохотать.

Когда Бабель, сидя в театре, смеялся, то сидящие рядом смеялись, зараженные его смехом больше, чем происходящим на сцене.

До чего же он был любопытен. Любопытные глаза, уши. Он умел видеть. Умел слышать.

В своих вечных скитаниях мы как-то встретились в Ростове.

– Ледя, у меня тут есть один знакомый чудак, он ждет нас сегодня к обеду. Большой человек.

«Большой человек» оказался военным. Он действительно был большой, рослый, и обед был под стать хозяину. Когда обед был закончен, хозяин сказал:

– Ребята, пойдем во двор, я вам зверя покажу.

Действительно, во дворе была клетка, а в клетке матерый волк. Хозяин взял длинную палку и, просунув ее между железных прутьев решетки, безжалостно начал избивать волка, приговаривая: «У, гад...»

Я взглянул на Бабеля. Он посмотрел на меня, потом глаза его скользнули по клетке, по палке, по руке хозяина и снова по мне, но чего только не было в глазах! В них были и жалость к волку, и удивление хозяином, и любопытство. Да-да, больше всего любопытства. Я тихо сказал:

– Скажите, чтобы он это прекратил.

– Молчите, старик. Надо все знать. Это невкусно, но любопытно.

В искусстве Бабеля мы многим обязаны его любопытству. Любопытство подчас жестокое, но всегда оправдываемое. Помните, что было в душе Никиты Балмашева перед тем, как товарищи сказали: «Ударь ее из винта»?

«И, увидев эту невредимую гражданку, и несказанную Расею вокруг нее, и крестьянские поля без колоса, и поруганных девиц, и товарищей, которые много ездют на фронт, но мало возвращаются, я захотел спрыгнуть с вагона и себя кончить или ее кончить. Но казаки имели ко мне сожаление и сказали:

– Ударь ее из винта».

Вот оно, оправдание, быть может, и жестокого поступка Балмашева. «Казаки имели сожаление...» И я его имею, и всякий, кто жил в то романтическое, жестокое время, – его имеет.

Вы хотите знать, что такое бабелевский гуманизм? Вчитайтесь в рассказ «Гедали», но только не думайте, что это разговаривают два человека – Гедали и его антипод Бабель. Нет. Это диалог с самим собой. «Я хочу, чтобы каждую душу взяли на учет и дали бы ей паек по первой категории. «Вот, душа, кушай, пожалуйста, имей от жизни удовольствие». И «Интернационал», товарищ, это вы не знаете, с чем его кушают?..

— Его кушают с порохом, — ответил я старику, — и приправляют лучшей кровью...»

Алексей Максимович Горький отправил Бабеля «в люди», и Бабель пошел. Надо было много узнать. Любопытство было дорогой в литературу. Он пошел по этой дороге и с нее не сходил до конца. Дорога идет через величие Гражданской войны. Величие событий рождает мужественные, суровые характеры. Они нравятся Бабелю, и он «скандалит» за письменным столом, изображая их, а чтобы быть достойным своих героев, начинает «скандалить на площадях». Вот откуда «Мой первый гусь».

Итак, с 1917 по 1924 год Бабель был «в людях». Это был уход из дома — уход из Одессы. А пройдя пути-дороги, он снова очутился дома — в Одессе. Конечно, как у всякого одессита, у Бабеля была болезнь, которая громко именуется «ностальгия», а просто — тоска по родине.

Есть такая новелла.

...В маленьком городишке жил человек. Был он очень беден. Семья, как у большинства бедняков, большая, а заработков никаких. Однажды сосед сказал ему:

— Ну что ты мучишься здесь, когда в тридцати верстах есть город, где люди зарабатывают, сколько хотят. Иди туда. Будешь хорошо зарабатывать, будешь посылать семье. А когда разбогатеешь — вернешься домой.

— Спасибо тебе, добрый человек, за совет. Я так и сделаю.

И он отправился в путь. Дорога шла по степи. Он шел по ней целый день. А когда настала ночь и пора было ложиться спать, то он лег ногами к городу, к которому шел, — чтобы утром знать, куда идти.

Но сон у него был беспокойный, и он ворочался всю ночь. А утром направился в ту сторону, куда указывали его ноги. К концу дня он увидел город, очень похожий на его собственный. Вторая улица справа была точь-в-точь такая же, как его родная улица. Четвертый дом слева был как две капли воды похож на его дом. Он постучал в дверь, и ему открыла женщина – вылитый портрет его жены. Выбежали дети – ни дать ни взять его дети. И он остался тут жить. Но всю жизнь его тянуло домой.

– Старик, – сказал мне как-то Бабель, – не пора ли ехать домой, как вы смотрите на жизнь в Аркадии или на Большом Фонтане?

А когда мы хоронили Ильфа, он, стоя со мной рядом у гроба, тихо и грустно сказал:

– Ну вот, не стало Багрицкого, а теперь и Ильфа. Уходят одесситы. Ледя, может быть, нам вреден здешний климат, а?

Он всегда думал о возвращении в Одессу. Он говорил об этом Багрицкому, говорил и Паустовскому. Он всегда звал одесситов домой. Ах, ностальгия – прекрасная болезнь, от которой невозможно и не нужно лечиться.

После «Конармии» – «Одесские рассказы». Это очередной приступ ностальгии. Здесь основной герой Бабеля – Беня Крик. Ни для кого не секрет, что прототипом Бени Крика был Мишка-Япончик. Бабель не знал Мишку-Япончика, но, вернувшись в Одессу, узнал много о нем. И опять романтика. «Подвиги» Япончика были весьма прозаичны. В них, конечно, были и смелость, и, если хотите, воля, и умение подчинять себе людей. Но романтики, той, которая заставляет читателей «влюбляться» в Беню Крика, конечно же, не было. У Бени Крика не было романтики, но зато талант писателя-романтика был у Бабеля, и он поднял Беню Крика на романтическую высоту. Он вкладывает в уста Арье Лейба характеристику Бени: «Забудьте на время, что на носу у вас очки, а в душе осень. Перестаньте скандалить за вашим письменным столом и заикаться на людях... Вам двадцать пять лет. Если бы к небу и к земле были приделаны кольца, вы схватили бы эти кольца и притянули бы небо к земле».

Вот он какой, Беня Крик. Он налетчик. Но он налетчик-поэт. У него на машине клаксон наигрывает «Смейся, паяц». – Ну до чего же это здорово, честное слово! Вот сколько раз перечитываю и волнуюсь, хотя я знал Беню Крика (Мишку-Япончика) и знаю, что он был далеко не романтик.

Но Бабелю противны серые люди. Он не любит фотографию, он любит живопись, причем яркую, сочную, впечатляющую. Представьте себе картинную галерею. Портреты: Афонька Бида, Конкин, Павличенко, Балмашев и другие не менее яркие фигуры «Конармии», а вперемежку с ними Гедали, Мендель, Крик Беня... Когда я представляю себе это, меня охватывает такой буйный восторг, что мне хочется петь.

И, наконец, Бабель-драматург. «Закат». Ну что же? Опять эта вековечная тема «Отцы и дети». Но как повернута! Дети, воспитывающие отца. И как воспитывающие! И снова портреты: Мендель, Беня, Левка, Двойра, Нехама, Боярский... Любую роль хочется сыграть.

Пьеса шла давно, во МХАТ-2. Но мне кажется, что она не до конца была понята исполнителями. Были удачи, но были и просчеты. Бабель говорил мне, как он мечтал о распределении центральных ролей (в идеале) (это было еще до постановки в МХАТ-2):

Мендель — Борис Борисов, Нехама — Блюменталь-Тамарина, Двойра — Грановская, Беня — Утесов, Левка — Надеждин, Боярский — Хенкин, Арье Лейб — Петкер. Но это были мечты, которым не суждено было осуществиться.

Бабель написал значительно больше, чем мы знаем, но рукописи, к великому огорчению, не были обнаружены.

Свою биографию Исаак Бабель начинает так: «Родился в 1894 году в Одессе, на Молдаванке». Если бы я писал свою биографию, то она начиналась бы так: «Родился в 1895 году в Одессе, рядом с Молдаванкой (Треугольный пер.)». Значит, рядом родились. Рядом росли и жили. И, на мою беду, в детстве, в Одессе, не встретились, а встретились через тридцать лет в Москве. Ну что ж, спасибо и за это.

Бабель был огромный писатель, и дело вовсе не в том, что литературное наследство его невелико. По существу, одна книга, в которую умещаются «Конармия», «Одесские» и другие рассказы и две пьесы. Грибоедов тоже оставил немного, но вошел в историю русской литературы и драматургию, как великан. В искусстве, как и в науке, надо быть первооткрывателем. Своеобразным Колумбом, Ломоносовым, Поповым, Гагариным. Вот в чем признак величия. У Бабеля был этот признак. Он мог бы еще быть среди нас, но его нет. И хочется крикнуть фразу из его «Кладбища в Козине»: «О смерть, о корыстолюбец, о жадный вор, отчего ты не пожалел нас, хотя бы однажды? »

Когда в конце тридцатых годов готовилась к изданию моя первая книжка «Записки актера», Бабель написал к ней предисловие.

Вот, что он написал:

«Утесов столько же актер – сколько пропагандист. Пропагандирует он неутомимую и простодушную любовь к жизни, веселье, доброту, лукавство человека легкой души, охваченного жаждой веселости и познания. При этом – музыкальность, певучесть, нежащие наши сердца; при этом – ритм дьявольский, непогрешимый, негритянский, магнетический; нападение на зрителя яростное, радостное, подчиненное лихорадочному, но точному ритму.

Двадцать пять лет исповедует Утесов свою оптимистическую, гуманистическую религию, пользуясь всеми средствами и видами актерского искусства, – комедией и джазом, трагедией и опереттой, песней и рассказом. Но и до сих пор его лучшая, ему «присужденная» форма не найдена и поиски продолжаются, поиски напряженные.

Революция открыла Утесову важность богатств, которыми он обладает, великую серьезность легкомысленного его искусства, народность, заразительность его певучей души. Тайна утесовского успеха – успеха непосредственного, любовного, легендарного – лежит в том, что советский наш зритель находит черты народности в образе, созданном Утесовым, черты родственного ему мироощущения, выраженного зажигательно, щедро, певуче. Ток, летящий от Утесова, возвращается к нему, удесятеренный жаждой и требовательностью советского зрителя. То, что он возбудил в нас эту жажду, налагает на Утесова ответственность, размеров которой он, может быть, и сам не сознает. Мы предчувствуем высоты, которых он может достигнуть: тирания вкуса должна царить на них. Сценическое создание Утесова – великолепный этот, заряженный электричеством парень и опьяненный жизнью, всегда готовый к движению сердца и бурной борьбе со злом — может стать образцом, народным спутником, радующим людей. Для этого содержание утесовского творчества должно подняться до высоты удивительного его дарования».

И когда я прочитал это — я растерялся. Действительно, эти слова открыли мне глаза на многое, о чем я и не подозревал. И с тех пор я живу под грузом ответственности, поверяя каждый шаг, слово, выбор словами Бабеля.

Рассказы Бабеля я читал с увлечением, со страстью. Так же воспринимали их и слушатели. И пресса в оценках была единодушна. Об исполнении новеллы «Соль» было сказано, что это «большое культурное достижение, серьезная победа советской эстрады»*. Хотя я, вообще-то говоря, давно уже заметил, что на прессу в то время было трудно ориентироваться, потому что с одинаковой страстью она высказывала прямо противоположные мнения. В той же статье, которая называла исполнение «Соли» «культурным достижением», о чтении «Повести о рыжем Мотеле» было сказано следующее: «Повесть о рыжем Мотеле», исполняемая Утесовым, отнюдь не новая победа. Безвкусная стилизация, поднимание на цыпочки в рассуждениях о «своей судьбе», вялый стих — вот сомнительные художественные достоинства «Повести». Общественная ценность ее тоже невелика... Читает Утесов без нажима, тактично, ярко. Остается пожалеть на этот раз неудачный выбор текста, выбор, объ-

* «Ленинградская правда», 1926, № 234.

яснимый рыночным успехом «Повести». А в другой газете: «Леонид Утесов прекрасно разработал отныне классическую уткинскую «Повесть о рыжем Мотеле», и на фоне еврейского местечка исполняет ее, окрасив в грустный акцент. Его читка, по выразительности и скупости иллюстративных движений, бьет яхонтовскую (например, исключительное движение рук со словами «Часы, как конница, летят»). Прекрасный номер, захватывающий публику».

Так что же такое «Повесть» Уткина? — Классическое произведение или только вещь с «рыночным успехом»? Кому верить? Я поверил себе — «Повесть» трогала меня до глубины души. И публике, которая неизменно сопровождала аплодисментами чтение уткинской поэмы.

Произведения Зощенко и Бабеля имели для меня большое значение еще и потому, что, исполняя их, я как бы осваивал новый жанр — превращался из рассказчика в чтеца. В этих жанрах есть разница. На мой взгляд, она заключается в том, что рассказчик менее строг в манере подачи литературного произведения, он часто прибегает к резким и смачным изобразительным эффектам, рассказ для него только повод показать свое мастерство. Чтец более строг в манерах, и сам как бы остается в тени, а на первый план выводит автора и его манеру, его особенности. Тот и другой способ чтения одинаково интересен, они, как говорят в Одессе, «оба лучше».

Каждый артист выбирает то, что ему ближе, органичнее. Однако на нашей эстраде теперь почему-то все больше выступают чтецы, а рассказчиков почти не осталось. Вот разве что Ираклий Андроников, но в этом случае автор, рассказчик и чтец сливаются в одно лицо.

Художественное чтение – самостоятельный вид искусства. Его внешнее отличие от театра в том, что слово писателя выступает здесь само по себе, вне обычного сценического окружения. У чтеца, как правило, нет партнеров, грима, специального костюма, нет декораций. И по сравнению с актером у чтеца другие задачи: как можно точнее передать творческую манеру автора, литературное своеобразие художественного произведения. Для этого чтец выделяет особенности строения и ритма фразы, самый принцип отбора и сочетания слов, которые и создают неповторимую авторскую манеру, отражают его индивидуальное ви́дение мира. Поэтому чтец выступает больше от лица автора, чем от своего собственного, если даже и предлагает свое толкование произведения.

Словесная ткань рассказов Бабеля, повествующего о необычном и героическом, ярка и многокрасочна. Его речь торжественна, ритмична, близка к стихотворению в прозе. Ее приподнятый тон заразителен, и исполнителю нетрудно найти для ее передачи точную интонацию. И все-таки не так-то просто передать обаяние лаконичного и патетического стиля Бабеля, если сам не поддашься его очарованию, не заживешь на том же высоком эмоциональном уровне.

Рассказы Зощенко требовали совсем другого исполнения. Несмотря на то, что обоим писателям свойствен стиль так называемого сказа, то есть стилизация речи под героя, их словесная ткань организована совсем по-разному. И это идет прежде всего от того, что у них совершенно разные герои. У Бабеля это люди Гражданской войны, косноязычные, но озаренные величием свершающегося. У Зощенко почти всегда безнадежные обыватели.

Героем рассказов Зощенко является человек, неправильно или плохо понимающий то, о чем он говорит. Посвящая слушателей в события своей жизни, он оказывается совсем не таким человеком, каким видит себя сам, он совсем не умеет взглянуть на себя со стороны. В его рассказе обнаруживаются его глупость, жадность, назойливое и нескладное многословие, отсутствие чувства юмора.

На этом контрасте построены многие рассказы Зощенко. Достаточно вспомнить ту же часто исполнявшуюся на эстраде «Аристократку». Герой этого рассказа, управдом, воображает себя очень умным человеком. Он пускается в рассуждения о водопроводе и канализации. А приведя даму в театр, в буфете переживает за каждый кусок пирожного, проглоченный его спутницей, а последний – так просто вырывает у нее изо рта. Не понимая, за что она на него обижается, он обзывает ее аристократкой. Так постепенно, ничего не подозревая, герой раскрывается во всей своей неприглядности.

«Если я искажал иногда язык, – писал когда-то Зощенко, – то условно, поскольку мне хочется передать нужный мне тип, который почти что не фигурировал раньше в русской литературе». То же самое мог о себе сказать и Бабель. Искусственный язык, созданный этими писателями, у каждого свой, отлично соответствовал культурному уровню, понятиям и характерам их персонажей. Зощенко не нужна патетичность бабелевской прозы, но для его героев их язык настолько органичен, что сам по себе кажется вполне достаточным для создания особого мира зощенковских рассказов.

Умудренный многолетним опытом исполнения его произведений, я вижу теперь, что доносить особенности прозы Зощенко до слушателя нужно без всякого нажима. Сам язык так выразителен, так красочен, так, сказали бы мы сегодня, переполнен информацией о персонаже, что всякая игра, изображение будут излишеством. Надо только очень спокойно и очень серьезно, даже с некоторой долей «философствования» подавать каждую фразу. Лучше всего это удавалось самому Михаилу Михайловичу Зощенко и, пожалуй, еще Яхонтову. Я же, да и многие выступавшие уже после меня, к сожалению, грешили излишней старательностью в передаче комических эффектов, нагнетали смех и этим только мешали процессу непроизвольного самораскрытия персонажа.

Год сменялся годом, а я все еще оставался в нерешительности: с чем расстаться, к какому берегу прибиться? Быть синтетическим артистом хорошо, заманчиво, но когда-то надо, наверно, остановиться на чем-то одном. На чем же? Оперетта отпадала сразу. Оставались театр и эстрада. Потому-то я выбирал так долго, что и с тем и с другим жанром мне было жалко расставаться. Но в душе я чувствовал, что все больше склоняюсь к театру. Так бы оно, наверно, и было, если бы не неожиданное приглашение на гастроли в Ригу. Тогда это была «заграница». Я соблазнился и поехал. Вопрос о выборе жанра остался открытым. Через несколько лет я «закрыл» его самым неожиданным образом.

А пока идет 1927 год, и на гастроли в Ригу, в театр «Марине», я еду как актер и как чтец.

Никаких затруднений с репертуаром у меня не было, так как русский язык в Риге знали многие. И рассказы Зощенко, и «Мендель Маранц», и маленькие пьески «Ну и денек», «Арон Пудик» отлично понимались и принимались зрителями. Гастроли проходили успешно, и я получил приглашение в другие города Прибалтики.

Так как еще совсем недавно Прибалтика входила в состав России, то никакой «заграницы» я не почувствовал. Разве только в том, что здесь жизнь словно остановилась на какой-то одной точке и топчется на месте. В Двинске, например, который в царской России был городком черты оседлости, все осталось по-прежнему: пыльные и кривые улички с поросятами и ребятишками, шумный базар, к которому через центр города тянутся нескончаемые и неторопливые подводы. Кое-где на углах стоят вместо городовых полисмены в белых перчатках (Европа!) и регулируют «движение». После лихорадки строек, споров, поисков – всей той суеты обновления жизни, которая уже стала привычным, нормальным ритмом нашего бытия, Прибалтика показалась мне замершей, тихой, почти спящей. Было ощущение, что я приехал не в Прибалтику, не в «заграницу», а в прошлое, еще не очень далекое, но уже основательно забытое.

Однако забавный рассказ нашего консула мог натолкнуть и на иные выводы. Однажды во время прогулки к нему подошел владелец кино и сказал:

– Господин консул, вы меня знаете, я хозяин кино и хочу с вами посоветоваться.

– О чем?! – спросил консул с недоумением.

– Дело в том, что я получил картину «В когтях советской власти». Показывать картину или нет?

– Но почему именно я должен вам советовать?

– Я не хочу ставить эту картину, господин консул, но другой у меня нет. Так что же мне, запереть кино?

— Но я-то здесь причем?

— Мало ли что может случиться, так знайте, что я не хотел ставить эту картину...

Нельзя, наверно, считать, что жизнь замерла, если люди втайне чего-то ждут, а может быть, и на что-то надеются.

Но прежде чем уезжать из Прибалтики, я хочу рассказать об одном инциденте, о котором я сам прочно забыл, но мне напомнили о нем работники Центрального государственного исторического архива Латвийской ССР. В архиве сохранились документы, свидетельствующие о том, что я якобы прибыл в Прибалтику не просто на гастроли, а со «специальным заданием вести коммунистическую агитацию и пропагандировать коммунистические идеи». Сохранилась даже фотография, такая, как обычно снимают преступников — анфас и в профиль, и протокол моего допроса. Конечно, никакого «специального задания» у меня, не было. Но, наверно, в буржуазной Латвии дела были так плохи, что в одном только соседстве слов «богатый» и «бедный» политохранке чудились крамольные намеки. Действительно, в пьесе «Обручение», где я играл главную роль, речь шла о богатых и бедных, и я, естественно, был на стороне бедных и на сцене этого отнюдь не скрывал. Из-за этого меня посчитали «опасным актером» и поставили вопрос о высылке из Латвии...

Мне представилась возможность совершить туристскую поездку по Европе, побывать во Франции и Германии. Я, конечно, поехал: надо же было увидеть наконец те страны, о которых столько слышал в детстве, околачиваясь на набережных Одессы и в порту.

Я старался увидеть как можно больше. И, конечно, мне было интересно узнать, а как в других странах делают то, чем я сам занимаюсь всю жизнь, как они поют, танцуют, какой смысл вкладывают в свои номера, какова цель их выступлений и каково, наконец, их мастерство.

Я понимал, что у них не может быть так, как у нас, — разные страны, разные национальные особенности, разные традиции, и самое главное — у нас произошла революция, у нас все «перевернулось и только укладывается». Поэтому к несходству, к непохожести я был готов, и контрасты не действовали на меня ошеломляюще. Но мастерство меня поражало. Как бы ничтожно ни было содержание номера — он часто был блестящ по мастерству. А уж такие номера, как жонглирование и эксцентрика, были просто виртуозны.

Бывает, что неизгладимое впечатление от произведения искусства получаешь там, где меньше всего этого ожидаешь. Ты ждешь потрясения от так называемого «большого искусства», от трагедии, скажем, а находишь его в жанре совершенно противоположном. В Берлине и Париже я видел много великолепных актеров, но ни один не произвел на меня такого впечатления, не оставил такого глубокого воспоминания, как клоун Грок.

Оказывается, и клоун может быть философом и умеет говорить людям такие вещи, что заставит задуматься над тем, что до сих пор казалось само собой разумеющимся, увидеть скрытый и важный смысл в том, что привык считать ясным, понятным, элементарным.

Грок, с моей точки зрения, гениальный артист. Впрочем, как это странно я сказал: «с моей точки зрения». С точки зрения огромного числа людей, среди которых были и великие художники. Мне говорили, что Шаляпин, посмотрев выступление Грока, признался, что ничего лучшего за всю свою жизнь он не видывал. Почти теми же словами говорили мне о Гроке многие за границей. Все, кто знал его номер. И я присоединяюсь к ним.

Я видел Грока в театре «Скала» в Берлине. На сцену вышел человек в традиционном клоунском костюме: в необъятных брюках путались ноги, на бесстрастном, застывшем лице, обсыпанном мукой, — ярко-красный рот. Малейшую гримасу лица этот рот делал заметной, преувеличенно резкой, а неподвижному лицу придавал трагическое выражение.

Грок музыкальный эксцентрик, поэтому все его номера связаны с инструментами, которыми он виртуозно владеет, — роялем, скрипкой, концертино, саксофоном.

У человека с белым лицом и огромным красным ртом возникают самые естественные желания. Он хочет, например, поиграть на рояле. Но стул и рояль в разных концах сцены. Осознав это, Грок словно натыкается на непреодолимое препятствие: что делать? Казалось бы, просто: пододвинуть стул к роялю и играть. Но Грок в мучительном раздумье — и наконец со страшным напряжением придвигает... рояль к стулу.

Он садится за рояль, снимает цилиндр и кладет его на открытую крышку. Цилиндр скатывается на пол, как с горки. Человек до крайности смущен неожиданностью. Но как же его теперь достать? В голове Грока снова мучительно работает мысль. Наконец он взбирается на рояль, садится на крышку и проделывает путь скатившегося цилиндра.

Грок с трудом тащит огромный контрабасный футляр, он ставит его на сцену, тяжело отдувается и достает из него скрипочку, такую крохотную, что она уместилась бы на ладони.

Когда недоумевающий партнер предлагал ему более простые и естественные способы выполнения его задач, Грок с интонацией полного искреннего удивления и недоверчивости спрашивал: «Возможно ли это?»

Все свои трюки Грок делал с неподражаемой серьезностью и блеском — танцевал ли, играл ли на скрипке или рояле, жонглировал ли, но все, что бы он ни делал, было алогично, было вопреки здравому смыслу, и уже сами зрители должны были невольно задавать себе вопрос: возможно ли это?

Интересно, что Грок, настоящее имя которого Адриен Веттах, написал и издал в 1957 году (он умер в пятьдесят девятом) «Мемуары короля клоунов» под названием «Nit m-ö-ö-ö-glich» — «Невозможно».

Зал, и я вместе с ним, покатывался от хохота, но одновременно было почему-то немного грустно. Он был философ, этот клоун Грок. (Недаром ему было «honoris causa» присвоено звание доктора философии в нескольких университетах Европы.) Он отлично понимал природу человека. Как часто мы к простой цели идем самым сложным, самым нелепым путем — от смущения, от неуверенности в себе, от непонимания обстоятельств, и еще недоумеваем, почему нам так трудно жить на свете. Удивляясь этому человеку, не понимавшему простых вещей, невольно начинаешь оглядываться вокруг, заглядывать внутрь себя и видишь много похожего.

Прошло уже более сорока лет с тех пор, как я видел Грока, но каждый раз, когда я вижу артиста оригинального жанра, — я вспоминаю Грока; когда я вижу людей, пренебрегающих здравым смыслом и удивляющихся, что у них ничего не получается, – я вспоминаю Грока; когда я вижу людей, идущих кривыми путями к ясной цели, – я вспоминаю Грока; когда я сам поступаю вопреки очевидной логике и только потом обнаруживаю свой промах – я вспоминаю Грока.

Особое внимание и время я уделял, конечно, мюзик-холлам – это был самый близкий мне жанр и я кое-что понимал в нем.

Своим «случайным» содержанием парижские мюзик-холлы напоминали нашу дореволюционную эстраду. Забавные пустячки, любовные треугольники, недоразумения, сдобренные откровенной «клубничкой» – правда, тогда, надо сказать, она не доходила до такого бесстыдства, как теперь, – веселили и развлекали публику, но никогда не поднимались до высот философского обобщения, как это умел сделать Грок. Однако все эти пустячки преподносились в такой блестящей, такой отточенной форме, что превращались в маленькие шедевры эстрадного искусства.

Прежде всего поражало разнообразие: никто не был ни на кого похож, каждый придумывал что-то такое, чего еще не было ни у кого. Это мне особенно понравилось, потому что я сам этим постоянно мучился. Но мало придумать и технически совершенно выполнять трюк, его надо еще уметь подать. Тут рождались жанры совершенно неожиданные. Например, жонглер-разговорник.

Молодой человек во фраке и с большим подносом в руке долго испытывал терпение публики, уверяя ее, что ему ничего не стоит заставить все сорок ложечек, лежащих около сорока стаканов, одновременно оказаться в стаканах. Он говорил об этом так долго и настойчиво, что все начинали сомневаться, а под конец уж и вовсе не верили, что этот молодой болтун на что-нибудь способен. Но он вдруг умолкал, становился отрешенно-серьезным, делал какое-то неуловимое движение, в тишине раздавался звон металла и стекла и — все сорок ложечек оказывались в стаканах.

Такой трюк, а в его программе были и другие, не менее интересные, требует огромной тренировки, терпения, виртуозности, его очень трудно подготовить, а исполняется он за одно мгновение. Но на одно мгновение артист на сцену не выходит. И вот он находит остроумное и психологически точное решение номера. Чистой работы у него было всего несколько секунд. Находился же он на сцене полчаса: он долго, остроумно «бахвалился», разжигал азарт у публики и у себя — в мгновение ока делал трюк и снова долго и смешно «изводил» зрителей — и снова трюк.

Париж немыслим без кумиров-шансонье. Ни теперь, ни тогда — всегда. Немыслимо и рассказывать о Париже, не коснувшись этой темы. В конце двадцатых годов у него было сразу три кумира — Мистангет, Шевалье, Жозефина Бекер. Они были абсолютно разные во всем и, может быть, только поэтому и могли царствовать одновременно.

Мистангет тогда уже, когда я ее видел, было немало лет. Но годы на ней никак не отразились. Она была молода, заразительна, темпераментна. И то, что парижане звали ее «мадемуазель», ни в какой степени не было натяжкой. Она и в пятьдесят, как и в шестьдесят, была юной. Такова уж была ее душа. Она была изумительной артисткой и человеком необыкновенной работоспособности.

Жозефина Бекер – мулатка. Она выступала полуобнаженной, и все видевшие ее могли только замирать от изумления – такой редкой красоты была ее фигура, ее тело светло-шоколадного цвета. Она была создана для танца и действительно танцевала очень изящно, без малейших усилий, с такой же естественностью, как люди ходят. Голос у нее небольшой, но дикция исключительная. И пела она так же естественно, как говорила. Негромко, не старалась брать верхних «до», но выразительность ее манеры, ее музыкальность, ее непринужденность никого не оставляли равнодушным.

Морис Шевалье – подлинный идол Франции. В Парижском музее восковых фигур его статуя была поставлена рядом со статуей президента.

Когда я в первый раз увидел его выходящим на сцену, мне показалось, что я вижу нечто удивительно знакомое. Не надо было чрезмерно напрягать память, чтобы узнать... мой первый костюм при визите к Шпиглеру. Да, на Шевалье, кроме смокинга, было еще соломенное канотье – точь-в-точь в таком явился я к своему первому антрепренеру. Я рассмеялся от удовольствия, но смех мой потонул в общем гаме, какой всегда стоит в парижских мюзик-холлах.

Шевалье поет почти шепотом – именно этот интимный тон и нужен его откровенно фривольным песенкам. Он держится на сцене просто, как бы не признавая никаких перегородок между собой и публикой. Это подкупает. Кроме того, у него обаятельная улыбка человека, который уверен, что его все обожают.

Такая естественная манера пения, как у Мистангет, Жозефины Бекер и Мориса Шевалье, у нас тогда еще не была принята, многие наши эстрадные певцы пели свои песенки всерьез, как оперные арии. В этой доверительности исполнения я почувствовал некую родственность, уверился, что она органична, даже просто необходима эстраде.

Я видел много удивительно талантливых виртуозов в любом эстрадном жанре, например танцоров, которые могли выделывать ногами самые невероятные па: один лентой закручивал правую ногу вокруг левой, другой танцевал только ногами, при совершенно неподвижном корпусе, третий, наоборот, сгибал корпус под любыми углами и умудрялся при этом танцевать, не теряя равновесия. Я видел многое, не видел только одного – двух одинаковых номеров.

Но если бы мои впечатления ограничились только этим, то я мог бы считать, что не произошло ничего особенного. Да, я восхищался, я удивлялся, я приглядывался и старался разгадать секреты их мастерства, – однако во всем этом не было для меня откровения.

Но однажды я услышал и увидел джаз. Своеобразие этого зрелища, своеобразие его музыкальной формы произвело на меня огромное впечатление. Больше того, мне вдруг стало понятно, вдруг ясно осозналось то, что я искал все эти годы, к чему интуитивно подходил, к чему подошел совсем близко.

В тот момент я не делал никаких выводов, не принимал никаких решений, но что-то важное само собой определилось во мне. Глядя на свободную манеру поведения музыкантов, на их умение выделиться на миг из общей массы оркестра, предстать индивидуальностью, я подумал: вот что мне нужно сегодня. И, наверно, нужно было всегда. Музыка, соединенная с театром, но не заключенная в раз и навсегда найденные формы. Свободная манера музицирования, когда каждый участник в границах целого может дать волю своей фантазии. В заученных словах, чувствах, мизансценах мне всегда было тесно. Именно в таком вот джазе, если, конечно, его трансформировать, сделать пригодным для нашей эстрады, могли бы слиться обе мои страсти – к театру и к музыке. Только бы удалось найти музыкантов, способных играть роли, согласных быть связанными между собой не только партитурой музыкального произведения, но и какими-то человеческими отношениями, сюжетом.

Ведь что-то подобное я уже пробовал делать в своем «хоре», когда выступал дирижером с отлетающими манжетами, и некоторых других номерах, и я чувствовал, что форма эта очень гибкая и податливая, что тут можно многое придумать и пробовать, во всяком случае, может получиться интересно и оригинально.

Вот ведь как бывает. Еще до поездки в Европу я слышал два, и очень неплохих, джазовых оркестра. В начале 20-х годов к нам приезжали маленький диксиленд-оркестр Фрэнка Уитерса и оркестр Сэма Вудинга с негритянской труппой «Шоколадные ребята».

Я помнил, какое странное впечатление произвели тогда эти оркестры на многих, даже на любителей музыки – это было необычно и поэтому трудно понимаемо. Некоторые даже просто недоумевали, как это можно каждый вечер импровизировать на одну и ту же мелодию, заново создавать инструментовку.

Меня импровизация не удивляла, я был знаком с ней еще в ранней юности – так играли в моей родной Одессе и по соседству, в Молдавии. Меня поражала не форма, а совершенство формы. Негры добивались здесь большого мастерства.

Но почему же тогда джаз не поразил меня так своей родственностью, почему тогда я не подумал, что это именно то, что мне нужно? Наверно, во мне самом что-то еще не созрело окончательно.

Я еще ходил по Парижу, разглядывал восковые фигуры в музее, путая их с живыми людьми, ходил в кабачки и кафе, впитывал неповторимый аромат парижского воздуха и парижской жизни, удивлялся французам, их жизнерадостности, которой они напоминали мне одесситов, их остроумию, трезвой ясности ума, их трудолюбию, их артистическому темпераменту, который проявляется на каждом шагу, в любой уличной сценке... но меня уже тянуло домой. Замыслы нового номера, может быть целого представления, уже торопили меня, не давали мне покоя, у меня, как говорится, чесались руки.

Поезд подходил к советской границе, когда все удивительное отступило куда-то в прошлое, и я вдруг почувствовал, как страшно я соскучился по России, по дому, по друзьям, по работе.

Но прежде чем окончательно вернуться домой, я должен рассказать об одной встрече.

Пробыв в Париже месяц, мы поехали отдохнуть на юг Франции, в маленький баскский городок Сен-Жан-де-Люз на берегу Бискайского залива. Это почти на самой испанской границе, поэтому нет ничего странного, что населяют этот городок баски. (Между прочим, всемирно известный берет – их изобретение.) Это веселые, добродушные рыбаки-трудяги.

Другая статья дохода городка, особенно в летнее время, – туристы. Для них на берегу океана построено огромное казино. В этом казино – все наоборот. Жизнь начинается вечером и замирает утром. Это и понятно. Утро у людей отведено для работы, а здесь тратят и выигрывают, а не зарабатывают деньги.

Мы приехали в Сен-Жан-де-Люз в «не сезон», и городок был пустынным. Народу было мало, а русских (эмигрантов, конечно, которых во Франции везде было предостаточно) и вовсе никого. И я со слезой говорил моей маленькой дочери:

– Боже мой, хоть бы встретить одного русского, поговорить на родном языке!

Друг с другом мы уже наговорились.

Однажды вечером, когда город погружался в сон, мы вышли своим семейным трио погулять. Улочка сначала взбиралась в гору, а потом, как бы образуя перевал, спускалась к океану. В этом было что-то курьезное – такая маленькая улочка выходила к такому огромному океану.

Наш путь пролегал между невысоких, одно- и двухэтажных домов, между витрин, освещенных неярким электрическим светом.

С самой горбушки улицы я увидел впереди фигуру очень большого человека с палкой в руке. На его могучей голове был берет.

– Смотри, какой огромный человек, – сказал я жене.

– Да, – отозвалась она, – ну и дядя!

Человек остановился у витрины, в которой не очень искусный художник выставил плоды своего незамысловатого творчества. Мы продолжали идти и шагов с пятнадцати я его узнал.

– Лена, – задыхаясь сказал я, – это Шаляпин.

Всмотревшись в человека, жена сказала:

— Ледя, я не могу идти, у меня подкашиваются ноги.

Я взял ее под руку и с усилием дотянул до витрины. Смущенные и растерянные, мы молчали, только Дита не понимала всего ошеломительного смысла этой встречи.

Так мы и стояли рядом, молча, в чужой стране, на безлюдной улице — все четверо такие близкие и такие далекие.

— Папочка, что здесь нарисовано? — сказала Дита. И Шаляпин, повернув голову в нашу сторону, взглянул на меня.

— Вы русские? — спросил он. И в его чудесном голосе я уловил интонацию удивления.

— Да, Федор Иванович, — сказал я.

— Давно оттуда?

— Да нет, недавно, второй месяц.

— Вы актер?

— Да.

— Как ваша фамилия?

— Утесов.

— Не знаю. Ну как там?

— Очень хорошо, — сказал я с наивной искренностью и словно спрашивая: «А как может быть иначе?» Наверно, Шаляпин так это и воспринял. Брови сошлись на переносице.

— Федор Иванович, я могу передать вам приветы.

— От кого это?

— От Бродского Исаака, от Саши Менделевича. — Я знал, что он был дружен с ними.

— Спасибо. Значит, жив Сашка?

— Жив и весел, Федор Иванович.

— А что с Борисовым?

– Борис Самойлович в больнице для душевнобольных.

– А с Орленевым?

– И он там же.

– Значит, постепенно народ с ума сходит? – Я почувствовал, что он задал мне вопросы о Борисове и Орленеве, зная об их болезни.

– Ну почему же, – сказал я, – вот я-то совершенно здоров.

– Не зарекайтесь...

На это я не знал что ответить, но был с ним решительно несогласен. И он вдруг сказал:

– У меня тут на берегу халупа, заходите, поговорим.

Халупу я увидел утром. Это была прекрасная белая вилла. Я не пошел к нему. Я боялся. Боялся разговора. Ему было горько вдали от родины, а мне на родине было хорошо, и я боялся, что разговор у нас не склеится, мы не сможем понять друг друга об одном и том же мы будем говорить по-разному.

Проходя у газетного киоска, я увидел русскую газету, издающуюся в Париже. Я протянул руку, чтобы взять ее, но продавец остановил меня:

– Non, non, monsieur, ça c'est pour monsieur Chalapin!

Это была эмигрантская газетка. Неужели она складывала представление Шаляпина о сегодняшней России? На следующий день, когда я проходил мимо этого же газетчика, он крикнул мне:

– Monsieur, il y a pour vous aussi!

Я купил газету и понял, что, наверное, так и есть.

Я вернулся из-за границы, но «Свободного театра» уже не было.

Итак, я свободен от «Свободного театра». Куда же податься? Долго думать не нужно было: в Ленинграде появился Театр сатиры, и в этом театре был мой дорогой Давид Гутман.

– Старик, – сказал он мне, – ты можешь быть свободен от чего угодно, но только не от меня. Ты мне нужен. Я ставлю феерическую пьесу. Возьми эти слова в кавычки. Это комедия. Мамонтова. «Республика на колесах». О махновщине. В ней центральная роль бандита. Кто может сыграть бандита лучше тебя!

– Вы считаете, что эта роль по моему характеру?

– Не придирайся к словам. По твоим способностям.

– Спасибо и на том. – И я вступил в Театр сатиры.

Репетиции Давида! Разве их забудешь когда-нибудь! Сколько радости, сколько творческого удовлетворения получал я на этих репетициях! И роль мне очень нравилась. Андрей Дудка... Бандит, карьерист, забулдыга и пьяница, покоритель женских сердец, высокомерное ничтожество. Он мечтает быть главой государства. И организует его в одном из сел Украины. Даже учреждает совет министров республики на колесах (они живут в поезде). И сам себя выбирает президентом.

На «министерской» вечеринке этот «демократ» пляшет и поет в концерте «для народа». Что бы ему такое спеть залихватское? Пожалуй, «С одесского кичмана», песня одесских бандитов как раз ему «по росту».

Роль и особенно песня сделали имя мое достаточно популярным не только в хорошем смысле этого слова, но и в бранном.

«Республика на колесах» шла каждый день, хотя ее и ругали. (Кстати, недавно эту пьесу поставили снова в одном из сибирских городов.)

Однажды из Москвы, из организации, которая являлась хозяином этого театра, по телефону был задан вопрос:

– Как дела?

– Ежедневные аншлаги.

– Почему так мало? – спросил Данкман – говорил именно он.

– То есть как мало, аншлаги!

– Так можно же делать два аншлага.

И мы стали играть «Республику на колесах» два раза в день.

Надо сказать, что Александр Морисович Данкман был удивительный человек. С ним приходил успех. Если говорить о достижениях нашего цирка, то в этом его огромнейшая роль. Это он создал Всесоюзное цирковое объединение. Он обладал самым главным для директора-администратора качеством – умением сочетать экономику с творчеством. Александр Морисович думал о материальной стороне дела, о сборах, даже когда отдыхал или развлекался. Однажды мы сидели в аванложе мюзик-холла и собирались пить чай с пирожками. Данкман, откусив кусочек и не видя начинки, с недоумением посмотрел на меня:

– Там внутри есть какой-нибудь сбор?

– Есть, но неполный, – сказал я.

– Имеете двадцать копеек за остроту.

Он был руководителем ГОМЭЦа (Государственное объединение музыки, эстрады и цирка) и всегда возвышенно и опоэтизированно рассказывал различные истории из жизни этого учреждения.

– Вы знаете, дорогой, – начал он однажды с совершенно серьезным видом и по своему обыкновению изысканно выговаривая слова, – у нас ведь есть передвижные зверинцы. Так вот, в одном из наших прекрасных передвижных зверинцев заболел лев. Замечательный берберийский экземпляр! Я как раз был в это время в Днепропетровске, и мы все были безмерно огорчены болезнью этого льва. Пригласили ветеринара. Он издали понаблюдал льва и поставил диагноз. В качестве лечебной процедуры предложил пустить ему в клетку живого теленка.

– Пусть он его порвет, напьется свежей крови. Тогда выздоровеет.

Мы, конечно, пошли на этот расход. Чего не сделаешь ради царя зверей! Из любопытства решили посмотреть, как будет проходить процедура лечения.

В трепетном ожидании наблюдаем, как служитель открывает заднюю дверцу клетки и вталкивает в нее теленка, с маленькими, сантиметра в три, рожками.

Лев приподнялся, присел на задние лапы, приготовился к прыжку и вдруг... теленок с невероятной быстротой подскочил к нашему берберийцу и начал остервенело его бодать. Мы еле отняли у него нашего гиганта.

Он рассказывал это очень серьезно, но чувствовалось, что внутри у него все смеется. Данкман был человеком с тонким чувством юмора, заранее предполагал это качество и в других. Может быть, поэтому с ним всегда было так легко и интересно? Может быть, поэтому он и был замечательным администратором?

Я вообще заметил, что люди с юмором сами работают лучше и с ними работается легче. Они даже, как правило, и выглядят моложе. А почему бы и нет?! Улыбка молодит, освежает лицо, а злоба и недоброжелательность его старят. Две продавщицы однажды продемонстрировали мне это с удивительной наглядностью. Я спросил одну из них о нужном мне товаре, но она, не взглянув на меня, промычала что-то невнятное. Я, конечно, не расслышал и переспросил, тогда лицо ее вдруг исказилось и она крикнула:

– Вы что, глухой, что ли?

Чтобы не раздражать ее больше, я обратился с тем же вопросом к другой. Она выслушала меня с такой внимательной улыбкой, словно моя покупка очень заботила ее и она лично заинтересована сделать ее удачной. Я спросил:

– А что ваша коллега такая раздражительная? Уж не завидует ли она вашей молодости?

– Что вы, я ей в мамаши гожусь!

– Сколько же вам лет?

– Тридцать девять.

– Не может быть. А ей?

– Ей девятнадцать.

Я недоверчиво сравнил их взглядом. Да, подумал я, никакие прически, никакая косметика не молодит так, как хорошая улыбка, как чувство юмора, как доброта. Это они делают лицо прекрасным, а злобная гримаса изуродует самые красивые черты. Зависть, как и любое недоброжелательное чувство, иссушает человека. Недаром же все завистники такие сухие, изможденные люди. А добряки выглядят не только молодыми, но и здоровыми. Хороший характер — залог здоровья. Есть даже поговорка: «Добряк — здоровяк».

С этим надо что-то делать, как-то бороться. Однажды я случайно открыл для себя средство искоренять грубость.

Я зашел в галантерейный магазин, чтобы купить три пуговицы для пальто. У высокого шкафа с ящичками стояла девушка и заранее всех презирала. Правда, прическа у нее была, как у героинь с экрана, и глаза модно нарисованы, и сама она была прехорошенькая: вздернутый носик и надутые губки придавали лицу что-то нежно-кукольное. Она стояла в профиль к покупателям. А покупателей-то было — всего я один.

— Девушка, — обратился я к ней, — мне нужно три пуговицы для пальто. — Не глядя на меня, она взяла картонку с образцами и протянула на звук моего голоса.

— Вот таких, — сказал я, ткнув пальцем в подходящую.

— Номер, — сказала она, не взглянув.

— Тридцать семь.

— Платите рубль тридцать пять, — промолвила она, все так же стоя в профиль.

Пока я шел к кассе у меня уже был готов сценарий дальнейших действий. Кажется, я придумал хорошее средство сделать ее приветливей и с мужчинами и с женщинами всех возрастов.

Когда она в обычной манере протянула мне маленький сверток, я сказал:

— Вы знаете, милая девушка, мне совсем не нужны эти пуговицы. Я кинорежиссер и ищу героиню для своего нового фильма. Моя ассистентка была недавно у вас в магазине и посоветовала мне познакомиться с вами. По внешнему облику вы мне действительно подошли бы, но моя героиня добрая, чуткая девушка, она вся просто светится добротой, а у вас такие неприветливые глаза и злой голос...

Вот тут она впервые взглянула на меня, и ресницы ее дрогнули... А мне показалось, что теперь она в каждом покупателе будет видеть режиссера или его ассистентку...

Театры комедии, театры сатиры, мюзик-холлы всегда были полны народа. Человек инстинктивно тянется к этой смехотерапии от всяких душевных невзгод. А что смех — замечательное лекарство, это давно известно. Когда смеешься, чувствуешь себя бодрым и здоровым. Всех комических актеров, всех, кто обладает волшебной способностью вызывать у человека смех, я назвал бы смехотерапевтами — веселыми врачами.

Без чувства юмора не было бы ни литературы, ни искусства. Представляете, как жить, если в мире нет ни Свифта, ни Рабле, ни Теккерея, ни Гоголя, ни Салтыкова-Щедрина, ни Франса, ни Ильфа и Петрова, ни Зощенко, ни Чарли Чаплина, ни Бастер Китона, ни Хенкина, ни Райкина, ни Мироновой с Менакером, ни Тимошенко с Березиным, ни Мирова с Новицким, ни Рины Зеленой, ни Петра Муравского, ни Михаила Гаркави, ни Андроникова, ни Карандаша, ни Олега Попова, ни Юрия Никулина, ни анекдотов, ни каламбуров, ни журнала «Крокодил», ни шестнадцатой страницы «Литературной газеты». Не было бы ни театров сатиры, ни мюзик-холлов, ни эстрады. И что бы я тогда делал на белом свете?

Что бы я делал на свете без зрителя, наделенного чувством юмора?

Я вообще считаю — долгий опыт научил, — что по способности человека понимать юмор можно определить, насколько он... человек. Ведь чувство юмора присуще только человеку. Животные могут испытывать горе, страдание, собаки могут плакать, когда умирает хозяин, тосковать, когда погибает детеныш, они могут веселиться и радоваться. Рискну даже сказать, что животные могут мыслить, — да простят мне ученые смелость дилетанта! Кто не видел умных собак, умных лошадей! Но ни одно животное не обладает чувством юмора. Это свойственно только человеку. И чем больше оно у него развито, тем он для меня человечнее.

Трудно себе представить, что человек с чувством юмора может быть деспотичным или подлым. Человек с юмором способен критически отнестись к самому себе, увидеть себя со стороны и, подметив нелепость своего поведения, способен над самим собой посмеяться. Мне не раз приходилось видеть, как этот смех над самим собой удерживал человека от плохих поступков. Есть, конечно, милые, добрые люди и без чувства юмора. Но таких жаль. Они не воспринимают половины прелести жизни. И, как говорил польский юморист Ежи Ленц: «Если у человека нет чувства юмора, то у него, по крайней мере, должно быть такое чувство, что у него нет чувства юмора».

Да, с людьми, понимающими и любящими шутку, радостнее живется, веселее работается, легче преодолеваются трудности. Они не станут делать трагедии из любого пустяка, из любой житейской неудачи. Остряков у нас сейчас становится все больше, каждая газета и журнал стараются пересыпать перцем свои страницы. И некоторые даже начинают опасаться: что это люди все острят, как бы не проморгали серьезное. А я считаю – острят те, кто молод, кто умен, кто здоров духом, кто любит жизнь. Так всегда было, так всегда будет.

Мне повезло: я родился в Одессе – в этой крупной фирме по производству и сбыту всякой шутки. Не говоря уже о большой литературе, из Одессы пришло много анекдотов, смешных выражений, оборотов речи – там сами улицы с детства приучают к юмору. Одесситы смешливый народ, поэтому им «не страшны ни горе ни беда».

Вот такого, например, курьеза в Одессе произойти просто бы не могло. Это произошло в другом городе.

...Я вернулся с концерта и обнаружил у себя под дверью извещение на бандероль.

Была уже ночь, и, хотя почтовое отделение помещалось в гостинице, идти туда было поздно.

Утром, идя в кафе завтракать, я зашел за бандеролью.

За барьером сидела женщина лет сорока с лишним. Наверно, она была кокетка, поскольку волосы у нее были накручены на бигуди. Она что-то глубокомысленно писала. Я положил извещение на барьер и сказал:

– Будьте любезны.

Не глядя на меня, она сказала:

– Паспорт.

– К сожалению, он на прописке, но выдайте мне бандероль, там нет ничего ценного.

Все так же не глядя на меня, но уже строже она повторила:

– Паспорт, паспорт.

Эта ситуация напомнила мне недавно прочитанную историю о Карузо. Он пришел в один из римских банков, чтобы получить деньги. Чиновник спросил у него паспорт. Карузо сказал:

– Паспорта у меня при себе нет, но я Энрико Карузо.

– Я знаю, что есть такой знаменитый тенор, но я не обязан знать его в лицо.

Тогда Карузо встал в позу и начал петь «Смейся, паяц...» Служащие и клиенты банка замерли. Когда Карузо кончил, чиновник со слезами на глазах проговорил:

– Ради святой мадонны, синьор, простите, что я посмел усомниться. Пожалуйста, вот деньги. – И он выдал ему крупную сумму.

Мне была нужна всего лишь бандероль. Я встал в позу и запел:

– Раскинулось море широко...

Дама в бигудях вскочила со своего места и громко закричала:

– Гражданин, прекратите хулиганить, или я позову милиционера!

За мою долгую жизнь мне приходилось встречаться со многими людьми, для которых юмор был неотъемлемой частью их существования. Любопытно, что они по-разному реагировали на смешное. Бабель, например, хохотал до слез. Зощенко, напротив, был мрачноват и острил редко, а Михаил Светлов был неистощим на каламбуры.

И большинство моих нынешних друзей – веселые люди. Пишем друг другу смешные стихи, эпиграммы, поздравления. И, знаете, жить как-то веселее, легче. Я с радостью убеждаюсь, что в свои годы сохранил способность призывать юмор себе на службу. Бывает – у кого не бывает, – что на душе кошки скребут, а вспомнишь, прочтешь, увидишь что-нибудь смешное или просто перекинешься словом с остроумным человеком – и всю хандру как рукой снимет.

Размышляя о значении для меня юмора, я вижу, что это и он вел меня от театра к театру, от сценки к сценке, от замысла к замыслу.

ДЕЛО ЖИЗНИ

Я придумал театрализованный джаз.
Жанр небывалый.
Собираю единомышленников.
Но за новое надо бороться.

Я был еще актером Театра сатиры, я еще играл Васю Телкина в «Шулере» Шкваркина – была у него такая смешная пьеса, – но уже готовился к тому, что станет главным делом моей жизни, чему я отдам бо́льшую и лучшую ее часть.

Я готовился к джазу.

Когда я пел в оперетте, играл в драматическом театре или дирижировал хором, меня не покидало чувство, что я везде – временный постоялец, я словно все время помнил, когда отходит мой поезд. И только в джазе я вдруг почувствовал, что приехал и могу распаковывать чемоданы – пора обосновываться на этой станции прочно, навсегда. Но, ох, как непросто оказалось это сделать.

Поначалу западные джазы не очень прививались у нас. Эта музыка была нам чужда. Тогда мы все делали с энтузиазмом и уж если спорили о чем-нибудь, то с пеной у рта. Так же спорили и о джазе. Но неужели нельзя, думал я, повернуть этот жанр в нужном нам направлении? В каком? Мне было пока ясно одно: мой оркестр не должен быть похожим ни на один из существующих, хотя бы потому, что он будет синтетическим. Как видите, идея синтеза в искусстве преследует меня всю жизнь. Это должен быть... да! театрализованный оркестр, в нем, если надо, будут и слово, и песня, и танец, в нем даже могут быть интермедии – музыкальные и речевые. Одним словом, кажется, я задумал довольно-таки вкусный винегрет. Что ж, я прихожу в джаз из театра и приношу театр в джаз.

Я даже так рассуждал: что ж такого, что не было русского джаза – такие аргументы тоже выдвигались в спорах, – ведь были же когда-то симфоническая музыка и опера иностранными – немецкая, французская, итальянская. Но появились люди и силой своего великого дарования создали русскую симфоническую музыку и русскую оперу. Их творения завоевали признание и любовь во всем мире. Правда, им пришлось претерпеть недоброжелательство, а иногда и насмешку. «Кучерская музыка» – ведь это о Глинке.

Но то серьезная, симфоническая, можно даже сказать, философская музыка. А с джазом, думал я, музыкой легкой, развлекательной будет легче. И я решился.

Прежде всего нужны, конечно, единомышленники. Не просто музыканты, наделенные талантом, но соратники, которые бы поверили в необходимость и возможность джаза у нас, так же как поверил я. И я начал искать.

Ясное дело, хорошо было бы собрать таких, которые уже играли в джазовой манере. Но собирать было некого – в джазовой манере играл у нас один только

Я. В. Теплицкий, но он дал в Ленинграде лишь несколько концертов – постоянного оркестра у него не было, он сам собрал своих музыкантов на три-четыре вечера, а потом они снова разбрелись по своим местам.

Правда, в Москве уже начинал звучать «Амаджаз» Александра Цфасмана. Находят же другие. Найду и я.

В Ленинградской филармонии мне удалось уговорить одного из замечательнейших в то время трубачей – Якова Скоморовского. Это была большая удача, потому что у него среди музыкантов были безграничные знакомства, и он помог мне отыскивать нужных людей. В бывшем Михайловском театре мы «завербовали» тромбониста Иосифа Гершковича и контрабасиста Николая Игнатьева (последний стал нашим первым аранжировщиком). Из оркестра Театра сатиры мы выманили Якова Ханина и Зиновия Фрадкина. Из Мариинского – Макса Бадхена, а из других мест пригласили нескольких эстрадных музыкантов – гитариста Бориса Градского, пианиста Александра Скоморовского, скрипача и саксофониста Изяслава Зелигмана, саксофониста Геннадия Ратнера.

Оркестр, не считая дирижера, составился из десяти человек: три саксофона (два альта и тенор), две трубы, тромбон, рояль, контрабас, ударная группа и банджо. Именно таков и был обычный состав западного джаз-банда.

Я не скрывал от своих будущих товарищей трудностей – и творческих и организационных. Тогда ведь не было еще студий, где можно было готовить новый репертуар. Артист все делал на свой страх и риск, в свободное от основной работы время.

Но все были полны решимости преодолеть любые трудности, и мы приступили к делу. Отдавать свое свободное время – это еще куда ни шло. Но сколько пришлось помучиться в ежедневной репетиционной работе, отстаивая свои творческие принципы, делая непривычное для музыкантов дело.

Среди своих новых друзей-сотрудников я был, пожалуй, самым молодым. И я требовал, казалось бы, совершенно невозможного от взрослых, сложившихся людей, ломая их привычки и навыки.

Я требовал от них, чтобы они были не только музыкантами, но хоть немного актерами, чтобы они не были только продолжением своих инструментов, но и живыми людьми. Однако, если надо было сказать несколько слов, немного спеть, даже просто подняться с места, – как тяжело они на это соглашались! Никогда не забуду, как милый, добрый Ося Гершкович ни за что не хотел опуститься на одно колено и объясниться в любви... даже не своим голосом, голосом тромбона. Как он протестовал, как сопротивлялся, даже сердился, говоря, что не для этого кончал консерваторию, что это унижает его творческое достоинство, наконец, просто позорит его.

Мы спорили, я произносил речи о театре, о выразительности на сцене, о новом жанре. Он уступил... Но я тоже помню, как после первого представления, на котором этот трюк имел огромный успех, Ося стал вымаливать у меня роли с таким жаром, что в конце концов был создан образ веселого тромбониста, который ну просто не может спокойно усидеть на месте, когда звучит музыка. Он пританцовывал, он кивал или покачивался в такт, одним словом, жил музыкой. Публика его очень любила и называла «Веселый Ося».

Были придуманы образы и другим музыкантам. У некоторых получалось очень забавно, другим веселье не давалось, и тогда мы придумали роль мрачного пессимиста. В атмосфере общей радости это тоже было смешно.

Актерство в человеке требует свободы, и музыканта надо раскрепостить, то есть оторвать его от нот. Он должен играть наизусть. Неожиданно это оказалось особенно трудным. Немало пришлось потратить усилий, чтобы преодолеть это препятствие не только техническое, но и психологическое. Я доказывал своим товарищам, что пюпитры, ноты, деловое перевертывание страниц нарушают непринужденность, легкость, импровизационность стиля. Тем более что, следя за нотами, музыкант перестает быть актером.

Одним словом, шесть произведений мы репетировали семь месяцев. Каждый день. Кто-то терял веру в наше дело и уходил. Мы искали новых союзников, находили их и продолжали работать.

И вот наступило 8 марта 1929 года – день нашего дебюта. Но 8 марта – это, как известно, и Женский день. В нашем оркестре не было ни одной женщины, и мы преподнесли наш концерт как чисто мужской подарок.

Торжественное собрание и концерт, посвященный Международному женскому дню, проходили в Малом оперном театре. Открылся занавес, и на сцене – музыканты не музыканты – оживленная компания мужчин, одетых в светлые брюки и джемперы, готовых повеселиться и приглашавших к веселью публику.

Мы начали наш первый номер. Это был быстрый, бравурный, необычно оркестрованный фокстрот.

Лунно-голубой луч прожектора вел зрителей по живописной и незнакомой музыкальной дороге. Он останавливался то на солирующем исполнителе, то на группе саксофонистов, силой света, окраской сочетаясь с игрой оркестра, дополняя слуховое восприятие зрительным, как бы подсказывая, где происходит самое главное и интересное, на чем сосредоточить внимание.

А дирижер не только корректировал звучание оркестра, не только подсказывал поведение каждому музыканту-артисту и всему ансамблю в целом, а своим довольно эксцентричным поведением дополнял язык музыки языком театра, зрительно выражал рисунок мелодии, ее настроение. Он словно бы не мог скрыть своих переживаний, вызванных музыкой и общением с этими людьми, он не только не сдерживал своих чувств, а, наоборот, смело и доверчиво их обнаруживал, не сомневаясь, что он в кругу друзей и его поймут.

Все, что произошло после первого номера, было столь неожиданно и ошеломляюще, что сейчас, когда я вспоминаю об этом, мне кажется, что это был один из самых радостных и значительных дней моей жизни.

Когда мы закончили, плотная ткань тишины зала словно с треском прорвалась, и сила звуковой волны была так велика, что меня отбросило назад. Несколько секунд, ничего не понимая, я растерянно смотрел в зал. Оттуда неслись уже не только аплодисменты, но и какие-то крики, похожие на вопли. И вдруг в этот миг я осознал свою победу. Волнение сразу улеглось, наступило удивительное спокойствие осознавшей себя силы, уверенность неукротимой энергии — это было состояние, которое точнее всего определялось словом «ликование».

Мне захотелось петь, танцевать, дирижировать. Все это я и должен был делать по программе — я пел, танцевал, дирижировал, но, кажется, никогда еще так щедро не отдавал публике всего себя. Я знал успех, но именно в этот вечер я понял, что схватил «бога за бороду». Я понял, что ворота на новую дорогу для меня широко распахнулись. Я понял, что с этой дороги я никогда не сойду.

Аплодисменты обрушивались на нас после каждого номера. И этот день стал днем нашего триумфа.

Сейчас, вспоминая тот первый концерт, я стараюсь понять, в чем заключалась причина успеха, что привлекало зрителей в наших выступлениях. Это всегда трудно определить, а особенно участникам.

Проще всего сказать, что успех заключался в новизне — таких номеров, как наш теаджаз, тогда на эстраде не было. Были джазы, созданные по образцу заграничных, — их музыка и их манера кому-то нравились очень, кому-то не нравились совсем. Мы же предложили совершенно новый, никем еще не испробованный жанр — театрализованный джаз. Что это значит?

Инструментальные ансамбли всегда немного кажутся составленными из абстрактных, бесплотных, бесхарактерных людей, которые воспринимаются как части большого механизма. У нас же каждый музыкант становился самостоятельным характером. Наши музыканты вступали друг с другом не только в чисто музыкальные, но и в человеческие взаимоотношения. Оркестранты не были прикованы к своему месту, они вставали, подходили друг к другу, к дирижеру и вступали в разговор при помощи или инструментов, или слова. Это были беседы и споры, поединки и примирения. Музыкальные инструменты как бы очеловечивались, приобретая индивидуальность, и в свою очередь окрашивали своим характером поведение музыканта. «Человек-тромбон» – и за этим нам уже рисовался какой-то определенный тип человека, «человек-труба», «человек-саксофон»...

И дирижер – он тоже не был просто руководителем музыкантов, он был живым человеком, со всеми присущими человеку достоинствами, недостатками, слабостями и пристрастиями. Дирижируя, я вступал со своими музыкантами в самые разные отношения. С одними я перебрасывался шуткой, других подбадривал, третьих призывал к порядку. Я представлял их каждого в отдельности публике, но не сразу, а по ходу действия. Разыгрывая, например, сцену «Пароход «Анюта», которая шла в специальных декорациях, изображавших лодку, я представлял зрителям уже не музыкантов, а бурлаков. А так как музыканты и бурлаки люди довольно контрастные, то комический эффект возникал сразу.

– А вот самый главный наш бурлак, – говорил я, показывая на Осипа Гершковича, который ходил тогда в пенсне, и добавлял:

– Эй, Ося, не спи.

Вся наша программа была пересыпана шутками, остротами, подыгрываниями. И перед зрителем возникал не просто оркестр, а компания, коллектив веселых, неунывающих людей, с которыми весело, с которыми не пропадешь. Надо помнить, что это был конец двадцатых годов, начало первой пятилетки, начало коллективизации. Понятие «коллектив» было знаменем времени. А коллектив и энтузиазм – нерасторжимы. Я думаю, что именно в соответствии духу времени, в задоре и оптимизме и была главная причина успеха нашей первой программы.

Другой причиной был репертуар. Я много думал над тем, с чем выйдем мы впервые к зрителям.

Сейчас мне самому трудно в это поверить, но в нашу первую программу не входило ни одной советской массовой песни, то есть того, что очень скоро станет главным, определяющим для наших программ. А не было их по нескольким причинам. Во-первых, и самих массовых песен тогда еще было немного, этот жанр только начинался, композиторы еще только пробовали в нем свои силы, приноравливались, прислушивались к музыке улиц, к новой музыке труда. А с другой стороны, джаз и советская песня... Примерно лет десять спустя я выразил свои сомнения следующими словами: «Оказалось, что когда я опасался включать в джаз тексты советских песен, боясь их профанации, то это были совершенно напрасные страхи». — Так написал я в небольшой заметке, опубликованной «Вечерней Москвой» летом 1936 года.

Действительно, джаз в те годы все-таки был для нас явлением новым, экзотическим, он не совсем еще приладился, сплавился, сплелся с новой жизнью, и казалось, что советская песня — это репертуар не для джаза.

Мы начали свое памятное выступление фокстротом — как бы демонстрируя и характерный репертуар джаза и свое мастерство, убеждая слушателей, что мы делаем попытку отнюдь не с негодными средствами.

Убедив, что такая музыка нам «по зубам», мы переходили, как теперь говорят, к «песням разных народов». Тут и южноамериканская «Чакита», и грузинская «Где б ни скитался я», и «Волжские любовные страдания», те грустно-задорные страдания, в которых больше радостного оптимизма, чем тоски. Ведь «сирень цветет» — значит, и милый, и любовь «не плачь – придет». Заканчивали мы наше выступление песенкой «Пока», которая, по существу, была призывом, ожиданием новой встречи.

Исполнял я и ставшую столь популярной после спектакля «Республика на колесах» песню «Одесский кичман».

Кроме песен мы исполняли произведения чисто джазовой музыки, а также классической – это был, в частности, «Золотой петушок» Римского-Корсакова, соответственно обработанный.

Кроме игры во множестве сценок, реприз и интермедий, я читал в сопровождении оркестра стихотворение Багрицкого «Контрабандисты». Это была все еще модная тогда мелодекламация. Стихотворение Багрицкого было опубликовано года за два до моего исполнения. Багрицкий жил в Москве, и я лично у него просил разрешения включить стихи в программу. Он не возражал и хотел даже меня послушать, но его болезнь помешала нашей встрече, о чем я до сих пор сожалею.

А «Контрабандисты» мне очень нравились влюбленностью в родную мне с детства южную природу, в людей, которых кормит море, людей, полных сил, отваги, бесстрашия. Напряженный ритм этой вещи хорошо сочетался с особенностями джаза и подчеркивался им.

Как приняла нас публика, я уже говорил. А пресса? – В общем, тоже благожелательно.

Одним из первых откликов на наше выступление была статья молодого тогда критика Сим. Дрейдена в журнале «Жизнь искусства», в номере двадцать шестом за 1929 год. Это были первые добрые слова, они укрепили нас в сознании, что мы занялись вовсе не абсурдным делом. Кроме того, статья интересна тем, что в ней есть описание реакции зрителей на наши выступления. Поэтому я позволю себе привести из статьи довольно пространные выдержки. Сим. Дрейден писал: «Посмотрите на лица слушателей-зрителей «театрализованного джаза» Л. Утесова. Посмотрите-ка на этого более чем джентльменистого, гладко выбритого, удивительно холеного техрука одного из крупнейших заводов. Он разом скинул сорок лет с «трудового списка» своей жизни. Так улыбаться могут только чрезвычайно маленькие дети! Или вот — бородач, перегнувшийся через барьер, ухмыляющийся до облаков, головой, плечами, туловищем отбивающий веселый ритм джаза. А эта девица — чем хуже других эта девица, забывшая в припадке музыкальных чувств закрыть распахнутый оркестром рот!

Сад сошел с ума. Тихо и незаметно «тронулся», две тысячи лиц растворяются в одной «широкой улыбке». Контролерши не считают нужным проверять билеты. У администраторов такие улыбчатые лица, что, кажется, еще минута — и они бросятся угощать «нарзаном» ненавистных было зайцев, впившихся в решетку сада с той, «бесплатной» стороны.

«Наши американцы» успели в достаточной степени скомпрометировать джаз. Соберутся пять-шесть унылых людей в кружок и с измученными лицами — жилы натянуты, воротнички жмут, улыбаться неудобно — «Мы же иностранцы!» — начинают «лязгать» фокстрот. Весело, как в оперетте!..

И вот — теаджаз. Прежде всего — превосходно слаженный, работающий, как машина — четко, безошибочно, умно, — оркестр. Десять человек, уверенно владеющих своими инструментами, тщательно прилаженных друг к другу, поднимающих «дешевое танго» до ясной высоты симфонии. И рядом с каждым из них — дирижер, верней, не столько дирижер (машина и без него задвигается и пойдет!), сколько соучастник, «камертон», носитель того «тона, который делает музыку». Поет и искрится оркестр в каждом движении этого «живчика» — дирижера. И когда он с лукавой улыбкой начинает «вылавливать» звуки и «распихивать» их по карманам, когда он от ритмического танца перебрасывается к музыкальной акробатике — подстегнутый неумолимым ходом джаза — становится жонглером звуков, — молодость и ритм заполняют сад.

Многое — чрезвычайно многое — несовершенно и «экспериментально» в этом теаджазе. «Оркестр будет танцевать», — объявляет дирижер. И действительно, как по команде, оркестранты начинают шаркать, перебирать ногами. Разом встают и садятся. Переворачиваются — и на место. Это еще не танец. Но элементы танца есть. В «любовной сцене» только-только намечены любопытнейшие контуры «оркестровой пантомимы». Но ведь важно дать наметку. Еще работа — и пантомима вырастет.

«Первый опыт мелодекламации под джаз». Вернее — свето-мелодекламации, так как свет, разнообразно окрашивающий «раковину» оркестра, неотделим от номера. Опыт не до конца удачен. Музыка местами слишком уж искусственно подгоняется к тексту. «Свет» временами работает до нельзя прямолинейно, натуралистически. Но и здесь нельзя не предвидеть, что может получиться при хорошем обращении с материалом.

Словом, налицо превосходный и жизнеспособный принцип, заимствованный с Запада, но имеющий все данные привиться и дать новые, самобытные ростки на нашей советской эстраде.

Пока что – при всех своих достоинствах – теаджаз все же носит немного семейный характер. Как будто бы собрались на дружескую вечеринку квалифицированные мастера оркестра и театра и стали мило, ласково – «с песнею веселой на губе» – резвиться...

И, наконец, один из основных, решающих дело вопросов – репертуар. Теаджазу надо твердо встать на позицию высококачественного профессионального и музыкального и текстового материала. Третьесортной обывательской «салонщине», дешевой «экзотике» и шансонетной «редиске» – бойкот! Когда в первой программе теаджаза – на мотив избитой «герлс-змейки» – начинают скандировать:

«Как был прекрасен
наш юный «Красин»!» –

становится неловко и за себя и за артистов. И рядом с этим большое принципиальное значение приобретает чтение стихов Багрицкого, документов подлинной литературы.

Особо следует отметить исполнение Утесовым «С одесского кичмана». Эта песня может быть названа своеобразным манифестом хулиганско-босяцкой романтики. Тем отраднее было услышать ироническое толкование ее, талантливое компрометирование этого «вопля бандитской души».

Итак, начало сделано. Дело за тем, чтобы обеспечить наиболее успешный дальнейший творческий рост теаджаза. Говорить о «чуждости» или «буржуазности» этой идеи – явно легкомысленно. Десятки выступлений теаджаза перед микрофоном «Рабочего радио-полдня», выступления его в саду им. Дзержинского убедительно свидетельствовали, какую превосходную зарядку слушателю-зрителю дает он. На помощь теаджазу надо прийти нашим лучшим режиссерам, композиторам, писателям. Только обладая своим специально подготовленным репертуаром, только в тесной связи с массовой аудиторией, только на учете достижений новой сценической техники теаджаз встанет во главе передовых отрядов новой советской эстрады».

Такова, за малыми купюрами, была статья Сим. Дрейдена. Она нас порадовала, и с ее критическими замечаниями мы были согласны. И нас даже не огорчило, что редакция в отдельной сноске признавалась, что не во всем согласна с автором рецензии.

«Репертуар утесовского теаджаза, – писал рецензент С. Гец в харьковской газете «Пролетарий», – весьма разнообразен и многосторонен. Тут и негритянская колыбельная в ее чистом этнографическом виде, но с умелыми словесными комментариями, тут и классический «Золотой петушок» Римского-Корсакова, неожиданно по-новому зазвучавший, переведенный на синкопический ритм, тут и своеобразный пионерский марш, тут, наконец, и яркая подача Багрицкого под джаз-бандный аккомпанемент.

Все это наполнено бодростью, жизнерадостностью, смехом, весельем. Буквально вентилируешь усталые за день мозги, получив порцию утесовского теаджаза... Учащенный (синкопический) ритм и темп соответствует бурным, стремительным темпам нашей жизни».

Такова была положительная оценка, высказанная в этой рецензии. К минусам автор относил, и совершенно справедливо, недостаточную политическую остроту. Вместо нейтральных шуток требовал острых, ядовитых стрел политической сатиры, требовал «перестройки репертуара» и «поворота лицом к рабочему классу».

С небольшими вариациями пресса принимала одно и отвергала другое. Чуть позже мне, как теперь говорят, было «выдано» за «Одесский кичман», хотя вначале и критика и зрители принимали его очень даже благожелательно. Странное дело, я задумал исполнить эту песню как насмешку над блатной романтикой, как развенчание ее, а рецензенты посчитали это, наоборот, воспеванием блатной романтики. Только некоторые критики уловили мой истинный замысел. Наверно, я сам был где-то виноват, может быть, серьезные ноты прозвучали у меня сильней, чем нужно, и вызвали сочувствие. Может быть, слишком смачно была подана жаргонная речь преступного мира, и вместо комического эффекта она давала еще и эффект сочувствия. К сожалению, известная часть слушателей, особенно молодежи, подхватила этот злосчастный «крик» блатной души и разнесла по селам и весям. Песня стала «шлягером».

Одним словом, я вроде как и без вины оказался виноват, но до сих пор отмываюсь от этого «кичмана» жесткими мочалками.

Зато не меньшее распространение получила лирическая грузинская песня «Где б ни скитался я» — очень близкая мне по настроению и содержанию. Ее тоже запели повсюду, и мы постоянно включали ее в наши дальнейшие программы.

Итак, несмотря на промахи и ошибки, которые впоследствии мы постарались учесть и исправить, — было ясно, что теаджаз интересен зрителям, теаджаз привлекателен, имеет смысл закрепить найденное, развивать его и совершенствовать.

Что же касается меня самого, то и я не всем был доволен, несмотря на ошеломительный и постоянный успех, который сопутствовал нам все время, что мы ездили с этой программой по городам Советского Союза. Недоволен же я был тем, что не полностью, не до конца удалось осуществить мой замысел театрализации джаза. Мы оставались скорее эстрадным, чем театральным коллективом. Программа не была цельным спектаклем, о котором я мечтал, она все-таки оставалась пусть хорошо организованным, но собранием отдельных номеров с некоторой попыткой объединения в единое целое. Связь между номерами была чаще всего внешняя, при помощи реприз. Но ничего иного и не могло, наверно, получиться, раз в основу не было положено цельное драматургическое произведение — сценарий, пьеса, называйте как хотите.

Я понимал это, но все требует своей логики внутреннего развития. Создание спектакля и стало моей основной заботой на ближайшие несколько лет, да что лет, стало заботой всей моей дальнейшей творческой жизни.

Однако, даже забегая вперед, не могу не отметить одного парадокса: когда нам более или менее удавалось создать такой своеобразный спектакль, тогда нас начинали упрекать в неуместных попытках соединить эстраду и театр. Нет, ни тогда, ни теперь я не считаю эти упреки правильными. Многолетний опыт развития нашей эстрады подтверждает мою правоту. Эстрада – понятие многоликое. Она может вобрать и сделать для себя органичным любой вид искусства. Даже художники-моменталисты выходят на ее подмостки со своими мольбертами.

Эстрада многолика и всеобъемлюща, и она всегда готова принять жанр, еще невиданный, необычный, неожиданный. Поэтому трудно заключить ее суть в жесткое, ограничивающее определение. Она иногда становится настолько близкой театру, что четкой границы никак провести не удается. Пример тому театр Райкина. Да и нет, наверно, необходимости так рьяно бороться за чистоту жанра. Разве важен жанр сам по себе? Жанр – деление условное. Важно, чтобы волновало, будило мысль и чувство, будоражило то, что предлагает артист, как бы ни было это неожиданно. В свое время Чехов размышлял на эту тему и пришел к мысли: в искусстве все должно быть так же сложно и переплетено, как и в жизни. Трагическое и комическое в тесном взаимодействии живут у Шекспира, «Горе от ума» или «Нахлебник» авторы назвали комедиями, но чистые ли это комедии? И комедии ли это вообще? Со времен классицизма ведется этот спор, но побеждают живая жизнь, искусство, а не узкие рамки, в которые его хотят втиснуть. История человечества оставила за собой множество разломанных «рамок», – а как бы иначе она могла двигаться вперед?

Я думал, что схватил «бога за бороду», да так, пританцовывая, и войду в рай. Но в «бороде бога» оказалось немало рапмовских колючек. С какой неистовостью поносили они меня, обвиняя во всех смертных грехах!

В то время были приняты обсуждения спектаклей после представления. В различных городах обсуждалась и наша программа. Выступали все, кто хотел. И желающих было много. Немало и тех, кто разделял убогие рапмовские теории и лозунги. Их активность смахивала на агрессивность, и выступали они яростно. Можно было прийти в отчаяние, слушая их слова, можно было подумать, что нет и не было, наверно, человека, более враждебного всему прекрасному на земле, чем я: «Джаз Утесова – это профанация музыки!», «Джаз – это кабацкая забава», и даже «Джаз Утесова – это проституция в музыке». Таков был рефрен их выступлений и устных и печатных.

Немало, ох, немало приходилось терпеть от «критиков». Я не говорю о замечаниях деловых и справедливых. Но ведь сколько было и неделовых и несправедливых. И не удивительно, что обида порой подкатывала к самому горлу...

«Исказивши лицо важной миною,
Мыслью куцею, речью длинною,
Мою песнь осудить вы желаете.
Вам сказать не дано, вы же лаете.

Сколько б в тогу творца ни рядились вы,
Как король андерсеновский, голы вы,
Потому что на свет народились вы
С тыквой там, где должны быть головы».

Боже мой, чего они только не писали! Сейчас, перечитывая их вопли, я не могу время от времени не улыбнуться, не рассмеяться даже, но тогда мне было совсем не до смеха, наверное, волосы должны были шевелиться на голове при чтении их опусов. И как хватило сил выдержать все это? Вот что значит молодость и вера в свою правоту! Но именно благодаря этой вере я оказался совсем не подготовленным к нападению. Их злобствования особенно, может быть, разжигало то, что песни рапмовских композиторов, сочиненные в отрыве от живых запросов народа, никто не хотел петь. Композитор Борис Мокроусов рассказывал много позже: «Я вспоминаю «рапмовские времена», когда ту или иную песню, что называется, «тянули за уши», стремясь искусственно внедрить ее в массы. Но рапмовские песни все-таки не пелись народом, а если и пелись, то очень редко и мало. Мы – в то время студенты рабфака при Московской консерватории – часто выезжали в рабочие клубы, разучивали с молодежью новые песни, но затраченный труд не давал ожидаемых результатов: аудитория оставалась равнодушной к этим внешне плакатным, схематичным песням, очень похожим друг на друга»*.

Когда я задумывал свой джаз, то был уверен, что это интересно, нужно, увлекательно, что новизна понравится, завоюет сердца, у меня и мысли не было ни о каком риске. Тем более оказался я ошарашенным в первые дни атак. Но одесситы быстро приходят в себя. И вскоре я, уже зная, что́ прочту о себе в газетах, только удивлялся бесцеремонности рапмовцев, их откровенному разоблачению своего непонимания искусства и, в частности, музыки. Даже признанных музыкальных, равно как и литературных гениев неве-

---

* «Советская музыка», 1953, № 11.

жественные догматики из РАПМ честили, не выбирая слова. Листа называли ханжой, Чайковского — барином, а Шопена — салонным композитором.

Они все брали под сомнение, ко всему относились подозрительно. И к легкой и к симфонической музыке. «Нам ничего не нужно, — откровенничали, они на диспутах, — ни лирического романса, ни песни, ни танцевальной музыки, ни юродствующего джаза. Что за инструмент саксофон? Выдумка американского кабака». Вообще они не стеснялись проявлять свое невежество. Я уж не говорю о том, что они не знали истории происхождения инструментов, в частности саксофона, который получил свое имя вовсе не в американском кабаке. Ко времени наших споров ему было уже без малого сто лет, и изобрел его в 1840 году Адольф Сакс, принадлежавший к известной музыкальной семье, родоначальником которой был Ганс Сакс, представитель мейстерзингерства в Нюрнберге. Это ему Вагнер поставил вечный памятник своей оперой «Нюрнбергские мастера пения».

Обвиняя саксофон в буржуазности, они не знали, что его употреблял в своей музыке Верди, что Глазунов задолго до появления джаза написал концерт для саксофона, что Адольфа Сакса поддерживал Берлиоз и это при его помощи мастеру удалось сделать саксофоны различной величины. И инструмент, который Сакс привез в Париж в единственном экземпляре, вскоре вошел во французские военные оркестры, а чуть позже и в симфонические, а сам Адольф Сакс стал профессором игры на саксофоне при Парижской консерватории и создал школу игры на своих инструментах. Да и в военных оркестрах гвардейских полков старой царской армии звучало уже все семейство саксофонов, от сопрано до баса. Впрочем, если бы они это и знали, лучше бы не было. И Верди и Глазунова они обозвали бы так же, как Чайковского и Листа.

Поносили не только саксофон, но также и синкопу, ибо считали и ее порождением джаза. После таких слов легко было догадаться, что они не только не знали греческого языка, из которого взят этот термин, но что они никогда не слышали, ну хотя бы «Неоконченной симфонии» Шуберта, в которой применен прием синкопирования.

Впрочем, удивление мое прекратилось после беседы с одним «теоретиком».

– Как вам не стыдно, – говорил он, – вы, прекрасный актер, занимаетесь этим безобразием, играете на каких-то отвратительных инструментах.

– Простите, – пытался я его урезонить, – мы играем на тех же инструментах, которые имеются и в симфонических оркестрах. Например, на трубах.

– Да, трубы трубами, – возмущался он, – но вы вставляете в них коробки от сардинок. – Он имел в виду сурдины.

Мне оставалось только руками развести и призвать на помощь чувство юмора, которого напрочь были лишены многие рапмовцы, и понять всю бесплодность нашего спора – он явно не относился к той категории споров, из которых рождается истина.

Дискуссия, однако, принимала все более «кровожадный» характер. Вопрос ставился уже угрожающе, ультимативно: «или – или», или джаз или симфония. За поддержкой обратились к... Горькому.

Дело в том, что в статье «О музыке толстых» и в очерке «Город Желтого Дьявола» Горький описывает свои неприятные впечатления от американской музыки.

Трудно говорить о музыкальном восприятии другого человека, но очень возможно, что на Алексея Максимовича неприятно подействовал глиссандирующий тромбон, непривычный для его слуха, а четкая механическая ритмичность после широкой русской напевности могла показаться назойливой, скучной, даже раздражающей. Если же говорить о диссонансах, то никаких гармонических искажений в то время вообще еще не существовало, тем более в джазе. Одним словом, Горькому могла не понравиться столь необычная музыка. Но это вовсе не значит, что, пользуясь авторитетом писателя, надо было порочить и уничтожать новый, нарождающийся музыкальный жанр, как то делали критики-вульгаризаторы.

Деятельность РАПМ тормозила развитие советской музыки, и в 1932 году постановлением ЦК ВКП(б) РАПМ, как родственное объединение РАПП, была ликвидирована. Однако отголоски этих споров не утихали еще очень долго. И в тридцать шестом году снова возник спор о джазе и легкой музыке, который был перенесен даже на страницы «Правды» и «Известий». Снова замелькали выражения о «джазовой стряпне», о недоброкачественности, судорожности, грубости джазовой музыки, снова отвергалась народность ее происхождения, говорилось о том, что «допущение джаза на концертные эстрады является грубым извращением», об «антихудожественной какофонии». Правда, для «джаза Утесова» делалась иногда оговорка. Но в общем-то не очень старались замечать, что мы как раз и боролись против какофонии и ушираздирающей музыки за музыку мелодичную, гармоничную, напевную. А ведь «джаз Утесова» работал не в безвоздушном пространстве, и до его «ушей» долетали утверждения, что джаз – это второстепенное, неполноценное искусство, что это музыка припадочная, халтурная, слащаво-неврастеничная и, конечно же, снова кабацкая.

В эти годы нас часто приглашали выступать в институты, дома отдыха, в разные другие учреждения. В Ленинграде мы взяли на себя обязательство ежемесячно давать концерты на заводах – в обеденные перерывы.

Однажды наш оркестр пригласили в подмосковный санаторий. В санаториях вообще выступать трудно: отдыхающие хоть и жаждут развлечений, но размагничены, ко всему относятся с ленцой. А изъявление удовольствия тоже требует от человека энергии, напряжения. Это я и по себе знаю.

...В одном из первых рядов сидел Платон Михайлович Керженцев, который тогда руководил искусством нашей страны. Было известно, что эстрада не является предметом его страсти. Да он этого и не скрывал. И теперь откровенно равнодушно смотрел на сцену.

Концерт закончился, администратор-устроитель вбежал к нам за кулисы и начал торопить:

– Скорей, скорей, товарищи, машины ждать не могут. Товарищи музыканты, вам автобус. Леонид Осипович, вас ждет легковая.

Время летнее, и я, как был в своем эстрадном костюме, направился к машине, тем более что меня довезут прямо до дома. Мне надо было пройти по наружной балюстраде здания. Там стояла плетеная дачная мебель. И за одним из столиков сидел Платон Михайлович с тремя собеседниками. Один из них подозвал меня:

– Товарищ Утесов, можно вас на минуточку, у нас тут спор с Платоном Михайловичем.

Я подошел, меня пригласили сесть.

– О чем спор?

– Да вот, не любит Платон Михайлович эстраду.

– Как же так, Платон Михайлович, вы нами руководите и нас же не любите. Странное положение.

– А я и не скрываю, что считаю эстраду третьим сортом искусства.

– Думаю, что это взгляд неверный.

– Нет, это нормальный взгляд.

– А ведь Владимир Ильич был другого мнения об эстраде, – не скрывая гордости, сказал я.

Керженцев, наклонившись ко мне, спросил с угрожающими нотками в голосе:

– Откуда вам известно мнение Владимира Ильича по этому поводу?

– Ну как же, в воспоминаниях Надежды Константиновны Крупской написано, что в Париже они часто ездили на Монмартр слушать Монтегюса. Я думаю, вы знаете, кто был Монтегюс? – Типичный эстрадный артист, куплетист, шансонье. Ленин высоко ценил этого артиста.

Керженцев с насмешкой произнес:

– Да, но ведь вы-то не Монтегюс.

– Но и вы не Ленин, Платон Михайлович, – сказал я самым вежливым тоном, попрощался и ушел.

В этой атмосфере надо было жить и творить, привлекать композиторов, уговаривать их писать советскую джазовую музыку и выступать с ней на эстраде.

Атмосфера для творчества, прямо надо сказать, не очень-то благоприятная.

После статьи в «Правде» под выразительным заглавием «Запутались», опубликованной в декабре 1936 года, стало легче дышать и работать. А писалось в этой статье и о том, что «долго и крепко травили» Д. Хайта, автора авиационного марша «Все выше и выше», «пока в это дело не вмешался нарком обороны К.Е. Ворошилов и не положил предел наскокам ретивых блюстителей «музыкальной нравственности», писалось о том, что автора «ряда лучших военных песен-маршей Д. Покрасса» большое число «музыкальных деятелей» считает музыкантом «плохого тона», что «автора марша «Веселых ребят» И. Дунаевского также травили, прибегая к необоснованным и просто грязным обвинениям». И, наконец, о том, что «исполнителя ряда новых массовых мелодий Л. Утесова долгие месяцы травили, распространяя о нем всякого рода обывательские слухи». «Да, – писала в заключение «Правда», – у нас много недостатков в обслуживании населения джазовой музыкой, в частности, все еще невысока ее культура, и наряду с хорошими коллективами имеется немало халтурщиков и проходимцев. Но отсюда вовсе не следует, что надо снимать джаз с эстрады... Наоборот, следует поднимать качество, культуру этого вида музыкального творчества, столь популярного у народов СССР».

Особенно дорога нам была поддержка большинства слушателей и зрителей, и не только на концертах, но и во время обсуждений. Не менее горячо, чем противники, они отстаивали нас, спорили с рапмовцами, доказывали абсурдность их обвинений. А мы объездили с нашим теаджазом немало городов. Побывали и в Одессе.

В Одессу я ехал с особым волнением — ведь я возвращался в свой родной город через несколько лет разлуки и в совсем другом качестве. Как-то примут меня теперь! Джаз и в Одессе для многих был в новинку, а теаджаз тем более. Земляка и его оркестр одесситы приняли хорошо. В зале была атмосфера взаимопонимания и оживления. Нашим шуткам, репризам, сценкам смеялись охотно. И даже ответили своей...

Известно, если во время представления на сцене невесть откуда появляется кошка или по рассеянности залетевшая птичка, то уж, конечно, все внимание публики тотчас же переключается на это новое «действующее лицо». И пусть в этот момент на сцене сам Гамлет размышляет быть ему или не быть, пусть Отелло душит Дездемону или король Лир изгоняет свою дочь — ни один самый трагический и даже самый комический актер, о лириках я уж и не говорю, не в силах выдержать эту внезапную конкуренцию...

Я стою на сцене и пою нежную, лирическую песню о Чаките: «Ты помнишь те встречи, Чакита, ты помнишь те речи, Чакита...» и вдруг вижу, как из правой кулисы спокойно и никого не удостаивая своим вниманием выходит кошка... Должно быть, она была когда-то белой, но теперь под слоем впитавшейся в нее театральной пыли этой белизны не разглядеть. Ничуть не стесняясь ни меня, ни публики, она невозмутимо шествовала по рампе справа налево.

У меня выступил холодный пот. Прощай, лирика! Сейчас начнутся смешки, а потом и хохот. Все-таки я продолжаю петь и осторожно слежу за зрителями.

Странно, публика смотрит больше на меня, чем на кошку, но с каким-то хитрым любопытством, словно ждет, что я буду делать. Торжествуя, я делаю свое дело – спокойно заканчиваю песню. Не может быть! Я, кажется, совершил невероятное: первый из артистов победил в единоборстве с кошкой.

Закончив петь, вбегаю за кулисы и, не в силах сдержаться от пережитого волнения, набрасываюсь на старика-реквизитора:

– Безобразие! Кошки по сцене ходят! Это возмутительно!

– Ша, – говорит он, – что вы кричите, эта кошка каждый вечер выходит на сцену, ее знает вся Одесса, и никто давно уже не обращает на нее внимания.

Вот тебе и победитель!

Но естественно, что я не только «прокатывал» программу теаджаза из вечера в вечер, но и думал, что буду делать дальше? Непременно надо было изобрести такое, что не было бы повторением удачно найденного, не было бы, так сказать, эпигонством самого себя. И такое, что укрепляло бы позиции советского джаза. Кое-какие замыслы уже зарождались в голове, и тут сам бог послал мне Дунаевского.

– Дуня, – сказал я ему, – надо поворачивать руль влево. Паруса полощатся, их не надувает ветер родной земли. Дуня, я хочу сделать поворот в своем джазе. Помоги мне.

Он почесал затылок и иронически посмотрел на меня:

– Ты только хочешь сделать поворот или уже знаешь, куда повернуть?

– Да, – сказал я, – знаю. Пусть в джазе зазвучит то, что близко нашим людям. Пусть они услышат то, что слышали еще их отцы и деды, но в новом обличии. Давай сделаем фантазии на темы народных песен.

Предыдущую ночь, не смыкая глаз, я обдумывал темы фантазий, но ему я хотел преподнести это как экспромт. Я любил его удивлять, потому что он умел удивляться.

– Какие же фантазии ты бы хотел?

Я глубокомысленно задумался.

– Ну, как тебе сказать?.. – делал я вид, что ищу ответ.

– Давай-давай, думай, старик, – требовал Дуня.

– Ну, скажем, русскую. Как основу. Скажем... украинскую, поскольку я и ты оттуда родом... Еврейскую, поскольку эта музыка не чужда нам обоим... А четвертую... – я демонстративно задумался.

– А четвертую? – торопил Дунаевский.

– Советскую? – выпалил я победно.

– Старик, это слишком...

– Ничего не слишком. Советская – это ритмы сегодняшней жизни, ритмы энтузиазма и пафоса строительства, ритмы Турксиба и Днепрогэса. Представляешь, современный Тарас Бульба стоит на одном берегу Днепра, а современный Остап на другом. «Слышишь ли ты меня, батька?» – кричит Остап. – «Слышу, сынку!»

Ох, как зажглись его глаза!

И были написаны четыре фантазии, которые составили вторую программу нашего оркестра – «Джаз на повороте». Она была изобретательно оформлена Николаем Павловичем Акимовым, тогда еще молодым художником.

Народные песни России и Украины, печальные, веселые и забавные жанровые песни, распеваемые в местечках Западной Белоруссии, – все было в этих четырех фантазиях. Музыка для советской фантазии от начала и до конца была сочинена Дунаевским.

И все-таки обе эти программы, при всем их успехе, были для меня лишь подступами к мечте, пробой пера. Только третья оказалась именно тем, о чем я мечтал, когда задумывал теаджаз.

Но прежде чем начать рассказывать о третьей программе, я хочу вспомнить человека, дружба с которым многие годы творчески обогащала меня. Имя этого человека в последнее время стало популярным в несколько иной области искусства, а именно в цирке, где его поразительная изобретательность нашла себе самое широкое применение.

Арнольд Григорьевич Арнольд... Его уже нет, к сожалению, с нами. Но память о нем всегда живет среди тех людей, кто сталкивался с ним в творческих исканиях.

Мы с Арнольдом постоянно занимались различными, иногда, может быть, абсурдными придумками. Но как бы ни казались они абсурдны, в них всегда было свое рациональное зерно. Например, первая программа нашего оркестра заканчивалась песней «Пока, пока, уж ночь недалека». Когда публика выходила из зала, а потом и из театра, ее провожала эта быстро ставшая популярной песня. На улице – в Москве это было на том месте, где теперь стоит памятник Маяковскому, – на огромном экране киноизображение нашего оркестра во главе с дирижером. Люди шли к извозчикам, на автобус, на трамвай, а до них еще долго долетала полюбившаяся мелодия, мы словно каждого провожали до дома.

Это было эффектно! Это было сорок пять лет тому назад, когда не было телевидения, а радио звучало далеко не в каждой квартире. С тех пор техника шагнула далеко вперед, по Луне ходит наш «транспорт»! Но когда теперь я предлагаю повторить эту замечательную находку, то мне говорят, что технически это очень трудно сделать.

Но это – к слову.

– Арнольд, – сказал я ему однажды, – мне уже надоел сидящий на сцене оркестр. У нас начинает вырабатываться опасная неподвижность, мы скоро превратимся в статуи. Арнольд, я хочу театр, я хочу играть роли. Я хочу из музыкантов сделать актеров в буквальном смысле слова. Надо придумать что-нибудь из ряда вон выходящее, где бы мы могли развернуться в полную силу. Что ты скажешь на это, Арнольд?

Он посмотрел на меня выжидательно и сказал:

– Где могут находиться люди, играющие на инструментах? Не для публики, а для себя.

– Ну, где? Черт его знает, где... Дома, наверно.

– Дома это два-три человека. А где может собраться много музыкантов? Стой, я придумал. Там, где продаются инструменты.

– Музыкальный магазин! – торжествуя закричал я.

И тут началось бесконечное «наворачивание» идей.

В сценаристы мы пригласили Николая Эрдмана и Владимира Масса. Текст получался гомерически смешным. Все остроты и пародии были пронизаны темами дня.

Я сразу решил, что одной роли мне мало. И стал придумывать себе образ за образом, не скупясь.

Во-первых, я продавец Костя Потехин – простой парень, насмешливый и с хитрецой, под видом шутки изрекающий не совсем абсурдные музыкальные истины. В его маске можно вступить в полемику с деятелями РАПМ, высмеять их догматизм, их нежелание считаться с музыкальными вкусами людей, нетерпимость к чужим мнениям, их неспособность понимать, чувствовать и творить лирику.

Во-вторых, я крестьянин-единоличник с лошаденкой. Обманувшись сверканием медных труб, он принимает музыкальный магазин за Торгсин и привозит сдавать... навоз. Агроном ему сказал, что навоз – это золото. Тогда же мы придумали лошадь из двух танцоров, которая имела колоссальнейший успех. Она вела себя немыслимо – выбивала чечетку, лягалась, падала, раскинув ноги в противоположные стороны; хохот стоял до слез, когда я поправлял ей эти ноги и она, поднявшись, оказывалась перекрученной. Конечно, смех вызывала предельная несуразность ситуации, но кроме того, мне кажется, эта нелепая лошадь и ее хозяин невольно ассоциировались у зрителя тех лет с единоличником, упрямо не желающим расставаться со своей лошадью.

В-третьих, я американский дирижер, интерпретирующий русскую оперную музыку на американский джазовый лад, – существо наглое и самоуверенное.

И, наконец, в-четвертых, я... молодой, лиричный Утесов. Я играл, чуть пародируя, самого себя, зашедшего в музыкальный магазин в поисках новых пластинок. Мне предлагают послушать записи бандитских «романтических» песен в исполнении Утесова. Я с возмущением заявляю, что таких низкопробных песен никогда не пел и решительно отмежевываюсь от подобного репертуара. Тогда меня уличают пластинкой, которая, дойдя до последней бороздки, говорила:

– Переверните меня, я кончаюсь.

Меня немало ругали за эту «романтику» – и почему было не пошутить на эту тему самому?!

Не только я, но и каждый наш музыкант играл одну, а то и несколько ролей.

Альберт Триллинг – удивительно талантливый человек, мастер на все руки. Он играл директора магазина и играл на скрипке, танцевал и участвовал в пантомиме. Валентин Ершов изображал девушку, заглянувшую в магазин по дороге на рынок. Николай Минх, известный ныне композитор и дирижер, – настройщика роялей, Аркадий Котлярский и Зиновий Фрадкин играли гиганта-мальчишку и его маленького старенького папашу. Николай Самошников оказался удивительным артистом и неподражаемо изображал самоубийцу-музыканта, которого мы спасали, достав из воды. Он рассказывал нам, как его никуда не берут на работу, а вся его жизнь в кларнете.

– Как я вас понимаю, – сочувствовал я ему, – сам живу в контрабасе, и то тесно.

Нам было жалко музыканта, и мы просили его сыграть что-нибудь – может быть, возьмем на работу. Но после первых же душераздирающих звуков, которые он извлекал из кларнета, мы молча брали его за руки и за ноги, деловито несли к мосту и бросали обратно в воду. Возвращались, и со слезами на глазах я говорил:

– Федор Семенович, что же мы наделали! Мы живого человека утопили.

– Ну и что? – спрашивал директор.

– А вдруг он выплывет?!

Одним словом, роли были всем – и музыканты изображали самых разных людей, смешных, деловитых, глупых, мрачных, находчивых.

«Музыкальный магазин» не имел определенного сюжета, действие развивалось свободно и состояло из маленьких комических эпизодов, происходящих в музыкальном магазине в течение рабочего дня. В непрерывной смене действующих лиц, в их активности, темпераменте, манерах передавался ритм современной жизни. Джаз-обозрение было пронизано современностью, отголосками событий и споров дня. Например, Костя садился за рояль и играл какой-то дикий диссонирующий бред, который носил «идейное» производственное название, вроде тех, что обозначали произведения рапмовских композиторов. Например, «Митинг в паровозном депо». В басах у Кости звучали паровозные гудки, в среднем регистре дисгармонические трепыхания изображали шум работающих станков, а журчание в высоких – «глас народа», собравшегося на митинг. Это была откровенная и злая пародия на рапмовский формализм.

Вдруг Костя начинал плакать:

– Что с тобой? – спрашивал его директор Федор Семенович.

– Слона жалко, – отвечал он.

– Какого слона?

– Представьте себе тропический лес, по нему идет молодой культурный слон. Вдруг бах-бах! – выстрелы. Слон падает. Подбегают люди, вырезают из слона косточки, делают из них клавиши и потом на них такую дрянь играют! Жалко слона, Федор Семенович.

Что же касается чисто музыкальных номеров, то кроме джазовых пьес мы под управлением «американского» дирижера исполняли остро и занимательно переложенные И. Дунаевским на фокстротный лад арию индийского гостя из оперы «Садко», «Сердце красавицы» из «Риголетто» и некоторые мелодии из «Евгения Онегина». Это была пародия на бездушный механизированный джаз. Но вместе с тем это была и своеобразная демонстрация богатства возможностей джазовой музыки, особенно ее способности выразить иронию и сарказм. Характерно, что зрители смеялись на этом спектакле не только репризам или остротам, но и во время чисто музыкальных номеров, смех вызывала сама музыка, необычное звучание знакомых мелодий.

Я думаю, что за все сорок два года существования нашего оркестра «Музыкальный магазин» был самой большой и принципиальной его удачей.

Что делалось на представлении! Публика неистовствовала. Те, кто был на этом спектакле, а таких, наверно, осталось уже не так много, помнят, конечно, взрыв нашей джаз-бомбы.

Это был первый по-настоящему театрализованный джаз в мире. В одной из парижских газет было написано, что, в то время как на Западе джаз зашел в тупик, в России он вышел на новую оригинальную дорогу.

Наша пресса встретила «Музыкальный магазин» тоже очень доброжелательно. Журнал «Рабочий театр», например, писал: «...мы иногда долго и нудно спорим, нужен ли смех вообще, нужен ли смех на эстраде, да и сама советская эстрада (в то время вопрос о смехе и шутке, как ни странно это теперь слышать, усиленно дебатировался. Вспомните хотя бы полемическое вступление Ильфа и Петрова к «Золотому теленку» — «Что за смешки в реконструктивный период? Вы что, с ума сошли?» — *Л. У.*), а в это время на эстраде работают такие добротные мастера советского смеха, как Смирнов-Сокольский, как Леонид Утесов... Почему же, минуя все споры о нужности смеха, Леониду Утесову удалось создать по-настоящему ценный и добротный образец советского эстрадного смеха, доброкачественный номер советской эстрады, каким является его «Музыкальный магазин», показанный в последней программе «Мюзик-Холла»? Номер Утесова предельно оптимистичен... Общественная ценность номера Утесова в том-то и заключается, что, отведав бодрящего ритма его труб, саксофонов и барабанов, посмеявшись над его веселыми остротами и жестами, вкусивши безграничного оптимизма его номера, хочется с двойной энергией приниматься и за интернациональное воспитание детей, и строить силосы, и горячо помогать управдомам, и даже бороться с коррозией металлов!.. Джаз Утесова может стать великолепным общественным, политическим пропагандистом... Джаз Утесова кладет конец еще одному выхолощенному спору — об «органической упадочности» джаза. Последняя работа утесовского ансамбля с особенной яркостью опровергает эти докучные вымыслы и еще раз доказывает, что джаз — чудесная вещь и на советской эстраде».

Как явствует из этих слов, успех «Музыкального магазина» имел и принципиальный характер в этом затянувшемся споре о джазе. Мне очень понравилось, как заканчивалась статья за подписью «Тур». «Было бы, однако, непростительным легкомыслием, пожав руку Утесову после удачи «Музыкального магазина», сказать ему: «Уважаемый, вы достигли Монблана в своей области. Примите этот лавровый венок, чтобы в трудную минуту заправить им суп! Нет, товарищ Утесов, вершина еще не близка. Подбейте крепчайшими гвоздями свои башмаки, вооружитесь альпенштоком и спальным мешком и продолжайте путешествие к вершинам подлинного советского искусства с его идейной насыщенностью и совершенным мастерством. Больше мысли, иронии, злости, политической целеустремленности в ваш дорожный рюкзак! Вы крепкий и выносливый парень, и вы можете быть хорошим вожаком вашего музыкального отряда на пути к высотам советской эстрады.

Счастливый же путь! – выражаясь словами вашей финальной песни – «Счастливый путь!».

Я с особенным удовольствием прочел заключительные слова о башмаках, альпенштоке и спальном мешке, ибо они соответствовали и моему боевому настроению.

«Музыкальный магазин» был показан уже более ста пятидесяти раз, когда однажды на спектакль пришел Борис Захарович Шумяцкий, тогдашний руководитель кинематографии. После спектакля Шумяцкий зашел ко мне в гримерную и сказал:

– А знаете, из этого можно сделать музыкальную кинокомедию. За рубежом этот жанр давно уже существует и пользуется успехом. А у нас его еще нет. Как вы смотрите на это?

– «Музыкальный магазин» – это не совсем то, что надо. Из него может получиться короткометражный киноэстрадный номер. Уж если делать музыкальную комедию, то делать ее полнометражной – настоящий фильм.

– Что же для этого нужно?

– Прежде всего согласие авторов «Музыкального магазина». Сценарий должны написать Эрдман и Масс, стихи – Лебедев-Кумач, музыку – Дунаевский.

Против Эрдмана и Масса Шумяцкий не возражал, кандидатуру Лебедева-Кумача даже не обсуждал, очевидно, не зная его творчества, что же касается Дунаевского, то от него он сразу же категорически отказался. Я настаивал:

– Если вы мне верите, то уж позвольте выбрать автора музыки самому. И вообще без Дунаевского я в этом участвовать не буду.

С неохотой Шумяцкий согласился, взяв с меня слово, что я сам, по возможности, включусь в процесс создания музыки.

Может возникнуть вопрос, почему Шумяцкий так недоброжелательно отнесся к Дунаевскому. Ответ прост: хотя сам РАПМ и был ликвидирован постановлением ЦК партии, его влияние было еще достаточно сильно...

Когда вопрос о композиторе был решен, возникла проблема режиссуры. Кто у нас может поставить такой фильм? Тут уж я пытал Шумяцкого – ведь я же не знал так хорошо, как он, наших режиссеров и их возможности.

– Да вот, – сказал Борис Захарович, – вернулись сейчас из Америки Сергей Эйзенштейн и его ученик и теперь уж сотрудник, Григорий Александров. Не пригласить ли Александрова? Он, правда, самостоятельной большой работы еще не делал, но, побывав в Америке, наверняка многое видел и усвоил.

Доводы показались мне убедительными, и я согласился.

– С чего начнем? – спросил Шумяцкий.

– Привезите в Ленинград Эрдмана, Масса и Александрова. Поговорим.

Вскоре они приехали. Идея музыкальной кинокомедии всем понравилась, и мы тут же, у меня дома, начали поиски сюжетных и музыкальных коллизий, обсуждение вариантов сюжета. Главным действующим лицом, раз уж мы отталкивались от «Музыкального магазина», решили сделать того же Костю Потехина. Только теперь он превращался в пастуха. Когда самые главные вопросы, говоря языком того времени, были «увязаны» и «утрясены», Эрдман и Масс приступили к сочинению сценария, а Дунаевский – музыки, учитывая мои дружеские советы и пожелания.

Стихи писались несколькими авторами. Сказать откровенно, стихи эти мне не очень нравились, но пришло время съемок и ничего не оставалось, как пройти в первой панораме под «Марш веселых ребят» и, скрепя сердце, пропеть такие безличные слова:

«Ах, горы, горы, высокие горы,
Вчера туман был и в сердце тоска,
Сегодня снежные ваши узоры
Опять горят и видны издалека».

И так еще несколько куплетов, которые теперь я даже уже и не помню. Но конец припева запомнился мне на всю мою долгую жизнь. Обращаясь к стаду, я пел:

А ну, давай, поднимай выше ноги,
А ну, давай, не задерживай, бугай».

Несмотря на то, что я изображал пастуха, этот литературный бугай был мне антипатичен.

Хотя все уже было снято, пропето и записано, я, приехав из Гагры, где снимались натурные кадры, в Москву на павильонные съемки, тайно от всех встретился с Василием Ивановичем Лебедевым-Кумачом и попросил его написать стихи, которые соответствовали бы характеру Кости Потехина. И особенно просил его позаботиться о рефрене — чтобы никаких бугаев! И он написал ставшие знаменитыми слова «Марша веселых ребят»:

> «Легко на сердце от песни веселой.
> Она скучать не дает никогда...» —

и рефрен, превратившийся в символ того времени:

> «Нам песня строить и жить помогает,
> Она, как друг, и зовет и ведет.
> И тот, кто с песней по жизни шагает,
> Тот никогда и нигде не пропадет».

Кроме того, он написал и лирическую песню Кости Потехина «Сердце, тебе не хочется покоя».

Я с радостью забрал у него стихи, но, так как всякая работа должна быть оплачена, заплатил Лебедеву-Кумачу свои собственные деньги, не посвятив его, естественно, в эту дипломатическую тонкость.

На студии я спел эти песни. И все пришли в восторг:

— Кто, кто это написал?!

— Верните мне затраченные деньги, и я открою вам секрет! — пошутил я.

— Отдам с процентами, — в тон мне ответил Шумяцкий, — говорите скорей!

Торжествуя победу, я провозгласил:

— Лебедев-Кумач!

Я был рад успеху этих песен, но еще больше радовался тому, что с них началась творческая дружба художников, которые прежде не знали о существовании друг друга, – Дунаевского и Лебедева-Кумача. И какими плодами одарила нас всех эта встреча! И разве не вправе я радоваться тому, что стал «виновником» этого альянса.

Да, все это хорошо, но ведь панорама марша уже снята и озвучена, переснимать ее немыслимо.

Может быть, вы заметили, зритель, что, когда Костя идет по горам во главе стада и поет свою песню, артикуляция губ не совпадает со звуком. Это потому, что на отснятую пленку наложили новый звук. Конечно, если особенно не присматриваться, тогда это незаметно и не раздражает.

Песни Дунаевского и Лебедева-Кумача завоевали огромную популярность не только в нашей стране. Известно, что на совещании передовых производственников в Кремле, после партийного гимна «Интернационал», все стихийно, не сговариваясь, запели «Легко на сердце». В 1937 году Конгресс мира и дружбы с СССР в Лондоне закрылся под «Марш веселых ребят». В том же, 1937 году Поль Робсон впервые пел «Песню о Родине» Дунаевского и Лебедева-Кумача бойцам интернациональных бригад в Испании, в дни боев за Мадрид.

«Песня, которую поют миллионы, – это лучшая награда и праздник для поэта. Я бесконечно счастлив, что в моей песенной работе мне удалось угадать то, чем живет и дышит и о чем мечтает советский народ», – так, отвечая на приветствие в связи с избранием его в Верховный Совет РСФСР, говорил Лебедев-Кумач и, мне думается, очень точно определил смысл и причину популярности не только своих, но и любых других песен, вообще произведений искусства – именно в способности автора угадать то, чем живет и дышит народ.

Один раз я чуть не стал жертвой популярности этих песен.

Как-то бродя по парку в Кисловодске, я услышал звуки марша из «Веселых ребят» и хор детских голосов. Я машинально повернул в ту сторону и остановился в удивлении: на эстраде играл симфонический оркестр, а зрители – огромное количество ребят, наверно, не менее семисот, – дружно и с азартом ему подпевали. Я стоял зачарованный.

Вдруг мальчик крикнул: «Дядя Утесов!»

Ребята сорвались с мест, как ураган. Перепрыгивая через скамьи, налетая друг на друга, они бросились на меня и повалили наземь... В голове мелькнуло, что я близок к смерти, что я задохнусь под тяжестью детских тел, и передо мной уже начали прощально проноситься интересные моменты из моей жизни...

Подоспевшие взрослые «откопали» меня в полубессознательном состоянии.

Всю ночь потом мне мерещились ребята, которые ползали по мне, душили в объятиях и горланили: «Дядя Утесов!», «Дядя Костя!» И я еще долго обходил стороной мало-мальски значительные ребячьи скопления. От этой «ребятобоязни» меня вылечили ташкентские пионеры.

Мы гастролировали в Ташкенте. Вечером, накануне выходного дня, с барабанным боем в номер гостиницы вошла делегация школьников. Шедший впереди карапуз, не обращая внимания на мою растерянность и изумление, начал сейчас же произносить речь:

– Дядя Утесов, завтра ты и твои веселые ребята должны приехать к нам во Дворец пионеров на встречу нового учебного года.

Во время речи я опомнился и хотел было уже спросить, будут ли там взрослые, но вовремя удержался, вспомнив, что меня приглашают вместе со всем оркестром.

Утром мы приехали во Дворец. У входа нас встречали октябрята, пионеры и школьники старших классов. Играла музыка, развевались флаги, пестрели гирлянды цветов.

Семь тысяч детей пришли на этот праздник, семь тысяч вопросов стрелами посыпались на нас от всего этого веселого племени.

Выстроившись рядами, ребята вышли из сада и зашагали по улицам города. Прохожие останавливались и смотрели на это веселое шествие. Всех счастливее был я, шедший впереди детей, как вожак. Детство и ватага одесских мальчишек вспомнились мне в эти минуты. Я шел и дирижировал оркестром и хором в семь тысяч голосов, певших марш из «Веселых ребят», – таким большим хором мне, по правде сказать, дирижировать еще не приходилось.

«Веселые ребята» были первой советской музыкальной комедией. Ее поддержал А. М. Горький: «Нужно, – говорил он, – чтобы советское кино развивало этот полезный нам вид искусства».

Фильм имел необыкновенный успех у зрителей – жизнерадостный фильм для жизнерадостных людей, как и они, он был полон уверенности в том, что талант – это величайшая ценность и в нашей стране он рано или поздно найдет себе признание. А бездарность, зазнайство, назойливая самоуверенность будут посрамлены. И музыка, и трюки, и сам сюжет, и эксцентричное поведение героев – все это, как веселый хоровод, увлекало за собой. Но, главное,

12-949и

Площадь Свердлова. 9 мая 1945 г.

Елена Осиповна Утесова

Аркадий Островский

Леонид Осипович Утесов

Спектакль «Шельменко-денщик»

А. Ревельс и В. Новицкий

А. Кандат, А. Дидерихс, О. Кандат. 1925 год

А. Кандат, А. Дидерихс, О. Кандат. 1968 год

С Дюком Эллингтоном и Николаем Минихом

С Аркадием Райкиным и Арамом Хачатуряном

На репетиции

С Франсисом Лемарком

С друзьями-коллегами

Семейный дуэт

Леонид Утесов читает письма зрителей

В Лондоне

«Песне надо отдавать себя сполна»

С Владимиром Хенкиным они дружили с 1912 года

Е.А. Фунцева поздравляет Л.О. Утесова со званием народного артиста СССР

На праздновании 70-летнего юбилея артиста. Мишка – подарок от московского цирка

Одесситы исполняют зажигательный танец в честь юбиляра

На «Голубом огоньке»

С Павлом Марковым

С Лидией Руслановой

фильм покорял какой-то бессознательной, из нутра идущей уверенностью, что человек нового общества «все добудет, поймет и откроет».

Фильм полюбился всем, от мала до велика. Стало приходить множество писем с выражением восторга, с поздравлениями и с пожеланиями, а в некоторых были критические замечания, советы, даже недоумение: «Дорогой товарищ Утесов, вы молодец, что сумели из пастуха стать дирижером и музыкантом. Это очень хорошо, но одного я вам не могу простить. Как вы, пастух, человек пролетарского происхождения, могли влюбиться в Елену? Ведь она буржуйка! А вот Анюта – рабочая девушка, и голос у нее замечательный. Елена же не поет, а рычит. Это ваша серьезная ошибка». Я ответил девушке: «Вы правы, Наташа, но уверяю вас, что это вина сценариста».

Жизнерадостный фильм покорял не только советского зрителя, но зрителя в любой стране, где бы он ни демонстрировался: огромный успех на фестивале в Венеции, в Нью-Йорке, где о нем писали: «Вы думаете, что Москва только борется, учится и строит? Ошибаетесь, Москва смеется! И так заразительно, бодро и весело, что вы будете смеяться вместе с ней». Сам Чарли Чаплин, мастер комедии, написал, что «до «Веселых ребят» американцы знали Россию Достоевского. Теперь они увидели большие перемены в психологии людей. Люди бодро и весело смеются. Это – большая победа. Это агитирует больше, чем доказательство стрельбой и речами».

Конечно, как первый опыт, как проба пера «Веселые ребята» были несвободны и от недостатков – действительных и мнимых. Энергия била в нас через край, и нас упрекали за чрезмерную эксцентричность,

13-949и

преувеличения. Особенно доставалось моему Косте, неугомонный характер которого никак не укладывался в «нормы» и «параграфы» умеренности.

И все же, несмотря ни на что, «Веселые ребята» сыграли свою большую роль в истории создания советской кинокомедии. И этого у них не отнять. Заслуги авторов, руководителей и участников этого фильма были отмечены правительством.

Я радовался вместе со всеми и успеху картины и любви к ней зрителей, но должен признаться, что от этих самых «Веселых ребят» мне нередко приходилось впадать в грусть.

Я расскажу об этом не только для того, чтобы выговориться и облегчить душу, и уж, конечно, совсем не для того, чтобы сказать, что мне недодали порцию славы, – картина прошла по всему миру, чего же лучше! – я расскажу об этом, чтобы восстановить истину.

Когда в Москве состоялась премьера фильма, я был в Ленинграде. Получив «Правду» и «Известия», я с интересом стал читать большие статьи, посвященные «Веселым ребятам», и не мог не удивиться. В обеих статьях были указаны фамилии режиссера, сценаристов, поэта, композитора, всех исполнителей, даже второстепенных ролей, и не было только одной фамилии – моей. Будь это в одной газете, я бы счел это опечаткой, недосмотром редактора, но в двух, и центральных, – это не могло быть случайностью.

Естественно, я взволновался, но вскоре все стало проясняться, ибо до меня начали доходить слухи, что обо мне распускаются всякие небылицы. Темперамент воображения сплетников разыгрался до того, что они даже «убежали» меня за границу.

Прошли годы, и неутомимые «Веселые ребята» выдали мне новую порцию огорчений. Без моего ведома фильм был переозвучен... частично: песни Кости Потехина стал петь другой певец. Ему было сказано, что это делается по моей просьбе.

Результаты этого «переозвучивания» сказались тут же: в редакции газет посыпались письма с возмущением и протестами, даже обвинениями в искажении творческого документа определенной эпохи, каким является этот фильм.

Мне и зрителям обещали вернуть Косте Потехину его голос, но обещанного, как известно, три года ждут. Спасибо телевидению, что оно показало подлинный экземпляр, хотя и значительно потрепанный.

Но на этом сюрпризы «Веселых ребят» не кончаются.

Пришло время искать этому фильму место в истории советской кинематографии. И вот в бюллетене Госфильмфонда, в выпуске третьем, сказано: «В фильме виртуозно использовалась музыка Дунаевского, которого Александров «открыл» для кино».

Я утешаюсь тем, что «Веселые ребята» по-прежнему бодро шествуют по экранам и веселят зрителей. Впрочем, они мне не все печали – приносили и радости. Когда отмечалось пятнадцатилетие советского кино, Г. Александров получил орден Красной Звезды, Любовь Орлова – звание заслуженной артистки, а я – фотоаппарат.

«Веселые ребята» не были моим кинематографическим дебютом, до этого я уже снимался в немом кино. Самый-самый первый раз, от которого не осталось у меня ни снимка, ни кусочка пленки, ни даже сюжета в памяти, я играл адвоката, защитника лейтенанта

Шмидта, Зарудного, в картине «Лейтенант Шмидт». А через несколько лет – в двух больших фильмах, не ставших шедеврами кинематографии и не соблазнивших меня на переход в великое немое искусство. Вы же понимаете, что превратить меня в немого трудно – легче в покойника.

Потом, во время войны, я снялся в нескольких киноконцертах – этот жанр был тогда очень распространен. Пленка сохранила исполнение нескольких песен: «Одессит Мишка», «Раскинулось море широко», «Пароход», «Будьте здоровы, живите богато», «Жди меня», «Темная ночь», которую, кстати, я пел задолго до фильма «Два бойца». Многие эти кадры можно увидеть теперь в фильме «С песней по жизни», который совсем недавно, в 1971 году, сняло телевидение. В него вошли и многие архивные материалы, в частности отрывки из фильма «Международная карьера Спирьки Шпандыря», а также сцены из «Музыкального магазина».

Мои ранние работы в кино и «Веселые ребята» разделены годами. После большого перерыва я особенно остро ощутил, как изменился самый метод работы кинематографа с артистом, и позавидовал молодому поколению. Самым приятным для меня впечатлением от съемок этого фильма было именно то, что я перед камерой мог, да не мог – должен, обязан был вести себя естественно и просто. И порой я действительно забывал о камере. Как ни странно, я убежден, что нигде «четвертая стена» Станиславского так необходима актеру, как в кино. Нет, с моей точки зрения, труднее задачи, чем создать ее для себя перед камерой. Мертвый глаз объектива, а рядом с ним деловые глаза и озабоченные лица операторов и режиссера, думающих, конечно, о том, как снять тебя получше, действуют на меня отрезвляюще и расхолаживают. От них никак не удается полностью отгородиться. Хотя, может быть, им самим деловое настроение и не мешает воспринимать твою игру непосредственно и эмоционально, но в их глазах это редко отражается. А для меня глаза зрителя – все.

Однако вернемся к нашим джазовым программам.

«Музыкальный магазин» заканчивался песней Дунаевского «Счастливый путь», которая быстро стала популярной. После успеха спектакля эта песня и нам самим стала казаться пророческой. Перед нами было много дорог – и все счастливые. Мы бесстрашно вступили на ту, что представлялась нам наиболее обещающей.

Успех джазового переложения классической музыки натолкнул нас на мысль поставить программу на тему оперы «Кармен» – «Кармен и другие». Возможностей тут было множество. Здесь можно было пародийно обыгрывать и ситуации сюжета и оперные штампы.

Мы до предела развили то, что открыли в предыдущем спектакле, добавляя соли и перцу в знакомые мелодии, делали их по-джазовому острыми и своеобразными.

Но недаром считается, что самое трудное испытание – это испытание успехом. После «Музыкального магазина» наш оркестр увеличился вдвое, возникла балетная труппа из сорока девушек, и в нашем представлении появилось что-то фундаментальное, солидное, оно утратило легкость, камерность, лиричность, интимность в хорошем смысле слова.

Это было, конечно, огорчительно, но это означало, что надо учесть ошибки и не повторять их. Мысль и желание верные, только все дело в том, что ошибку часто осознаешь, особенно в искусстве, не тогда, когда ее совершаешь, а когда она уже сделана.

Но промахи этого спектакля относились больше к постановочным моментам, а не к идее джазового переложения классической музыки. И в дальнейшем мы постоянно включали в свои программы симфонические произведения Чайковского, Прокофьева, Дебюсси, Глинки, Хачатуряна.

Новые программы мы выпускали ежегодно и для каждой старались найти не только новое содержание, но и какие-то новые принципы, новые пути для движения вперед. Программы эти получались то лучше, то хуже. И если они иногда оказывались не такими, какими бы я хотел их видеть, то не от лености мысли, не от самоуспокоенности, не от самоуверенности, а от слишком большой увлеченности, которая иногда слепит, от боязни повторений, боязни топтания на месте.

Тремя вещами горжусь я в своей жизни: тем, что первым начал читать советские рассказы на эстраде, что придумал театрализованный джаз, что первым начал петь советские лирические песни.

Почти с самого начала, но особенно с «Джаза на повороте» я все больше убеждался, что советская песня должна стать основой нашего репертуара. И вскоре уже я не мог себе представить, что мы выйдем к зрителю без новой песни. Для меня как артиста песня имела исключительное значение — она помогала мне, лично мне, вступать в душевный контакт со зрителем, ощущать себя заодно со всеми, быть в общем единстве. В песне, которая шла непосредственно от сердца к сердцу, возникал мой диалог с людьми, через песню я мог делиться с ними своими мыслями и чувствами.

Мои песни – это моя лирическая речь, обращенная ко всем. У эстрадных певцов, как ни у каких других, есть такая счастливая возможность говорить со зрителем от своего лица. Ибо в оперном и камерном пении певец чаще всего хоть и главный, но все же инструмент в общем ансамбле.

В двух наших программах, «Два корабля» и «Песни моей Родины», советская песня была представлена особенно широко.

Странные судьбы бывают у песен: одни рождаются и в самом своем младенческом возрасте умирают, не успев даже утвердить свой голос, другие живут долго и незаметно исчезают, третьи – ярко сверкнут, быстро износятся и угаснут. Есть песни, которые живут, умирают и снова возрождаются.

Вот, например, «Раскинулось море широко» – это песня начала века, песня, которую я пел еще в детстве, да и кто не пел ее в Одессе? А потом она была забыта. И вдруг через тридцать с лишним лет снова завоевала сердца слушателей и, может быть, даже больше, чем прежде.

В спектакле «Два корабля» в первом акте показывался старый флот и трудная доля матроса, а во втором – советский флот, с его морской дружбой, осмысленной дисциплиной, товарищеским отношением между командирами и подчиненными. Естественно, что второй акт шел на советских произведениях. А вот для первого нужно было что-то контрастное – песня с трагическим сюжетом. Мы долго искали ее, пока я не вспомнил песню своего детства.

Она снова полюбилась, ее пели повсюду, много, часто, даже, может быть, слишком часто. Таких «воскресших» песен можно назвать немало. Любой хороший ансамбль песни и пляски считает своим долгом разыскать и возродить какую-нибудь старую песню. По-современному аранжированные, эти полезные ископаемые искусства и новым поколениям приносят радость.

Песня «Раскинулось море широко» стала так популярна, что некоторые наиболее «находчивые» слушатели приписывали себе ее авторство. Да вот совсем недавно я получил письмо от одного человека, который с самым серьезным видом утверждает, что эту песню он написал в 1942 году и посвятил ее своему товарищу, погибшему во время перехода из Керчи в Новороссийск. Вот ведь какое бывает смещение представлений о времени и пространстве у слишком впечатлительных людей!

Секрет одной песни я рискну теперь открыть, даже несмотря на то, что может возникнуть ассоциация с «находчивыми» слушателями.

Я не утверждаю, что и сейчас все знают эту песню, но в свое время она была достаточно популярна – это «Спустилась ночь над бурным Черным морем». В некоторых сборниках ее помещают в разделе «Народные». Есть даже люди, которые убеждали меня, что слышали ее в начале века.

Историю этой песни знаем только я, тромбонист нашего оркестра Илья Фрадкин и весь оркестр того периода.

Когда «Раскинулось море широко» было так запето, что петь ее с эстрады было уже неловко, я подумал: это хорошо, что песня ушла в народ, но теперь надо заменить ее родственной по духу.

Фрадкин изредка писал текст для песен, и это у него получалось совсем неплохо. Однажды я ему сказал:

— Илюша, надо написать песню, похожую по настроению и содержанию на «Раскинулось море широко». Я уже и музыку сочинил. Вот послушай. — Я напел ему мелодию. Мелодия ему понравилась, оставалось найти только конкретную тему песни. Тема... тема... Вдруг меня осенило воспоминание — Вакулинчук, матрос с «Потемкина», погибший за товарищей... У его ног я мальчишкой стоял на одесском молу. Надпись на его груди: «Один за всех и все за одного» — никогда не уходила из моей памяти. — Илюша, песня должна кончаться этой фразой: «Один за всех и все за одного».

Фрадкин написал стихи. По-моему, хорошие стихи. Но открываться в своем авторстве мы боялись — опасались насмешек, недоверия, высокомерного отношения к композиторско-поэтической самодеятельности артистов. Мы решили скрыться под псевдонимом «народная». «Народ у нас могучий, все выдержит и даже нашу песню», — решил я. И пошел к одному из начальников, ведавших в то время искусством.

— На днях, — сказал я ему, — я получил письмо от старого матроса, он прислал мне песню — слова и несколько строчек нот. Он и его товарищи распевали ее в начале века.

— Спойте, — сказало руководящее лицо.

— «Спустилась ночь над бурным Черным морем», — запел я взволнованно: как-никак тайный, а все-таки автор.

Начальник слушал, и в глазах его были все те чувства, на которые мы с Илюшей и рассчитывали. Когда я кончил, он сказал:

— Ну, скажите мне, товарищ Утесов, почему народ может сочинять такие замечательные песни, а композиторы и поэты не могут?

Ах, как хотелось мне ему открыться, но я боялся, что тогда песня понравится ему меньше.

Вот и вся тайна. В свое оправдание могу только сказать, что подобные мистификации в искусстве, даже и классическом, известны. Мериме выдавал свои драматургические опыты за театр Клары Газуль, знаменитый скрипач Крейслер объявлял свои произведения обработкой сочинений старинных композиторов: «Прелюдия аллегро Пуниани-Крейслер». Никакой Пуниани ничего подобного не писал. Но это выяснилось уже тогда, когда Крейслеру было нестрашно сознаться в содеянном «подлоге».

Как мне теперь.

Успех новых лирических песен и песен из фильма «Веселые ребята» подсказал нам, что можно составить целиком песенную программу. Таких опытов тогда еще никто не производил. Идея нам так понравилась, что ради нее мы даже до некоторой степени пожертвовали театрализацией и построили программу «Песни моей Родины» по типу концерта. «Партизан Железняк», «Полюшко-поле», «Тачанка» были впервые исполнены именно в этой программе. И то, что они вскоре стали популярны, что их запел народ, подтвердило и правильность идеи и точность выбора.

Когда мы уже готовили программу, поэт А. Безыменский прислал мне письмо, в котором предлагал очаровавшую его французскую песенку с ироничным рефреном «Все хорошо, прекрасная маркиза». Сам он услышал ее на пластинке. Песня ему так понравилась, что он перевел ее на русский язык. Нам она понравилась тоже, и, хотя «Маркиза» выпадала из общей программы концерта, мы все же рискнули включить ее в свой репертуар. И не ошиблись. Вскоре песенку запели все: ироничный текст легко подходил к любой бытовой ситуации, выражение «все хорошо, прекрасная маркиза» стало почти поговоркой, и до сих пор его еще можно кое-где услышать. Но не только к бытовым ситуациям было применено это выражение. Илья Набатов в связи с событиями на озере Хасан создал на основе «Маркизы» политические куплеты «Микадо», где парадоксальность оптимизма была как нельзя более кстати. Эти куплеты всегда имели какой-то, я бы сказал, веселый успех.

Объединенная если не сюжетом, то главной мыслью программа «Песни моей Родины» была своеобразным поэтическим воспоминанием о недавних славных годах военных побед молодого Советского государства.

Идея концерта оказалась настолько плодотворной, что через три года под тем же названием «Песни моей Родины» мы собрали новые произведения: «Служили два друга» С. Германова, «Степная кавалерийская» В. Соловьева-Седого, «Гренада» К. Листова, «Казачья» Д. Покрасса («То не тучи, грозовые облака»), «Весенняя» Н. Чемберджи. Вошли сюда также и народная грузинская песня «Сулико», белорусская застольная «Будьте здоровы» и другие – современные и старинные, лирические и шутливые, патриотические и героические. Такие программы были как бы музыкальным портретом общества, картиной его настроений, вкусов, устремлений.

В эту вторую программу вошли и стихотворные произведения. Например, Безыменский перевел для нас политический памфлет чешских поэтов Восковеца и Вериха «Палач и шут». Этот памфлет был направлен против Гитлера и имел тогда острое политическое звучание. Особенной популярностью он пользовался в годы войны.

Для этого памфлета была найдена своеобразная форма подачи. Я исполнял его как речитатив с декламацией под гротесково-иронический аккомпанемент джаза — оркестровку сделал наш пианист Н. Минх. Что-то в этом произведении было от «Блохи» Мусоргского.

Не только зрители, но и пресса благожелательно встретила наши поиски новых форм тематического концерта, объединения советских песен в одной программе. Газета «Правда» в номере от 11 августа 1937 года писала: «Большой похвалы заслуживает джаз-оркестр Леонида Утесова, выступающий, в эстрадном театре Центрального Дома Красной Армии. Оркестр этот ищет новых путей, новых тем и находит их в богатейшей сокровищнице народной песни, в боевом, актуальном песенном материале советских поэтов и композиторов».

Так постепенно я становился певцом, главным образом певцом, хотя и не отказался от своей мечты создать новый джаз-спектакль.

Я мечтал о пьесе, в которой оркестр мог бы стать главным действующим лицом и где музыкальное действие и жизненные психологические ситуации сливались бы в органическом единстве, где стало бы закономерным соседство игры драматического актера и исполнение эстрадных номеров и песен.

Я понимал почти фантастическую трудность такой задачи. Но упорно не только искал, но и пробовал воплощать свой замысел: заказывал авторам специальные пьесы. Мы репетировали и «Пламенную личность», и «25 робинзонов», и «Всего понемногу», но через некоторое время убеждались, что все это «не то», и прекращали работу на полпути. Каждая такая попытка стоила труда, нервов, здоровья – мы, не жалея, тратили их, а когда трезвым взглядом оценивали результаты, то огорчались не тем, что потратили все это даром, а тем, что так и не достигли своей цели, что всё так же далеки от нее.

Но мы не сдавались.

Успех «Музыкального магазина» и «Веселых ребят» убеждал нас в том, что, выбирая репертуар, мы можем почти не ограничивать себя, что нам по силам и водевили, и сатирические обозрения, и даже большие комедии.

В 1936 году рискнули взять пьесу «Темное пятно», которая до этого имела успех в драматических театрах. Пьеса немецких комедиографов Г. Кадельбурга и Р. Пресбера очень годилась для музыкального спектакля того типа, который за рубежом, да уже и у нас, называют мюзиклом. Мы ее поставили задолго до того, как мюзиклы появились на Западе.

Уж если произнесено это слово, то хочу, кстати сказать, что совсем недавно у нас, к сожалению, нередко путали два понятия, два термина, звучащих очень похоже, но совершенно разных по своей сущности: «мюзик-холл» и «мюзикл». Мюзик-холл – это эстрадный концерт, ревю, где номера могут быть иногда объединены какой-то одной мыслью, одной задачей, но это разные номера, а мюзикл – это прежде всего пьеса, чаще всего настоящая драматургия. Примеры тому – «Пигмалион» Шоу, превращенный в мюзикл «Моя прекрасная леди», пьеса «Скрипач на крыше», сделанная по роману Шолом-Алейхема

«Тевье-молочник», «Оливер Твист» Диккенса, поставленный в кино, и многие другие произведения. Как видим, кое-что мы уже и сами имели из того, что принято называть мюзикл.

Все это мы имели, все это мы поругивали, и всего этого мы на долгие годы лишились. Получилось по известной поговорке: «Что имеем не храним, потерявши – плачем». Нередко рецензенты вспоминают наши удачи и предъявляют претензии к мюзик-холлу, ища в нем то, чего в нем быть не должно, чего искать в нем не следует. Совсем как в старой цирковой репризе. Рыжий бродит по арене, что-то ищет и плачет. Шталмейстер спрашивает его:

– Что вы ищете?

– Запонку, – отвечает клоун.

– А вы ее здесь потеряли?

– Нет, я потерял ее в переулке, где живу.

– Почему же вы ищете ее здесь?

– Потому что здесь светлее.

Нужен ли нам мюзикл? – Нужен, ох как нужен. И если кто-нибудь решится на создание такого спектакля, я предсказываю ему успех, и славу, и благодарность зрителей.

Кто-то может спросить: а в чем разница между мюзиклом и опереттой? Мне кажется, в качестве драматургии, лежащей далеко за пределами установившихся опереточных коллизий. Кстати, эта путаница терминов напомнила мне, что одно время и оперетту называли двояко: то оперетта, то оперетка. Когда Ярона спросили, какая разница между опереттой и опереткой, Григорий Маркович с присущим ему остроумием ответил:

– Такая же, как между Маней и Манечкой.

Но вернемся к «Темному пятну».

В этой трехактной комедии рассказывалось об уродствах расовой дискриминации.

Дочь немецкого барона уезжает в Америку, выходит там замуж за негра-адвоката и вместе с ним возвращается в Европу, чем ставит свою аристократическую родню в невероятно тяжелое положение. Комические и драматические ситуации непрерывно сменяли друг друга и держали зрителей в неослабном напряжении.

Пьеса эта всегда нравилась мне своим остроумием. Для того чтобы поставить ее в нашем оркестре, требовалась одна маленькая «операция»: адвоката Вудлейга я превратил в дирижера джаз-оркестра, с которым он приезжал на гастроли в Европу. Это-то и пополнило список персонажей пьесы новым «действующим лицом» — джаз-оркестром, и ни одного слова в тексте пьесы менять не было нужно.

Дунаевский написал для нового «действующего лица» очаровательные музыкальные номера. Ни о чем я так не жалею, как о том, что пропала вся партитура этой музыкальной пьесы. А в ней были подлинные шедевры творчества Дунаевского. Такие песни, как «О, помоги», колыбельная «Джунгли», «Музыкальный паровоз».

Ставить этот спектакль мне помогал Давид Гутман. Мы придумали с ним множество эффектных сценических трюков. Ну, скажем, маленький, почти игрушечный автомобиль, не больше метра в длину, из которого выходил весь наш оркестр; или живой двигающийся паровоз, который на глазах у зрителей сооружался из людей и инструментов; и множество других фокусов.

Ах, если бы я был еще сейчас в необходимом для этого представления возрасте, с каким удовольствием поставил бы его снова и снова в нем играл. Я уверен, что «Темное пятно» и сегодня произвело бы острое и злободневное впечатление.

Одно за другим создавали мы наши театрализованные представления: за тринадцать лет – до сорок первого года – мы выпустили более десяти музыкальных спектаклей: «Много шуму из тишины» с большой выдумкой поставил Алексей Григорьевич Алексеев. Популярными тогда стали две песни: «Му-му» (помните? – «Если б жизнь твою коровью исковеркали любовью...») и «У меня есть сердце, а у сердца песня...»

Потом, в 1940 году, Николай Павлович Охлопков поставил нам «Царевну Несмеяну» Н. Эрдмама и М. Вольпина. Текст был такой остроумный, что публика покатывалась со смеху.

Эта пьеса была сделана в духе лубка и чем-то напоминала подобные произведения Н. Лескова. Как и в русской сказке, здесь надо было рассмешить дочь царя Гороха – Несмеяну Гороховну. Царь, прослышав о веселом джазе, при помощи свиты находил дверь, на которой «черным по медному» было написано «Утесов», будил отдыхающего после концерта артиста, представлялся ему и излагал просьбу.

– Единственная дочка. Царевна. Красавица. Создал ей, кажется, все условия. Жить бы да радоваться. А она плачет, плачет и плачет... Прямо неловко перед другими царями.

Огорошенный, в буквальном смысле слова, артист проверял, не спит ли он, и шептал:

– Пятью пять – двадцать пять... Шестью восемь – сорок восемь... восемью восемь – шестьдесят четыре...

угол падения равен углу отражения, тысяча двести двадцать четвертый год – битва при Калке, Жозефина – жена Наполеона, Восьмое марта – Международный женский день, Эльбрус – 5630 метров, «Казбек» – 25 штук 3 рубля 15 копеек... Нет, не сплю. Послушайте, а вы действительно царь Горох?

Убедившись, что царь взаправдашний, он соглашался и подписывал «типовой договор» – термин этот потом много раз обыгрывался, – который в случае удачи обеспечивал ему Несмеяну в жены и полцарства.

– Условия приличные, – соглашался артист и отправлялся со своим джазом в царство Гороха. По дороге случалась буря, и Утесов как бы тонул, а его заменял боцман-лоцман Никанор Иванович, лихой моряк, который знает столько анекдотов, что может рассмешить весь мир (эту роль тоже играл я).

Претендентов на Несмеяну и полцарства было немало, но все неудачные, и они отправлялись на плаху.

Сцена с палачом была особенно смешной. Палача великолепно играл Самошников.

Он ожидал своих клиентов у плахи с видом превосходства и пребывал в элегантной, изящно-соблазнительной позе, в какой обычно стояли мужчины на страницах тогдашних журналов мод или в витринах парикмахерских. Но чувствовалась в этой позе и какая-то скука – от однообразия работы. В лениво-небрежной руке поигрывал топор.

Когда боцман Никанор Иванович, узнав, что за неудачу ему полагается «усекновение головы», говорил «ой» и садился в растерянности на плаху, палач назидательно, пренебрежительным тоном поучал его:

— Зачем же вы так некультурно поступаете: вот вы на нее садитесь, а потом будете голову класть.

Палач был очень пунктуален и, когда, взмахнув топором над клиентом, глянул на часы, тотчас опустил топор и вывесил табличку: «Плаха закрыта на обед».

Палач был мощный детина, косая сажень в плечах. Но когда, приступая к обеду, он снимал рубаху, то оказывался тщедушным фитюлькой: косая сажень была накладная.

Не теряющий надежды спастись боцман звонил по телефону своему приятелю Савелию, чтобы тот напомнил ему его самые смешные анекдоты. Этот номер весь шел на смехе. Я произносил только несколько слов, слушал, что говорил мне Савелий, и начинал неудержимо смеяться. Трудность номера заключалась в том, что в эти несколько минут непрерывного смеха характер его не должен был повторяться. Мне удавалось показать все стадии и особенности смеха.

Когда боцману все-таки приходилось идти на плаху, объявлялся подлинный Утесов — я тут же снимал парик, усы и костюм и просил у царя разрешения посмотреть на Несмеяну, чтобы вдохновиться для шуток ее красотой. Царь разрешал. Я поднимал покрывало, взглядывал на Несмеяну и, не говоря ни слова, шел к плахе, клал голову и говорил:

— Рубите. Впрочем, постойте, может быть, она в профиль немного поинтереснее.

Но и после созерцания профиля еще более решительно подходил к плахе:

— Рубите.

Дело кончалось тем, что палач рубить голову отказывался.

– Не могу же я ему голову рубить, когда я у него в джазе работаю, – признавался он.

На что царь Горох отвечал:

– Ничего я с тобой не могу сделать, я сам у него в джазе работаю.

Вся свита и даже сама Несмеяна признавались, что они из джаза. А настоящая царевна Несмеяна – это лишенные юмора зрители, которые всегда имеются на любом концерте.

Мы старались, чтобы каждая наша программа, даже просто концертная, была насыщена юмором и смехом – без шутки не представляю себе ни концерта, ни жизни, – и это нам чаще всего удавалось: с нами охотно работали самые остроумные авторы того времени.

Всю мою жизнь наблюдал я странный парадокс поведения публики: как бы ни был интересен концерт или спектакль, за несколько минут до последних реплик или нот кто-то обязательно бросается «за галошами». С этим бороться, пожалуй, еще труднее, чем с театральными кошками. И вот в одной из программ мы сделали такой финал: когда с мест сорвались первые нетерпеливцы, я сказал:

– Вы знаете, за чем они бегут? А вот за чем, – и с колосников на сцену спустились галоши, шапки, зонты, пальто.

– А что там творится, знаете? – и в зал начал транслироваться гардеробный шум с удивительно нелепыми и потому смешными репликами.

– А что из этого получается? – спрашивал я и через секунду появлялся на сцене в изодранном пальто, всклокоченный и с безумными глазами. Не могу, правда, сказать, чтобы это оказывало отрезвляющее воздействие на торопливых зрителей, по-моему, они несутся в гардероб до сих пор.

Песня извозчика была поставлена как лирический номер. Номер начинался с того, что я читал «Тройку» Гоголя. Потом все музыканты в креслах поворачивались, и на сцене оказывался целый ряд извозчиков в тулупах, терпеливо ожидающих седока. На их фоне я и пел ставшую быстро популярной песню «Тпру, старушка верная».

Интересным, с моей точки зрения, и полемичным был номер, поставленный по произведению М. Горького «Город Желтого Дьявола». Вот где мы могли показать, что такое настоящая джазовая какофония — «музыка толстых». Мы исполняли номер с душераздирающими диссонансами и оглушительностью. И особенно трагично на этом нечеловеческом фоне выглядела фигура безработного и звучала его песня. Мне удавалось проникнуться драматизмом этого образа, и песня всегда вызывала у зрителей самый горячий отклик.

Остроумной и веселой была еще одна театрализованная джазовая постановка, еще одна попытка поисков нового жанра. Я имею в виду джаз-водевиль «Много шуму из тишины», который специально для нас написан д'Актилем, Н. Эрдманом и М. Вольпиным. Водевилей нам играть еще не приходилось, и поэтому мы работали с большим увлечением.

Действие водевиля происходит в санатории для сердечников под названием «Спасибо, сердце!». И в этом санатории так усиленно, с таким остервенением борются за тишину, что от шума этой борьбы не знаешь, куда деваться.

Здесь было много веселых, остроумных сценок, реприз и, конечно, куплетов и танцев, без которых не бывает водевилей. Наши актеры-музыканты работали над ролями с удовольствием, и пресса как наибольшие удачи отмечала исполнение Р. Юрьевым роли «заведующего тишиной», Эдит Утесовой роли доярки и веселого повара Н. Самошниковым.

С моей точки зрения, самым интересным в этом спектакле было то, чего я всегда старался добиться. Комизм был не только в словесных сценах, но и в музыкальных. Мы достигали тут того необходимого единства стиля и средств, без которых не может получиться настоящий джаз-спектакль.

Некоторые эпизоды были показаны чисто музыкальными средствами и пантомимой. Популярная в то время скрипичная пьеса «Пчелка» вплеталась в саму фабулу спектакля своеобразным действующим лицом, ибо передавала жужжание пчелы, нарушающее тишину.

Н. Самошников, играющий повара, был у нас в оркестре ударником, и его виртуозная дробь изображала не менее виртуозную и вдохновенную рубку котлет на кухне.

Скрипачи имитировали поющие разными голосами скрипучие двери.

Наш звонкий и горластый джаз умел, когда надо, — а в этом водевиле это надо было часто — быть мягким, нежным и трогательным.

И второе отделение, уже концертного характера, тоже было удачным, — почти все песни, которые были исполнены там впервые, скоро стали очень популярны. Также стали популярны песни из водевиля:

«У меня есть сердце» Д. Сидорова и песенка доярки «Му-му» из смешной сцены «В коровнике».

В этом же, втором отделении была исполнена «Юбилейная фантазия», посвященная десятилетию оркестра, составленная из наиболее популярных мелодий прошедших лет. Она была с интересом встречена слушателями, и мы к этому приему впоследствии не раз обращались – он себя всегда оправдывал. Думаю, что такие, говоря тогдашним словом, попурри особенно интересны потому, что, заставив оглянуться назад, они помогали вспомнить волнения, интересы, злобы дня прошедших лет и позволяли сравнить с этими прошедшими годами свое сегодняшнее состояние, почувствовать этапы своего развития, смену вкусов, пристрастий и антипатий. И то, что десять лет назад встречалось порой в штыки, теперь оказывалось близким, неотъемлемым от прошедших лет. Я часто замечал, что на какую-то песню при появлении обрушивается град ругательств; как только ее не называют – и пошлой, и примитивной, и «чуждой духу», и легкомысленной, и дешевой, и немелодичной. А потом, глядь, проходит время – и кажется, что было бы неестественно, если бы этой песни не было вовсе, что она должна быть, со всеми спорами вокруг нее, что она, оказывается, выразила какую-то сторону мироощущения того конкретного периода. Тут можно назвать и такие песни, как «Полюшко-поле», которую при появлении и за песню не считали, или «Цветочница Анюта», или «Ягода», которую столько лет и с таким успехом пела Шульженко.

Да, много было у нас веселых, жизнерадостных спектаклей. Они доставляли удовольствие и нам, исполнителям, и, судя по реакции, зрителям – многие песни, остроты, фразы подолгу жили в быту, их можно было слышать на улицах, в трамваях, в компаниях. И мне странно теперь представить, что сегодня есть люди, которые перешагнули полвека своей жизни, а спектаклей этих не видели: им не было в то время еще шестнадцати, а к нам зрители до шестнадцати не допускались.

И сколько бы ни рассказывал я об этих программах, сколько бы на словах ни старался уверить моего читателя, что было весело и смешно, если он их не видел, он может мне не поверить. Интонацию, непосредственность жеста, неожиданные сочетания взглядов, которые тогда, в ту секунду, рождали комический эффект, — словами не передашь. Но я прошу вас, тех, кто не видел, спросите у тех, кто видел, они вам подтвердят, что было действительно весело и остроумно.

Это были первые опыты. В ошибках, промахах, но и успехах рождался новый жанр. Когда ищешь — ошибаешься. Уж кому-кому, а нам ошибок не прощали. И часто именно те, кто сами весело смеялись на наших спектаклях. Почему-то многие считали, что они лучше, чем мы, знают, куда нам надо направлять наши интересы и усилия, и старательно ориентировали нас то в одну, то в другую сторону. Мы сопротивлялись, спорили и болезненно все это переживали. Но, ей-богу, никогда не теряли веры в удачу, и сами могли, если надо, посмеяться над собой.

Мы умели быть достаточно самокритичными и не думали, что можем со всем справиться сами. Поэтому мы постоянно привлекали театральных режиссеров, помогавших нам в наших попытках театрализовать музыкальный ансамбль. Помогали превращать музыкантов в актеров, учили чувствовать единую драматургическую линию произведения. Кроме тех режиссеров, которых я уже упоминал – Гутмана, Арнольда, Алексеева, Охлопкова, – работали с нами Федор Николаевич Каверин, Рубен Николаевич Симонов, Николай Павлович Акимов, Семен Борисович Межинский, Валентин Николаевич Плучек, кинорежиссер Альберт Александрович Гендельштейн. Каждый из этих художников внес значительную лепту в дело развития столь трудного эстрадного жанра.

Юнгу в «Двух кораблях», доярку в «Много шуму из тишины», артистку в государстве царя Гороха из «Царевны Несмеяны» и целый ряд других ролей в наших спектаклях играла моя дочь Эдит Утесова.

Как и когда появилась в нашем оркестре Эдит Утесова? Она не собиралась быть эстрадной артисткой. Она училась игре на фортепьяно и посещала Драматическую студию Р. Н. Симонова. Я тоже хотел, чтобы моя дочь стала драматической актрисой. Особенно потому, что понимал: не надо детям повторять своих родителей. Люди безжалостно судят детей удачливых отцов. Помните, у Чехова в «Записных книжках»? – «N. сын знаменитого отца; он хорош, но что бы он ни сделал, все говорят: да, но все-таки это не отец. Однажды он участвовал в вечере, читал, все имели успех, а про него говорили: да, но все-таки это не отец. Вернувшись домой и ложась спать, он взглянул на портрет отца и погрозил ему кулаком»*.

---

* А.П. Чехов, Сочинения, т. 11, изд-во «Правда», 1950, стр. 379.

Моя дочь не грозит кулаком ни мне, ни моему портрету, наверно, это зависит от характера, хотя ей было очень трудно преодолеть это неприятное обстоятельство в виде отца, всегда предвзятое мнение, вечное «да, но... это не папа» и даже вовсе обидное «если бы не папа...» Впрочем, действительно, если бы не папа, все было бы гораздо легче.

Не мне говорить об артистических достоинствах моей дочери – обычно в этих вопросах родителям верят только наполовину. Но я слышал от других о ее музыкальности, вкусе и чувстве меры. Уже тогда знала она три языка – английский, французский и немецкий. Для актрисы, особенно эстрадной, знание языков имеет большое значение – это дает возможность тонко понимать стиль, манеру, атмосферу песен других народов.

Не раз я замечал, что стоило Эдит Утесовой выступить без меня, с каким-нибудь другим ансамблем, как успех увеличивался. Наверно, придумай она себе псевдоним – творческий путь ее был бы более благополучным.

Она пришла в наш оркестр в 1936 году, почти сразу после окончания студии и не успев еще проявить себя как драматическая актриса. А у нас она как-то сразу пришлась, что называется, ко двору и сразу стала одним из самых активных участников нашего коллектива – не только актрисой и певицей, но и моим помощником и советчиком. А часто и критиком. Я и сейчас в вопросах моей творческой жизни часто прибегаю к ее советам. Наверно, потому, что эти советы всегда точны. Но недоброжелательство для человека не проходит даром. Отразилось оно и на Эдит. Она пишет, например, стихи, но никогда никому их не показывает. Она пишет и рассказы, но тоже никому не читает их. Только мне. Что это – скромность или трусость? Думаю, то и другое.

В наших спектаклях она сыграла немало ролей, спела много песен, некоторые из них тогда же стали весьма популярны. Помните? – «Пожарный», «Песня о неизвестном любимом», а в дуэте со мной «Бомбардировщики», «Парень кудрявый», «Прогулка», «Дорогие мои москвичи» – в общем, много, всех не перечислишь.

КОГДА ГОВОРЯТ ПУШКИ

Полководцем я не рожден.
Мое оружие – песня.
Мы стреляли своей «Катюшей».
Грядущей победе – наш «Салют».

Если бы не война, мы постепенно превратились бы в театр – все шло к этому: и выбор репертуара, и его воплощение, и театральная режиссура, и, наконец, мое упорное стремление.

Утром 22 июня мы репетировали новую театральную программу с бодрым названием «Напевая, шутя и играя». Ставил и оформлял эту программу человек с великолепным чувством юмора, прекрасный режиссер и прекрасный художник, остроумный писатель Николай Павлович Акимов. Те, кто знал Николая Павловича, смелого и принципиального, вспоминают его с неизменной мыслью о том, что мы очень обеднели, оставшись без этого замечательного мастера театральной комедии.

Репетиция шла весело, мы смеялись, иронизировали друг над другом, я же неизменно впадал в лирический тон, читая «Тройку» из «Мертвых душ» и постепенно переходя от нее к песне о последнем московском извозчике:

«Ну, подружка верная,
Тпру, старушка древняя,
Стань, Маруська, в стороне.
Наши годы длинные,
Мы друзья старинные –
Ты верна, как прежде, мне».

Репетировали мы в летнем театре «Эрмитаж» и сквозь шум оркестра я улавливал, что в саду по радио говорят о чем-то очень важном. Ну, мало ли что, подумал я, еще успею узнать. Но в это время на сцену вбежал наш администратор. Он был бледен и почему-то заикался.

– Товарищи, – сказал он, – остановитесь!

– Что такое, – набросился я на него, – почему вы мешаете репетировать!

А он только размахивает руками, не в силах одолеть свое волнение. И вдруг тихо, запинаясь, произносит:

– Война.

– Да что вы, с ума сошли! – говорю я механически, а у самого внутри уже все холодеет.

– Немцы напали на нас.

Мы выбежали в сад и услышали последние слова из репродуктора:

– «Наше дело правое. Враг будет разбит. Победа будет за нами».

Волнению и испугу я отдавался недолго. Передо мной сразу встал вопрос: что делать? Напевать, шутить и играть было уже не ко времени. Что могут делать на войне артисты? Мы пели песни о родине, о счастье, о строительстве новой жизни, мы провозгласили лозунг: тот, кто с песней по жизни шагает, тот никогда и нигде не пропадет. Что мы должны петь теперь? Именно мы, веселый эстрадный оркестр? И как доказать действенность нашего лозунга?

Бить врага! Бить врага! Бить врага! – Эти слова стали рефреном нашей жизни с первых дней войны. «Бей врага!» – так будет называться наша первая военная программа, решил я, и с необыкновенной быстротой мы начали перестраивать еще не законченное представление на новый лад.

Но как перестраивать? Заменить все веселые и шутливые номера героическими и патетическими? Стать серьезными? Сейчас не время шутить. Но тут я вспомнил афоризм: «Смех убивает». Тот, кто это сказал, был воистину мудрец. А сатирический смех – это действительно грозное оружие. Да и когда же, как не в тяжелые дни, больше всёго нужна шутка?!

Итак, основная направленность нашей программы мне была ясна. Дело за репертуаром. Но где его взять? И тут я вспомнил, что буквально за несколько дней до войны поэт Осип Колычев принес мне стихи «Партизан Морозко».

«Затянулся папироской
Партизан Морозко.
Был он храброго десятка –
Пулю звал «касатка».
И твердил он, в ус не дуя,
Хлопцам зачастую:
– Ще той пули не зробылы,
Щоб бы нас убила».

Стихи мне и тогда очень понравились, а теперь казались просто находкой. В них было все, что нужно для военного времени: оптимизм, призыв к борьбе, уничтожающая шутка. Они и стали основой нашей новой программы. Музыку к этим стихам написал композитор Евгений Жарковский.

Сейчас те первые военные концерты вспоминаются с лирикой и юмором. Но тогда нам было не столь весело. Хотя...

Идет концерт, все на своих местах: мы — на сцене сада «Эрмитаж», публика — в зрительном зале. Испокон веков это нерушимое, почти священное расположение взаимодействующих сил в искусстве. Если бы кто-нибудь мне сказал, что эта освященная традициями стройность может поломаться, я бы воспринял это как досужий вымысел. Но вдруг — воздушная тревота. И все мы бежим в бомбоубежище. И там сидим вместе, рядком, на одних скамеечках — артисты и публика. Едва только от бега успокаивалось дыхание, — начинались шутки и подтрунивания: кто как бежал, кто как спешил, кто как выглядел. Когда эти темы исчерпывались, наиболее нетерпеливые порывались выйти наружу, чтобы посмотреть, как там и что. Их, конечно, не пускали, но они все-таки прорывались. Глядя в небо и видя там вражеские самолеты, снова острили. Впрочем, часто это был нервный смех возбуждения. Кончается налет. Отбой — и мы возвращаемся в театр. Одни — в зрительный зал, другие — на сцену. И дружно продолжаем наше общее дело. Как быстро люди приноравливаются к самым невероятным переменам и условиям!

Понемногу Москва пустела. Вовсю развертывалась эвакуация учреждений и предприятий. Театров тоже. Нас отправили в Свердловск.

Теперь ни о какой театрализации, декорациях и световых эффектах не могло быть и речи. Требовалась портативность, надо было уметь работать на любой площадке, иногда просто на грузовой машине. Единственным специфическим атрибутом «оформления» в это время был микрофон. В военных условиях он необходим, ибо никаких резонансных раковин устраивать было некогда.

Оснащенные одним только микрофоном, мы разъезжали теперь по самым разным местам и выступали на самых неожиданных эстрадах.

После Свердловска нас направили в Сибирь, потом на Дальний Восток. А в 1942 году на Калининский фронт. Но теперь я уже был не просто Леонид Утесов, а Леонид Утесов с приставкой в афише з. а. р., что означало заслуженный артист республики. Это звание присвоили мне в июне 1942 года.

Готовясь к первой фронтовой поездке, мы долго думали, что выбрать из нашего репертуара. Одни советовали исполнять только боевые песни, другие — исключительно лирические. На фронте мы поняли всю схоластичность этих споров, ибо почувствовали, как многообразен душевный мир человека на войне. Самозабвенно слушали и боевые, и лирические песни, и классическую музыку.

Одной из самых популярных наших военных программ оказалась «Богатырская фантазия». Это было своеобразное произведение исторического жанра, рассказывавшее о русской боевой славе словами и мелодиями солдатских песен всех времен и веков. Тут были едва ли не впервые на эстраде в джазовой интерпретации представлены песни и солдат Петра Первого, в которых оживали картины Полтавской битвы, и неутомимость воинов Суворова, и Бородинское сражение, и стойкость гренадеров Кутузова, и отвага героев знаменитого Брусиловского прорыва, и такие еще памятные события Гражданской войны. В финале эти мелодии переходили в современные военные песни: «Если завтра война», «Вставай, страна огромная». В этой фантазии были использованы также фрагменты из музыки Бородина и Чайковского.

Коллективный отзыв бойцов подтвердил их интерес к такой теме: «Дорогой Леонид Осипович, «Богатырская фантазия» еще и еще раз напомнила нам, что мы русские солдаты, хранители традиций великого древнего воинства».

Недаром считается, что война – суровый и беспристрастный учитель. После первого же концерта я с необыкновенной остротой ощутил недостаточность того, что нами до сих пор было сделано. Не потому, что бойцы были недовольны. Нет, перед их мужественными сердцами, перед грандиозностью их подвига понимаешь, как мало сделал, как надо еще больше заботиться о совершенстве, чтобы представить искусство, достойное их внимания.

Перед отъездом заботил нас и еще один вопрос. Вопрос костюмов. Мне казалось, что неправы те артисты, которые появляются перед бойцами в обычной, дорожной, якобы специально фронтовой одежде. Я потребовал от коллектива той же подтянутости, парадности и в костюме и в поведении, той же аккуратности в гриме, что и на самых ответственных концертах. Даже под проливным дождем мы выступали в парадной одежде. Представление, в каких бы условиях оно ни проходило, должно быть праздником, а на фронте тем более.

И что удивительно: в городских, нормальных условиях, когда над сценой и зрительным залом крыша и над нами, как говорится, не каплет, без особых затруднений схватываешь простуду. Тут же, выступая под дождем и ветром, проезжая в день по двенадцать — шестнадцать часов, остаешься здоровым и удивительно работоспособным. Что значит подъем духа! Недаром же считается, что в наступающих армиях раны заживают быстрей.

Итак, Калининский фронт летом сорок второго года.

Страшно ли нам было? Ну что врать — с непривычки, конечно. Мы попали на фронт в то время, когда шло наше наступление на Ржев и когда немцы были уже отброшены на запад от Калинина. Бои были тяжелые, кровопролитные. После могучей артиллерийской подготовки техника не могла двинуться — дожди превратили землю в месиво. Невозможно забыть, как навстречу нам, когда мы ехали на двух грузовиках к фронту, бесконечным потоком шли машины с ранеными, а по обочинам дороги медленно, помогая друг другу, брели в медсанбаты те, кто мог передвигаться самостоятельно.

Перед отъездом на фронт в политуправлении армии нас предупредили, что мы можем приближаться к линии фронта не более чем на тридцать километров. Мы обещали. Но пока мы трое суток блуждали по военным дорогам в поисках «своего» политотдела, по фронту разнеслась весть о приезде нашего джаз-оркестра. И регулировщики движения на перекрестках фронтовых дорог уже приветственно махали нам флажками, хотя поначалу две наши грузовые машины встречали и пропускали с осмотрительностью и даже с недоверием. Как только в частях узнали, что прибыл наш оркестр, в штаб армии полетели просьбы о концертах на самых прифронтовых участках. Некоторые командиры так и писали: «Очень просим прислать джаз Утесова для подъема бодрости духа среди бойцов». Как было не радоваться таким признаниям в любви?

Получив предписание направиться в одну из дивизий на передовой, ребята мои расселись по конным повозкам, я же водрузился на верховую лошадь. Мне и в детстве доводилось ездить верхом. С молодых лет я был неплохим конником. Любил это дело и не бросал его и в то время, о котором теперь рассказываю.

Итак, я еду верхом к передовой линии. Немцы обстреливают дорогу из минометов, но съехать в сторону нет никакой возможности – лошадь и так бредет почти по брюхо в грязи.

Наконец я въезжаю на пригорок, с которого вода и грязь уже стекли. Делаю остановку, чтобы передохнуть, и прямо перед собой невдалеке вижу человеческую ногу. Она торчит из-за пригорка. Подъезжаю и вижу: одна только нога, в высоком, шнурованном немецком ботинке и кусок серой суконной штанины. С непривычки от такого зрелища мурашки бегут по спине. Невольно оглядываюсь, боясь увидеть остальные части этого вояки, но ничего не вижу. Наверно, они отлетели куда-то далеко.

Я ехал и думал: вот как странно, я сам никогда не убил ни одного живого существа. Больше того, по сей день не понимаю охотников. Конечно, я не вегетарианец, ем мясо, может быть, оттого, что не задумываюсь, кто и как стал мясом. Хотя я рано научился хорошо стрелять и был призовым стрелком, но я никогда не стрелял в живое существо, будь то зверь или птица. То детское чувство жалости к соловью, посаженному в клетку, над которым я еще маленьким мальчиком рыдал на глазах у «публики», никогда не проходило во мне. Позже на меня огромное впечатление произвел рассказ Мопассана, в котором охотник убивает утку, а селезень летит над идущим охотником, как бы умоляя его: «Застрели и меня».

Только однажды я совершил убийство.

Мне и моему другу и товарищу по работе Альберту Триллингу Свердловский обком комсомола подарил по мелкокалиберной винтовке в благодарность за концерты для местного комсомола. Альберт – заядлый охотник. Он был чудесный человек, великолепный артист, но любил охоту и не понимал меня, когда я говорил ему, что не могу убить животное. И вот, получив в подарок винтовки, мы во дворе небольшого домика, в котором снимали комнаты, устроили нечто вроде тира. Повесили консервные банки, бутылочки из-под лекарств... С расстояния сорока – пятидесяти шагов мы должны были проделывать следующее: я, скажем, разбиваю выстрелом бутылку, остается висеть горлышко. Альберт должен попасть в горлышко. Один должен попасть в центр консервной банки, другой либо в то же отверстие, либо рядом, не далее пяти миллиметров. Потом все то же самое наоборот.

Так мы и развлекались в один чудесный майский солнечный день. Вдруг на крышу нашего «тира» прилетел воробей. Прыгал и радовался весне не меньше нашего. Альберт нажал курок. Осечка... Кой черт заставил меня вскинуть винтовку к плечу и выстрелить! Воробей упал. Альберт с улыбкой полез на крышу и торжественно принес мне плод моей «удачи». Мертвого воробья.

Трудно передать мое огорчение. Несколько ночей я плохо спал и просыпался от неприятных снов: то я видел нахохлившуюся воробьиную вдову, то осиротевших воробьят. Мне все почему-то казалось, что убитый мною воробей был кормильцем, отцом семейства. Сколько лет прошло, а я и сейчас не люблю вспоминать эту историю...

Но вот теперь я еду по полю боя, я только что видел оторванную ногу, и совсем другие чувства теснятся в моей груди. И я уверен, врага, фашиста я убил бы не задумываясь...

Я отправляюсь дальше по указанному мне ориентиру — по линии связи, красный провод которой хорошо виден; так что заблудиться просто невозможно. И благополучно добираюсь до дивизии. Через полтора часа прибывает и моя команда.

А тут уже все готово к концерту — построена эстрада и даже две удобные комнатки для артистов.

Начинаем концерт. Наши зрители сидят на земле, прикрываясь для маскировки зелеными ветками. Мы поем, играем, рассказываем веселые истории, и каждая шутка принимается с энтузиазмом и заразительным смехом, таким дружным, словно он рождается по команде. Концерт заканчивается благополучно, хотя иногда в мелодию оркестра вмешивается гул немецких бомбардировщиков. И под конец наши зрители так восторженно и от души кричат «Спа-си-бо!», что как-то даже неудобно заканчивать концерт, хочется петь еще и еще.

Но не бывает такого концерта, который бы не кончался. Командир дивизии, полковник, приглашает меня в блиндаж, закусить чем бог послал. За столом полковник говорит:

– Вот, товарищ Утесов, – у него густой украинский акцент, – есть приказ верховного командования водку давать только тем частям, которые хорошо воюют. Вот у меня, пожалуйста, есть. А у моего соседа – ни капли не найдете.

Он достает из-под стола бутылку. Мы выпиваем по маленькой.

Я возвращаюсь на своей коняге обратно, и мне кажется, что она уж очень меня раскачивает. Благополучно прибываю в разрушенную деревню, где мы базируемся. И на следующий день получаю предписание ехать в соседнюю часть.

Все происходит так же: концерт, восторженный прием, приглашение в блиндаж. Мы сидим с полковником, который с густым грузинским акцентом говорит:

– Вы знаете, товарищ Утесов, есть приказ верховного командования спиртное выдавать только тем частям, которые хорошо воюют. У меня вы найдете сколько угодно, а вот у моего соседа – и капли нет.

– Ну как же, – говорю, – я был там вчера, мы хорошо выпили, а сколько еще осталось!

– Вот хитрец, это же у него еще старые запасы.

Я опять еду домой, и опять моя коняга почему-то сильно вихляет всеми своими частями.

Однажды перед самым концертом мы наблюдали, как наши бомбардировщики, отбомбившись на вражеской стороне, шли на свою базу. На задание они летели в боевом порядке, возвращались же с разными интервалами, не соблюдая строя. Вдруг из-за облака вылетели два «мессершмитта». Один из них пристроился в хвост бомбардировщику и дал очередь. Из хвостового оперения повалил густой дым и закрутился сзади трагическим черным шлейфом. Сердце сжалось. Что же будет? Но вот от самолета отделилась одна фигурка, другая, третья — три комочка. И через минуту над ними раскрылись парашюты. Мы видели, что они опустились где-то за синевшим в отдалении лесочком.

А часа через полтора, когда начался наш концерт, к зрителям присоединились три человека в летных комбинезонах, в шлемах, с закопченными лицами. Они уселись на земле в первом ряду, превратившись в слух и зрение. Да, это были они, трое с неба. И как-то невольно так получалось, что все, что я делал в этом концерте, я делал для них: пел, рассказывал, декламировал. И кажется, никогда я так не старался.

Очень может быть, что этот эпизод оказал на наш коллектив и более значительное влияние. Все, наверно, помнят, что в то суровое время многие вносили свои личные сбережения на постройку танков, самолетов, орудийных расчетов. Мы собрали деньги на два самолета и назвали их «Веселые ребята».

Всю войну поддерживали мы связь с той летной частью, куда были переданы наши самолеты. Летчики майор В. Жданов и лейтенант И. Глязов писали, как ведут себя в бою наши «подарки» — они сделали двести пятьдесят успешных вылетов, участвовали не менее чем в двадцати воздушных боях.

Война давно уже кончилась, а связь не нарушилась и до сих пор. Совсем недавно, летом 1971 года, я получил такое письмо: «Дорогой наш друг, Леонид Осипович, с большой радостью и благодарностью личный состав гвардейской части принял Ваше дружеское приветствие и добрые пожелания.

Ваше имя навечно вписано в боевую летопись нашей части. В воздушных победах над фашистскими захватчиками есть большой вклад и лично Ваш и Вашего творческого коллектива. На самолетах-истребителях, подаренных Вашим джаз-оркестром и названных «Веселые ребята», наши летчики-герои в годы Великой Отечественной войны сбили десятки фашистских стервятников и закончили войну над Берлином».

Среди многих фотографий, привезенных из фронтовых поездок, одну я храню с особой бережностью. На ней запечатлены советские автоматчики, только что вернувшиеся с боевой операции, и артисты нашего джаз-оркестра. В руках у солдат их боевое оружие. Полчаса назад немало врагов приняло смерть, посланную из этих автоматов. В руках у артистов музыкальные инструменты. От них никто не умирал, но это тоже меткое оружие.

Такие фотографии привозили с фронта многие артисты. Пусть пройдут годы, пусть позабудутся имена снятых, но пусть время сохранит самые фотографии как свидетельство участия советского искусства в величайшей битве.

За месяц гастролей мы дали сорок пять концертов по полной программе, независимо от того, сколько в «зрительном зале» было слушателей – пятьдесят или тысяча пятьсот. В общей сложности наша аудитория насчитывала восемнадцать тысяч человек.

После этой поездки мы возвратились в Москву. И через некоторое время начались наши выступления в помещении Театра имени Ленинского комсомола. Среди прочих номеров в программе исполнялся номер, который зал слушал с особенным волнением. Это была песня «Мишка-одессит».

В сорок втором году, когда фашисты, стукнувшись о московские ворота, покатились назад, все поняли, что непобедимые – победимы, что у машины со свастикой есть и задний ход. У Ржева они мечтали подремонтироваться, да так и не смогли обрести «хода вперед».

Мы гордились Ленинградом, гордились Москвой и оплакивали Одессу, сраженную в неравной борьбе. Поэт Владимир Дыховичный написал тогда же песню «Мишка-одессит», композитор Михаил Воловац сочинил музыку, а я, взволнованный событиями, запел:

«Широкие лиманы.
Зеленые каштаны,
Качается шаланда
На рейде голубом.

В красавице Одессе
Мальчишка голоштанный
С ребячьих лет считался
Заправским моряком.

И если горькая обида
Мальчишку станет донимать,
Мальчишка не покажет вида.
А коль покажет, скажет ему мать:

Ты одессит, Мишка,
А это значит,
Что не страшны тебе
Ни горе, ни беда,
Ведь ты моряк, Мишка,

Моряк не плачет
И не теряет бодрость духа никогда.

Широкие лиманы,
Поникшие каштаны,
Красавица Одесса
Под вражеским огнем.
С горячим пулеметом
На вахте неустанно
Молоденький парнишка
В бушлатике морском.

И эта ночь, как день вчерашний,
Несется в крике и пальбе.
Мальчишке не бывает страшно,
А станет страшно, скажет он себе:
Ты одессит, Мишка...

А дальше рассказывалось, как Мишка со своим батальоном покидает Одессу, сдерживая слезы.

А в конце, вернувшись

И уронив на землю розы –
Знак возвращенья своего,
Наш Мишка вдруг не сдержит слезы,
Но тут никто не скажет ничего.

Хоть одессит Мишка,
А это значит,
Что не страшны ему
Ни горе, ни беда.
Хотя моряк Мишка –
Моряк не плачет, –

На этот раз поплакать,
Право, не беда».

Уже не первый месяц пою я эту песню, уже двести шестьдесят два одессита, носящие имя «Михаил», прислали мне письма, и вот однажды я получаю еще одно, удивительное письмо. Я привожу его дословно, не расставив даже знаков препинания. Они бы нарушили, мне кажется, его стиль.

«Здравствуйте дорогой и многоуважаемый Леонид Осипович. Вам пишет это письмо Гвардии красноармеец который Вас слушал 30/IX–42 в Комсомольском театре. Леонид Осипович! Вас возможно удевит Вот это письмо. Но пусть оно Вас не удевляет, ибо я Его пишу от всего своего желания. Я сам много слышал о вас и в своем уютном городе Одессе и в Москве и на Дальнем Востоке словом где я только бывал там и слышал о вас. Но видеть вас я не мог ибо мне не предоставлялась Возможность. Но вот к чему я хочу изложить свое письмо. 30/IX–1942 года Пройдя по малой Дмитровке я увидел Плакат, где вы с вашим Коллективом даете по-одесски выражаясь даете гастроли. Леонид Осипович Вы не имеете представления как во мне загорелось желание Вас увидеть Но увы – билеты уже были проданы до 8/X–1942 Но нет и не может быть у одессита преград мне нужен был один билет но нигде я его достать не мог. И вот, к моему счастью, подошел ко мне старик и предложил мне 2 Билета стоимости в кассе театра по 24 руб., каждый. Но старик у меня запросил за 2 билета 96 рублей, а один билет он не хотел продавать. Но желание и исполнение его стоит у Человека выше всего. Я, конечно, забрал у него Билеты один продал по Государственной цене и своего добился. Надо признаться что у вас замечательный коллектив. Люди способные работать так, как требует эстрадная работа. Мне очень понравился Ваш коллектив и вот Леонид Осипович Подхожу к основному моего письма. Вы вчера исполнили одну песню Одессит Мишка. Не знаю кто эту Песню сочинил и где он взял материал для нее. Но я знаю что эта песня только про меня ибо кто последним ушел с Одессы это я. Я оставил там мать я оставил там свою любовь я оставил все что мне было дорого в моей Жизни. И вот когда я услышал эти слова Ваши у меня загорелись глаза я стал весь дрожать у меня потекли слезы ибо я не в силах был удержать их. Правда многие зрители смотрели на меня и не знали чем это объяснить. Но конечно никто не мог знать ибо Одесса была приятна для Одессита и когда Вы ее исполняли Во мне чуть душа не разорвалась в клочья Леонид Осипович Ваши слова в песне где вы поете Ты одессит А это значит. В этой фразе можно только догадаться, одесситы – это люди смелые, которые не боятся смерти, ибо я, когда оставлял Одессу, штыком своей Винтовки я прикончил 3-х мародеров и Вышел с этой схватки не вредим. Я тогда не плакал и вот теперь когда я услышал эту душераздирающую песню я заплакал что все вокруг сидящие обратили на меня внимание Леонид Осипович Вы меня извините что я написал скверно возможно что и не сложно Но я лучше не умею. Но дело в том что я хотел Вам изложить свою Благодарность за хорошее исполнение этой песни ибо она только сложена про меня. А поэтому прошу Вас выслать мне эту песню, и с этой песней я Буду Я буду еще больше бить гадов чем Бил до сих пор. Буду мстить за Нашу Красавицу Одессу.

Мой адрес: Действующая Красная Армия ППС 736 п/я Одиннадцатый Гвардейский Батальон Минеров. Бендерскому М. Б.

Еще раз прошу выслать мне эту песню за что заранее благодарен».

Я с волнением прочитал это письмо, в котором мне послышались бабелевские интонации. И не меньше, чем автора, поразило меня совпадение судеб придуманного и живого героя.

Конечно, я послал ему песню. Завязалась переписка.

Однажды ко мне в комнату вошел солдат.

— А вот и я! — сказал он.

— Мишка?

— Или? Получил отпуск на три дня.

Внешне он ничем не напоминал одессита. Коренастый блондин. Серые глаза. И только манера говорить была настоящая наша, одесская. Мы вспоминали наш чудо-город. Мишка плакал и говорил:

— Ничего, будет полный порядок, и чтобы я солнца не видел, если я в Одессу не приду!

— Миша, а кем вы были до войны?

— Шофер я был, шофер!

— Ну вот, кончится война, Миша, вы приедете в Москву, ко мне, и будете у меня шофером.

— А иначе и быть не может!

Мы долго сидели, и в комнате была Одесса. Был одесский разговор, одесское тепло, одесская дружба. Так и договорились: после войны Мишка приедет ко мне.

Война кончилась. Мишка не приехал. А он был человек слова...

В сорок третьем году мы выехали на Волховский фронт. Большинство музыкантов в нашем оркестре были ленинградцами, и Волховский фронт казался им сенями родного дома.

Мы дали там немало концертов, выступали в маленьких деревянных театрах, специально построенных и замаскированных сетками с зеленью. Говоря военным языком, нам приходилось часто передислоцироваться.

Однажды, когда я с дочерью и ее мужем переезжал из одной части в другую – нас вез военный шофер Гриша, – на нашу машину и на «эмку», ехавшую чуть впереди, спикировали два «мессершмитта». Пролетев совсем низко, они сбросили маленькие бомбы, одна из которых прямым попаданием угодила в идущую впереди машину.

Наш Гриша успевает затормозить, и мы мгновенно выскакиваем, чтобы спрятаться в придорожном кустарнике. Все трое мужчин – мы перепрыгиваем кювет, наполненный жидкой грязью, а моя бедная Дита недопрыгивает и плюхается прямо в эту грязь.

«Мессеры» улетают, мы вытаскиваем нашу ныряльщицу, она растерянно оглядывает себя, свои туфельки, которые под грязью только угадываются, и решается наконец надеть кирзовые сапоги.

Откуда ни возьмись, появились солдаты – одни бросились к нам, другие к разбитой машине, и мы узнаем, что перед нами ехал начальник артиллерии одного из соединений со своим адъютантом. Ни от них, ни от шофера ничего не осталось.

Нескольких таких случаев было для меня достаточно, чтобы убедиться, что полководцем я не рожден и что никогда мне не хвастаться боевыми подвигами. Мне не довелось поймать ни одного «языка», в меня не попадали ни бомбы, ни снаряды. Нет, буду продолжать руководить джаз-оркестром. Это, конечно, менее героично, менее сложно, но нервы тоже надо иметь железные.

В эту вторую поездку на фронт я уже пообвыкся и был в состоянии созерцать «окрестности».

Может быть, это прозвучит слишком по-актерски, но картина ночного боя поразила меня, как это ни странно, своей нарядностью. Где-то в небе загораются ракеты, освещая дневным светом все вокруг, где-то вспыхивает пламя палящего орудия, пронизывают темноту трассирующие пули, по темному небу скользят лучи прожекторов. Ей-богу, если бы вся эта иллюминация не несла в себе смерть, это действительно было бы красивое зрелище! Но избави бог нас от такой красоты!

Сама война не отняла у нашего коллектива ни одного человека. Но в сорок втором году мы были опечалены смертью одного из самых талантливых членов нашего коллектива.

Умер наш Альберт Триллинг. Это был человек необыкновенного дарования. Мне кажется, что не было ничего в области искусства, чего бы Альберт не сумел сделать. Причем во всем он был предельно профессионален. Можно было сказать:

— Альберт, в следующей программе нужно жонглировать цилиндром, перчатками, тросточкой и сигарой.

— А сколько времени дадите на подготовку?

— Сколько нужно.

Проходило два дня, Альберт приносил все аксессуары и жонглировал так, будто всю жизнь только этим и занимался.

По специальности он был танцором, но на скрипке играл так, как ни до него, ни после него никто не играл в нашем оркестре. В его игре был какой-то особый задушевный лиризм.

Это он начинал своим соло песню «Темная ночь», и публика и мы все на сцене каждый вечер сидели просто завороженные. А на меня его соло действовало так вдохновляюще, что первые слова: «Темная ночь, только пули свистят по степи», — выходили из самого сердца. Когда Альберта не стало, ни один музыкант не отважился играть его партии.

Великолепно играл он и на рояле и, в чем мы особенно убедились после «Музыкального магазина», был прекрасный актер...

После Волховского фронта вернулись в Новосибирск. Настроение улучшалось с каждым днем — фашисты неудержимо катились на запад. И как ни заботились о нас в Новосибирске, мы постоянно думали о возвращении в Москву. В гостях, говорят, хорошо, а дома и стены помогают. Даже на стадионах, где, по сути дела, и стен-то нет, хозяева, поддерживая принципы гостеприимства, щедро угощают своих гостей голами. Правда, бывают невежливые гости, которые сами до отвала кормят хозяев этим невкусным блюдом. Но это к слову.

Мы думали о Москве, неустанно стремились туда. Сорок четвертый год встречали дома.

К этому времени вернулись уже многие театры, а значит, и многие старые друзья, с которыми нас то сводила, то разводила война.

На встречу Нового года мы собрались вместе в одном московском доме. Господи, сколько было рассказов, воспоминаний, смешных импровизаций и показа в лицах мимолетных знакомых, обретенных во время эвакуации и поездок на фронт.

В этих сценках мы снова сошлись с Борисом Яковлевичем Петкером, с которым и прежде при каждой нашей встрече обязательно разыгрывали несколько забавных сценок для себя. И теперь мы, два немолодых человека, с наслаждением играли в свою любимую игру. Мы могли этим заниматься часами и в самых смешных диалогах сохранять полную серьезность, ни разу не засмеяться — в этом была вся прелесть нашей забавы.

Отделившись от общей компании, мы пошли в другую комнату, где можно было отдохнуть от шума и света.

Мы сели на диван, перед которым стоял маленький закусочный столик на колесиках. Его ручка была похожа на ручку детской коляски.

Мы сидели молча, наслаждаясь тишиной. И вдруг Борис Яковлевич взялся за эту ручку и начал покачивать столик. А потом заговорил старческим изнемогающим голосом, шепелявя и шамкая:

— Ш-ш-ш, тихо-тихо-тихо, уже все спьят, нельзя плакать, — и погрозил скрюченным пальцем.

— Это что, это ваш внучек? — пришепетывая, спросил я, умильно глядя в коляску.

— Да, это младшенький, сын мою Феничку. Красивенький ребенок.

— Немножечко похожий на дедушку.

— Уй, какой красавчик!

— Такой хорошенький носик!

— Это не носик, это пальчик от ножки. Ви ничего не видите без очки...

Наверно, мы долго обсуждали красоту этого «малютки», потому что нас хватились и искали. Гости вошли и застыли на пороге, увидев двух древних старцев, продолжавших обсуждать свое потомство, ни на кого не обращая внимания.

И вдруг один из самых трезвых, не в этот вечер, а вообще, сказал:

– Позвоните в сумасшедший дом, пусть пришлют две смирительные рубашки.

Он шутил, конечно, но нам с Борисом Яковлевичем стало не по себе: «Ах, какие скучные взрослые люди, взяли и поломали нашу игру!»

В такую же игру играли мы и с Бабелем. Обычно я разыгрывал Дон-Жуана, а Бабель нечто вроде Лепорелло. Однажды, во время съемок «Веселых ребят», Бабель пришел на пляж, где шли съемки, с очаровательной молодой женщиной. Я им обрадовался. Снимать начали давно, я то нырял, то выныривал, то плыл, то выплывал, и мне уже захотелось перекинуться с кем-нибудь смешным словом. Я мигнул Бабелю и «заиграл». Я начал рассказывать о своих блестящих победах над курортными дамами, хвастался своей несуществующей красотой, придумывал р-р-романтические истории. Бабель мне серьезно-иронично поддакивал и восхищался. Исподтишка мы бросали взгляды на его спутницу. Сначала она очень удивилась, а потом ее лицо становилось все более строгим и сердитым. Наконец она не выдержала и сказала:

– А что они в вас находят, ничего хорошего в вас нет.

Тогда я, мигнув Бабелю, взвинченным, обиженным тоном крикнул:

– Исаак Эммануилович, скажите ей, какой я красивый!

И Бабель сказал:

– Ну что вы, что вы, действительно! К тому же он такой музыкальный! У него даже музыкальная... (я испугался) спина.

Меня позвали сниматься, и Антонина Николаевна, так звали спутницу Бабеля, так и не поняла нашего розыгрыша. Я с ней больше не встречался, а Бабель, наверно, ничего ей не сказал. Впрочем, я тут же об этом забыл. Каково же было мое удивление, когда недавно в книге «Бабель в воспоминаниях современников» я прочитал этот эпизод и понял, что Антонина Николаевна до сих пор относится к этому серьезно.

В этом же, сорок четвертом году я с оркестром приехал в Ленинград.

Наступала весна, и город начинал прихорашиваться. Кое-где в окнах уже появлялись стекла, но фанера все еще напоминала о пережитом.

Веселое апрельское заходящее солнце. Дворцовая набережная пустынна. Никого. Я иду по набережной. Мне радостно. Мне хорошо. Я люблю Ленинград. С ним столько у меня связано! Где-то слышен голос Левитана, такой знакомый и торжественный. Но репродуктор далеко, и я не различаю слов. Только понимаю, что это очередное радостное сообщение. О чем же это он?

Спросить некого. Я один на набережной. Вдруг из двери дома напротив выбегает молодой человек в фуражке моряка торгового флота. Он идет, притоптывая и как бы танцуя.

– Товарищ, – спрашиваю я, – о чем это Левитан?

Он прижимает руки к груди и, задыхаясь, говорит:

– Боже ж мой, Одессу ж освободили! А я же одессит.

– Я тоже одессит, – радостно говори я.

– Да ну! А как ваша фамилия?

– Утесов.

– Ой, боже ж мой, да вы ж одесский консул.

И вот стоим мы обнявшись, два одессита на пустынной набережной Ленинграда, и набережная кажется нам берегом Ланжерона, а Зимний дворец особняками Маразлиевской улицы.

Сорок четвертый год – радостный год предощущения победы. Враг бежит на всех фронтах, наши войска приближаются к его логову. Идут еще и ожесточенные бои, и составляются опасные планы гитлеровского генштаба, надеявшегося до последних дней создать выгодный для себя перелом в войне. Впрочем, это узналось много позднее, из военных мемуаров, а тогда не было у нас, наверно, ни одного человека, который не верил бы, что хребет волка переломлен, что он может только огрызаться, но сделать уже ничего не может.

Настроение приподнятое. И в наших программах появляется все больше ироничных и насмешливых номеров – для иронии ведь, как минимум, необходимо чувство превосходства.

Но что значит хорошее настроение во время войны? Это очень сложное настроение. Мы ездим по городам, о которых можно сказать, что они были городами, – Минск, Сталинград, Севастополь, Киев. Руины и хорошее настроение? Да, от надежды, от уверенности. Врага еще бьют, но города уже начинают восстанавливать. Мы ездим и видим это собственными глазами. Мы помним прошлое этих городов, видим настоящее и можем представить себе их прекрасное, обновленное будущее. Вот из этого всего и рождается во время войны хорошее настроение...

В сорок четвертом году мы показали джаз-фантазию «Салют», признанную печатью одной из самых удачных наших военных программ. В этой сюите исполнялись такие произведения, как «Песня о Родине» И. Дунаевского, «Священная война» А. Александрова, фрагменты из Седьмой симфонии Д. Шостаковича, марш «Гастелло» Н. Иванова-Радкевича. Музыка рисовала картину всех этапов героической борьбы нашего народа в войне, передавала чувства и мысли людей, прошедших великий путь от первых хмурых дней войны до победных салютов.

Но без юмора и шутки не строилась ни одна наша программа, тем более эта, «победная», как окрестила ее пресса. Ибо она действительно создавалась с чувством уверенности в скорой победе.

Смешное мы старались извлекать из всего. Будь то режиссерская выдумка в построении мизансцен, пародия, особенно политическая, неожиданные текстовые и музыкальные смещения и сопоставления, обыгрывание инструментов, когда им придавалась необычная, но схожая функция. Инструменты не только играли, но и играли.

Например, в песне А. Островского «Гадам нет пощады» (это была первая песня ставшего потом таким популярным композитора), в том месте, где поется, что советские «катюши» уничтожили десант:

«Фрицы захотели высадить на суше
Свой десант, в тумане
не видя никого.

Выходила на берег
«катюша»
И перестреляла всех
до одного», —

в музыку вплетался мотив «Катюши» Блантера. А в «Славянской фантазии» мы вдруг запевали хором популярную белорусскую песню «Будьте здоровы», но с новыми словами:

«Бойцам пожелаем
Как следует биться,
Чтоб каждый убил
Хоть по дюжине фрицев.

А если кто больше
Фашистов загубит,
Никто с вас не спросит,
Никто не осудит».

Вообще использование популярных мелодий с новым текстом — прием очень богатый возможностями, и мы в наших программах использовали его не раз. Получается — не просто новые слова на старый мотив, а неожиданное переплетение старого и нового смысла. Они как бы взаимно влияют, дополняют и оттеняют друг друга, возникает их взаимодействие, богатое ассоциациями.

Проходит совсем немного месяцев. Наступает великий сорок пятый год. Те, кто сегодня юн, даже те, кому тридцать, не могут, наверно, со всей полнотой ощутить то, что чувствовали мы тогда, в незабываемый день девятого мая.

В Москве на площадях мигом сколачивались эстрады – концерты шли по всему городу.

Мы выступали на площади Свердлова.

То, что происходило в эти часы на эстрадах, не умещалось в понятие «концерт». Артисты были, скорее, запевалами веселья. Нас со всех сторон окружали люди с сияющими глазами – пели мы, пели они, вся Москва превратилась в поющий город. В одном уголке звучала «Катюша», в другом – «Парень я молодой», – поистине, это был всемосковский концерт.

ЗА ПЕРЕВАЛОМ

Зачем спорить – джаз или симфония?

И то, и другое.

Только хорошее.

Чего с избытком бывает у людей по окончании войны, так это планов — дерзких, радужных, неограниченных. Кажется, ничто не помешает их осуществлению, трудности не страшны никакие, потому что жизнь теперь обеспечена всем, а смерть, долго царившая над людьми, отступила.

Планов и у нашего оркестра было много, программы придумывались одна за одной: «Только для вас», «Что угодно для души», «Любимые песни», «От всего сердца», «Всегда с вами», «И в шутку, и всерьез» — это названия послевоенных концертно-театрализованных программ.

В постоянных переездах я с грустью все больше убеждался, что моей мечте — созданию джаз-театра — не суждено осуществиться. С тем бо́льшим энтузиазмом и настойчивостью искал я и использовал малейшие возможности превращать наши представления в театральные. И, как отмечала критика, иногда на этом пути мне удавалось совершать «новые шаги».

Формула «Когда гремят пушки – музы умолкают» Великой Отечественной войной подтверждена не была. Пушки гремели, но песни продолжали звучать. Больше того, песенный жанр продолжал развиваться. Не скажу, чтобы песни заглушали пушки, но, что они помогали людям легче переносить их гром, – это несомненно.

Кончилась война и началось новое время, время мирной жизни. А новые времена требуют новых песен. Вот уж эта формула всегда незыблема. Время предлагает новые темы и новое толкование старых, извечных тем. Естественно, что после войны особенно популярными были тема возвращения солдата домой и тема восстановления разрушенных очагов, которая постепенно перерастала в тему всеобщего восстановления страны, тему строительства.

Я тоже пел обо всем этом. И если бы захотел перечислить все спетые песни, то из одних названий составилась бы, наверно, небольшая книжечка. По песням, которые мы пели, можно проследить историю развития нашего государства, историю нашей науки, нашей техники и нас самих. В этой своеобразной песенной летописи отражено все – от появления первого телевизора до полетов в космос, в ней видно, как наши дома набирают этажи и становятся то высотными домами, то домами-башнями.

Наших внуков не удивляет самый большой экран телевизора, а я помню, как мы, разглядывая незамысловатые передачи в малюсеньком окошечке первого телевизора КВН, были потрясены величием человеческого разума.

Разве можно сказать о таком времени, что оно прошло, – нет, оно пролетело... Люди моего поколения не могут не удивляться быстроте развития жизни, потому что половина их существования шла в одном ритме, а вторая половина – в другом. Этот контраст проходит через нашу душу и через наши песни.

Жизнь постепенно входила в мирную колею. Забывались военные заботы. Возникали темы для дискуссий в науке и искусстве, во всех областях интеллектуальной жизни нашего общества. Многострадальный джаз снова привлек к себе гневное внимание «блюстителей нравственности». Это слово снова сделалось настолько одиозным, что пришлось даже наш оркестр переименовать в «эстрадный». А за нами и все наши коллеги сменили «фамилию» и стали именоваться «эстрадными оркестрами». Но сменилась только вывеска, суть чаще всего оставалась той же, я бы сказал, хорошей сутью.

Поводом к спорам послужило то, что после войны к нам начало попадать много западной музыки – с пластинками, с фильмами, с концертами эстрадных артистов, которые все чаще приезжали к нам гастролировать, со своим, конечно, репертуаром. Кому-то показалось, что количество зарубежной музыки стало катастрофическим и угрожает не только нашим вкусам, но даже всей русской народной и классической музыке, и потому особенно рьяно начали воевать за «чистоту» репертуара. Во главу угла ставился русский хор. И прекрасные русские хоры превратили в «демьянову уху», потому что некоторым казалось, что любить зарубежные ритмы, а не хор Пятницкого – кощунство.

Ох, эти бессонные ночи, когда без конца перебираешь то, что тебе твердили днем: делайте то, делайте это. И «то» и «это» бывают прямо противоположны по смыслу. И никто не хочет узнать, что же я сам считаю нужным делать, я, более двадцати лет жизни отдавший джазу.

В газетах опять появились странные, на взгляд старого джазового волка, утверждения и повороты мыслей. Например, в «Советском искусстве» в номере от 12 марта 1952 года можно было прочитать такие пассажи: «Эстрадный оркестр ничего общего не имеет с джазом, хотя в эстрадный оркестр могут входить и обычно входят многие инструменты, используемые джазом. Нет дурных, негодных инструментов (замечаете, какой прогресс у теоретиков! – *Л. У.*). Но инструменты можно дурно использовать. Кстати, любопытно отметить, что самый состав джаза опровергает легенду о его якобы народном происхождении – в джаз входят тромбоны и скрипки, саксофоны и трубы; кому придет в голову, однако (действительно, кому? – *Л. У.*), считать их... «негритянскими»? А в джазе все эти старые, добротные, прекрасные (!) инструменты используются самым отвратительным образом, извращающим их природу, их естественную благородную звучность.

Исполнительский «стиль» джаза построен на варварском искажении привычных для нашего уха звучаний, на подчеркнуто грубых синкопированных ритмах (опять эти без вины виноватые синкопы! – *Л. У.*), на надуманных, неестественных тембрах оркестровых инструментов. Богатейший по своим красочным и выразительным возможностям рояль превращен в джазе в сухой ударный инструмент, на котором пианист яростно выколачивает ритм. Героическое светлое звучание трубы затушевывается в нем сурдинами (!), благородные тембры тромбонов и саксофонов (!) искажаются – и все это для того, чтобы найти какие-то «сверхоригинальные» звучания. ...Некоторые читатели, протестующие против «рыканья» и «кваканья» джаза, считают, что «мягкие звучания танго и слоу-фоксов могут найти место в нашем быту». Но что общего между ноющими, слезливыми интонациями «не имеющих ни рода, ни племени» танго или подчеркнуто эротическими ритмами «слоу-фоксов» и здоровой советской лирикой, светлым, оптимистическим мироощущением советских людей? Разве может в «устах» подобного оркестра прозвучать без искажения советская массовая песня? Разве может он раскрыть красоту музыкальных образов в лучших произведениях советской популярной музыки?»

Видимо, не все читатели были согласны с газетой и прислали протестующие письма. На них газета отвечала в номере четырнадцатом в статье «О джазе»: «Зачем же, товарищ Световидов, вы предлагаете нашу ясную, красивую, реалистическую музыку обрядить в заморские джазовые отрепья, совершенно чуждые ее духу, ее природе, не идущие ни к ее содержанию, ни к ее стилю?.. Джаз – это музыка духовного порабощения. Поэтому, товарищ Световидов, мы не будем делать никаких поблажек джазу. Советская музыка и джаз – две вещи несовместные!.. Вы пишете, что джаз совершеннее, жизнерадостнее симфонического оркестра. А ведь для нормального уха, не испорченного джазовой музыкой, это утверждение звучит, простите, дико. ...Попробуйте систематически ходить в оперу. Большой зал Ленинградской филармонии... Грубым, топорным, убогим, чужим и ненужным покажется вам любой джаз, и вы до конца поймете и почувствуете, – почему враждебна джазовая музыка подлинному искусству, нашей советской музыке».

Я привел эти длинные выдержки, чтобы читатель мог понять мое состояние. Отголоски рапмовского стиля, его терминология, его логика – все это воскресило в моей памяти те беспокойные для меня дни.

Нечто подобное можно было прочитать и в журнале «Советская музыка» в несколько тенденциозно подобранных письмах читателей, которые якобы считали, что «легкая музыка в понимании советского человека не может иметь ничего общего с джазом. Советские люди любят песни, но это не значит, что они любят джаз». А один из читателей, обращаясь непосредственно ко мне, писал, что нам, дескать, «нужны эстрадные оркестры без крикливых труб, без воющих саксофонов, без конвульсивных ритмов и диких шумовых эффектов. Мы за такие эстрадные оркестры, которые могут исполнять «Вальс-фантазию» Глинки, «Танец лебедей» Чайковского, «Танец с саблями» и «Вальс» Хачатуряна, «Матросскую пляску» и «Испанский танец» Мокроусова, «Концертный марш» и «Вальс» Дунаевского из кинофильма «Моя любовь» и многое другое, что так горячо воспринимается нашими слушателями»*.

Пришлось объяснить товарищу, имеющему, кстати, музыкальное образование, что исполнение произведений классической музыки, написанных для большого симфонического оркестра, силами малого, или, как их еще называли, «салонного оркестра» искажает замысел композитора. Пришлось объяснить, что утверждение, будто симфоническую музыку не понимают только «ненормальные люди», абсурдно.

Я не раз выступал в печати, призывал к решительной борьбе против лицемерия и ханжества, против непрошеных опекунов, навязывающихся в няньки, против скучных людей, превращающих человеческие

---

* «Советская музыка», 1954, № 2, стр. 106.

радости в «мероприятия», насаждающих вкусовщину мрачных чиновников, никогда не поющих и не танцующих, носящих маску глубокомыслия.

И был я, конечно, в этой борьбе не одинок. Мрачное мое настроение рассеивали фельетоны, где высмеивались песни на такие, с позволения сказать, «стихи»:

«Наши дни горячи,
Мы кладем кирпичи».

Но все это, конечно, нервировало, нехорошо будоражило, мешало спокойно работать. Тем более что за всеми этими теоретическими выступлениями последовали меры организационные.

Опять начались гонения на инструменты, на мелодии, на оркестровки. Недаром говорят, заставь дурака богу молиться, он себе и лоб разобьет. Как признавала та же «Советская музыка», «вместо того, чтобы очистить советскую эстраду от чуждых влияний буржуазного «искусства»... поспешили обезличить эстрадные оркестры, лишить их специфики. Из состава оркестра были удалены «подозрительные инструменты». Репертуар этих оркестров сильно сократился, а музыка, сочиняемая для них, была «отяжелена» и «обезличена». Исполнять оказалось нечего. Вместо веселой жизнерадостной музыки стали исполняться серые и скучные «междужанровые» произведения»*.

Дело доходило до абсурда: на периферии, например, категорически запрещали обучение и игру на аккордеоне. Боролись и против трубы новой конструкции. Старые преподаватели и трубачи утверж-

* «Советская музыка», 1954, № 8, стр. 97.

15-949и

дали, что новая, помповая вертикальная труба есть профанация искусства и что только педальная горизонтальная труба есть «истина» (потому что все они играли только на педальных трубах). И ни в одном оперном или симфоническом оркестре на помповых трубах играть не разрешалось. Эту трубу даже называли «джазовой шлюхой». А ведь она была лучше и по звучанию и по механике. И смотрите, что произошло. Сейчас педальную трубу вы уже, пожалуй, нигде и не встретите. Победа оказалась за... сами понимаете.

Аккордеон тоже получил права гражданства. Кому сегодня придет в голову запрещать игру на этом инструменте?! А ведь все это надо было пережить, перестрадать... Терминология рецензий была столь бесцеремонна, что лишала спокойствия и сна. Это были больно колющие шипы.

Ах, джаз, джаз, любовь моя – мой триумф и моя Голгофа. Быть бы мне немного прозорливее, я, может быть, не волновался бы так.

Не волновался, если бы знал, что в «Советской культуре» всего несколько лет спустя я прочитаю такие строки: «Существует ли резкая граница между советской джазовой эстрадой и советской массовой песней? Нет. И лучший пример тому творческая практика оркестра Утесова... Оркестр Утесова вошел в музыкальную биографию миллионов советских людей». А вместо одного, негритянского, народного истока найдут сразу несколько: «...это искусство является не только негритянским... оно включает в себя элементы шотландской, французской, креольской, африканской, испанской народной музыки».

Конечно, не волновался бы, если бы знал, что в 1967 году о многострадальном джазе в приложении к

«Известиям» «Неделе» будут писать так: «Серьезные музыканты давно отказались от пренебрежительного отношения к джазу и не раз восхищались ритмическими, мелодическими и особенно гармоническими «прозрениями» выдающихся импровизаторов... Это был замечательный фестиваль (имеется в виду посвященный пятидесятилетию советской власти фестиваль джаза в Таллине. – *Л. У.*). Он был сопоставим с любым большим джазовым фестивалем в Европе и Америке, и это соответствовало тому факту, что сам наш джаз тоже полностью соизмерим с мировым уровнем. Не доморощенные подражатели, а сильные творческие индивидуальности выступали на помосте Спортхалл... «Мероприятие», ставшее событием мирового масштаба».

Но это будет сказано только через пятнадцать лет. А я не был провидцем – я переживал, мучился и старался отбиваться, защищать джаз, дело своей жизни. Я работал в разных «литературных жанрах».

Я писал эпиграммы, в которых делал вид, что сдался:

«Борцы за джаз! Я джаза меч
На берегах Невы держал.
Но я устал, хочу прилечь
И я борьбы не выдержал».

Я писал элегии, чтобы облегчить боль:

«Леса, луга, долины и поляны.
И через это все мой поезд мчится.
Гостиницы, вокзалы, рестораны –
И не пора ли мне остановиться?
И не пора ли мне сказать: «довольно»?

Я слишком долго по дорогам мчался,
С людской несправедливостью встречался,
И было мне обидно, тяжко, больно
Под куполом родного небосвода.
Я песни пел – пел сердцем и желаньем,
Но почему ж любовь ко мне народа
Считается в культуре отставаньем?
Что дураку горячий сердца пламень?
Во мне он видит только тему спора.
И надоело мне всю жизнь держать экзамен
На звание высокое актера».

Я писал себе самоутешения:

«Судьба! Какой еще сюрприз преподнести мне хочешь?
Твои удары знаю я уже немало лет.
Их больше не боюсь. Напрасно ты хлопочешь.

К ним появился у меня иммунитет.
Когда-нибудь твоя сподвижница с косою
Придет, чтоб за тебя со мною рассчитаться.
Возьмет меня и уведет с собою.
И я уйду, но песнь должна остаться.
А те, кто нынче юн, те будут стариками.
И будут говорить и внукам и сынам:
«Он запевалой был и песни пел он с нами,
Те песни жить и строить помогали нам».
И я готов простить тебе твои удары.
Я в песне вижу нового зарю.
Так вот за те слова, что юным скажет старый,
Судьба, я от души тебя благодарю».

И, наконец, статью в «Литературную газету», которая опубликовала ее 19 января 1957 года.

«Тургенев» и легкая музыка

Нет одессита, которому за пятьдесят и который не знал бы «Тургенева». Плавал в начале века такой пароход «Тургенев». Был он коротенький, толстенький; две трубы, поставленные поперек, делали его еще короче, как костюм с поперечными полосами делает человека невысокого роста еще ниже. Далекое плавание этого «гиганта», рейс Одесса – Аккерман, совершалось ежедневно в оба конца. Шумно было и на пристани, и на борту, когда отваливал или приваливал он к родным берегам. Бури и штормы не пугали «Тургенева». Их не бывало на лимане, по которому пролегал путь корабля. «Могучий седой капитан», команда из нескольких отчаянных одесских морских волков были надежной гарантией безопасности грандиозного путешествия, тянувшегося... три-четыре часа.

Теперь о пассажирах: бессарабские виноградари, привозившие виноград в Одессу и вывозившие из Одессы рыбу, бакалейные и гастрономические товары; мелкие торговцы, крестьяне – все они переполняли «Тургенева» и делали его похожим на плоскую жестяную банку, облепленную мухами. Мухи жались к левому борту, жужжали, переговариваясь, переругиваясь и пересматриваясь с мухами, стоявшими на пристани. Это было очень веселое и радостное прощание. Наконец раздавался третий могучий гудок – крики, возгласы, смех становились еще громче, и, покрывая этот веселый гам, старый капитан дребезжащим теноркoм командовал: «Убрать сходни! Отдай носовой! Малый вперед!» И «Тургенев» под большим наклоном на левый борт отчаливал от пристани. Крен возникал от перегрузки левого борта пассажирами, прощавшимися с берегом, махавшими руками и оравшими напутствия и деловые пожелания. Крен был так велик, что грозил «Тургеневу» переворотом набок. И тут чудо-капитан, неистово размахивая кулаками и надрываясь, кричал: «Що вы делаете! Вы же перекинете пароход! Бежить на правый борт!» И масса в страхе и смятении бросалась к правому борту. «Тургенев» резко переваливался направо. «Шоб вы уси подохли! – орал капитан. – Бежить налево!» Все бросались налево, и «Тургенев» делал, что ему полагается, – он кренился налево. И так до самого Аккермана в штилевую погоду по гладкой поверхности лимана шел «Тургенев», переваливаясь слева направо, как океанский корабль в десятибалльный шторм...

Не так ли и ты, наш корабль «Легкая музыка», плывешь, переваливаясь с борта на борт, под крики «бегите налево», «бегите направо», – от борта советской песни и музыки к борту американского джаза?

Самодеятельные конъюнктурные капитаны из различных музыкальных организаций, взобравшись на мостик, выкрикивают команды, якобы подсказанные им искренностью чувств и убеждений, – и шарахается справа налево и обратно наш корабль «Легкая музыка».

Не пора ли воспитать в себе нормальное, серьезное и искреннее отношение как к своим, так и к зарубежным явлениям в искусстве? Не пора ли ценить свое по достоинству и, не приходя в телячий восторг, по достоинству ценить чужое? Не пора ли отбирать все заслуживающее нашего внимания и отбрасывать все ненужное и вредное?

Вот уж сколько лет приходится вести борьбу за право существования эстрадного оркестра. Одно слово «джаз» вызывало у некоторых ханжей и перестраховщиков испуг. Слова «саксофон», «аккордеон» ассоциировались чуть ли не со словом «капитализм». Исполнение зарубежной легкой музыки считалось ошибкой, достойной порицания. Студенты, молодые рабочие, желавшие организовать оркестр с наличием «порочных» инструментов, всячески прорабатывались.

В своих нападках на легкую западную музыку ее противники ссылаются на высказывания М. Горького о «музыке толстых». Да, есть такая музыка. И мы вовсе не намерены ее пропагандировать. Но вся ли легкая эстрадная музыка, возникшая на Западе, – «музыка толстых»? В дни Всемирного фестиваля молодежи и студентов у нас будет звучать много легкой зарубежной музыки, и антагонисты этого жанра смогут убедиться, что исполняют и слушают ее далеко не «толстые» люди.

Нападки вульгаризаторов на «легкую музыку» дали возможность нашим недругам за рубежом представить дело так, что джаз у нас чуть ли не официально запрещен. Так, например, в американском журнале «Сэтердей ревю» появилась статья некоего Ричарда Хэнсера, где он в подкрепление своих доказательств «гонений» на джаз в СССР привлек высказывания... Платона. Да, да, философа Платона, жившего почти 2400 лет тому назад. Платон, видите ли, сказал: «Наши старейшины должны сохранить в силе закон, никогда его не упускать из виду и всегда хранить его с большей тщательностью, чем другие. Мы должны уберечь наше общество от опасности в виде новых течений в музыке; потому что форма и ритмы в музыке никогда не изменяются без того, чтобы не произвести изменения в самых важных политических формах и путях».

Много еще глупостей нагородил Хэнсер, вплоть до выражения мне соболезнования в том, что я якобы за свои джазовые убеждения большую часть жизни провожу в концлагере. Все это, конечно, очень забавно, но дискуссия в сторону отрицания всего западного в области легкой музыки привела в свое время к тому, что она перестала звучать на нашей эстраде.

Однако я считаю, что советской песне за время ее существования – ни ей, ни ее исполнителям – не было посвящено достаточно внимания и заботы, хотя с этой песней советские люди жили, строили, воевали и побеждали, она была поддержкой в беде и горе, спутницей в счастье и радости. Но ведь нельзя же считать проявлением серьезной заботы о развитии легкого жанра заклинание «только-только наше», которое повторялось, когда речь заходила об эстрадной, танцевальной музыке. Несоблюдение пропорций вызывало обратные явления, и сейчас молодые, способные исполнители на эстраде поют только-только «заграничные» песни, но если они хотят быть полезными своим трудом нашему делу, надо больше думать о своей Родине и воспевать труд, дела и победы советских людей. А когда следует, то и обрушиться едкой сатирой на недостатки и ошибки, все еще случающиеся на нашем трудном, великом пути.

Я отнюдь не утверждаю, что надо отказаться от исполнения зарубежных песен и музыки. Наоборот, я за хороший джаз, за хорошую песню, пусть она будет зарубежной, но я против подражания и копирования даже хороших иностранных образцов. Мы за то, чтобы у нас создавалась своя оригинальная музыка, отвечающая нашим национальным традициям. Пусть у нас возникают маленькие эстрадные оркестры, большие оркестры, но пусть эти коллективы не кренятся то налево, то направо, напоминая пароход «Тургенев».

В свое время Радиокомитет с поистине демьяновой настойчивостью кормил нас только хорами, оркестрами народной музыки и в крайнем случае песнями «избранных» советских композиторов. Легкая танцевальная музыка, песня с танцевальными ритмами, могущими вызвать, боже упаси, «джазовые эмоции», приводили руководителей Радиокомитета в трепет. Да и только ли Радиокомитет кричал с капитанского мостика «Бегите налево»? Были и помощники, и боцманы в различных организациях, ведающих курсом нашего музыкального корабля. Однообразие родило скуку. А это причиняло серьезный вред искусству легкой песни и музыки.

Я помню начало пути советской песни. Первые песни эпохи Гражданской войны. Расцвет советской песни, рожденный содружеством Дунаевского и Лебедева-Кумача, песнями Соловьева-Седого, Блантера и Богословского, и, наконец, период, когда Новиков, Туликов, Жарковский, Табачников, Мокроусов, Фрадкин и другие внесли, каждый по мере своих дарований, вклад в развитие советской песни. Ведь советская песня – новый жанр. Это не романс, не городская песня дореволюционного периода. Это форма, рожденная революцией, отображающая ее поступательное движение, ее борьбу за новую жизнь, за нового человека. Но значит ли, что, создав этот жанр, мы должны были отказаться от всех других жанров в легкой музыке? Конечно, нет. Утверждение единой формы в искусстве влечет за собой нежелательные последствия: скуку и равнодушие публики.

Если проследить путь развития советской песни, то можно заметить, что на этом пути было достаточно радостей и огорчений. Было много хороших песен, но и немало плохих. Слишком много песен пишется в миноре, даже часто песни с жизнерадостным, веселым настроением в тексте получают минорное музыкальное оформление. Еще чувствуется у нас влияние старого псевдоцыганского романса и мещанской лирики. Это надо отнести к числу недостатков и огорчений. Но и радостей было немало. К примеру, в свое время Шостакович подарил нам две песни, которые получили широкую популярность, и обе они написаны в мажоре. «Песня о встречном», полная солнечной яркости и радости жизни. Песня «Фонарики». Ведь, казалось бы, о чем поется в ней: о войне, о затемнении – значит, о временах тяжелых, грустных, а сколько в ней оптимизма и веры в светлое будущее!

Дунаевский – чудесный, радостный, веселый наш певец. Разве песни «Марш веселых ребят», «Песня о Родине» и многие другие его произведения, ставшие народными, написаны в миноре? Да и у других композиторов было немало веселых, жизнерадостных песен. Мажор, мажор, товарищи композиторы! Уравновесьте корабль, не давайте ему клониться на один борт. Пишите и мажорные и минорные песни. Иногда хочется взгрустнуть, иногда посмеяться. Но я бы сказал, что смеяться хочется больше.

Надо бросить упрек и нашим поэтам-песенникам. Уж больно у них тексты ни о чем. Песни бывают разные: песня-рассказ, песня – музыкальная новелла, песня – музыкальная речь пропагандиста, песня любовная, песня-анекдот. Надо пользоваться этим огромным разнообразием.

У нас часто любят определять качество песни по ее «массовости» – запел ее народ или нет. Мне кажется, что это не всегда правильно. Во-первых, важно, по каким каналам идет песня в массы. Хорошая песня может не попасть в кинофильм, на пластинку, на радио и обречена на гибель. Наконец, не всякая песня, подхваченная слушателями, хороша. Очень часто плохие песни получают широкую популярность.

Нам необходимо создавать свою веселую танцевальную музыку. Это единственный путь борьбы с проникновением к нам скверной джазовой музыки. Свои фокстроты, свои танго. Вальс тоже не родился у нас, но есть же русский вальс, русская полька и другие танцы. Почему не быть русскому, украинскому, армянскому, азербайджанскому и так далее фокстротам, танго, построенным на национальных музыкальных особенностях? Я думаю, всем ясно, что веселая танцевальная музыка нисколько не противоречит принципам искусства социалистического реализма. Пусть наша молодежь танцует современные танцы, а не музейные па-де-катры и па-де-патинеры.

Наш народ – народ-певец. Нам нужна разная музыка, разные песни. Нам нужны разные оркестры, от оркестра народных инструментов до джаз-оркестра. Нам нужны песни о жизни, о судьбах людей – наших, советских людей и людей другого мира, песни о любви, о радости жизни, о прекрасном мире, где должен царить мир.

Больше музыки всякой, жизнерадостной, веселой, больше песен хороших и разных! Ведь нам «песня строить и жить помогает...»

Сейчас, когда мы готовимся ко Всемирному фестивалю молодежи и студентов, очень нужно подумать о нашем музыкальном хозяйстве. Приедут молодые друзья из разных стран, привезут свои песни, свою музыку, ансамбли, оркестры. Зазвучит их танцевальная музыка, их песни. Должна зазвучать и наша музыка, наши песни. Друзья увезут к себе на родину то, что услышат у нас, мы же сохраним то, что они оставят как память о зарубежной молодежи.

И пусть наш корабль «Легкая музыка» идет, не кренясь на одну сторону – сторону однообразия и скуки. Пусть звучит все, что не противоречит нашему восприятию жизни, что помогает укреплению нашей идеологии – идеологии людей, строящих коммунизм».

Вскоре эти споры сами собой сошли на нет, потому что мы все энергично начали готовиться к Всемирному фестивалю молодежи и студентов, который в 1957 году должен был проходить в Москве. Волнения улеглись, но я еще долго не мог успокоиться и продолжал размышлять о только что угасших спорах. И часто мне приходилось убеждаться, что размышляю не я один, многие, заговорив о музыке, сразу же переключались на дискуссионный стиль, причем круг тем значительно расширился. Спорили уже вообще о музыке – серьезной, легкой, песенной, танцевальной. Вот пример одного из таких споров. В нем, как во всяком споре, выдвигаются иногда положения достаточно парадоксальные.

...Собеседники сидят в парке на скамье, прислушиваясь к «Девятой симфонии» Бетховена, которая звучит из репродуктора. Один постарше, довольно тучный, с изрядно поседевшей головой. Пока он слушал музыку, глаза его оставались полузакрытыми. Иногда легкая усмешка проскальзывала на крупном лице.

Другой помоложе. Движения нервные. Он то и дело привскакивает и тут же садится. Видимо, музыка прервала их беседу. Когда она умолкла, Молодой быстро заговорил:

Молодой. Как вы можете это говорить? Вот мне, например, нравится симфоническая музыка. Я люблю ее, но слушать приходится редко, часто занят по вечерам, а радио – это не то.

Старый. Что ж, ваше счастье, что вы ее любите и редко слушаете. Может быть, потому и любите.

Молодой. Это что же – парадокс?

Старый. Диалектика, молодой человек. И в музыке закон перехода количества в качество остается неизменным.

Молодой. Простите, не понимаю.

Старый. Сейчас объясню. С тех пор как появилось радио, люди все время слушают музыку. Есть такие, у которых радио никогда не выключается. Шестнадцать часов в сутки они слушают или, вернее, не слушают музыку. Они перестают ее замечать, как человек, живущий на шумной улице, перестает замечать шум городского транспорта. А стоит непривыкшему человеку попасть в такую квартиру, и он не сможет спать, пока у него не выработается своего рода иммунитет.

Молодой. Что же общего между шумом и музыкой?

Старый. Как, – что? И к тому и к другому человек привыкает и перестает замечать. Для того чтобы любить музыку, надо ее слушать специально. Нужно быть внутренне готовым, нужно, наконец, особое настроение.

Молодой. По-вашему, получается, что, чем больше слушаешь музыку, тем меньше ее любишь.

Старый. Не совсем так. Чем менее внимательно ее слушаешь, тем более равнодушно ее воспринимаешь.

Молодой. Не понимаю.

Старый. Представьте себе, что все улицы нашего города вместо вывесок украшены картинами. Скажем, улица имени Репина. На ней копии всех его произведений. Улица Серова – тоже. Улица Айвазовского... И так далее. Проходя изо дня в день по этим улицам, вы перестаете замечать эти картины – и вдруг вас приглашают посетить Третьяковскую галерею. Пойдете?

Молодой. Думаю, что да. Ведь там я увижу оригиналы этих картин.

Старый. Возможно, вы правы, но восприятие будет очень ослабленное, утратится основное – новизна. Вам будет казаться, что вы идете по знакомым улицам, вам захочется чего-то другого, захочется свернуть в переулок, где не будет картин.

Молодой. Вы думаете?

Старый. Убежден. Я запомнил один забавный случай. Был у меня приятель, человек с юмором. Пошли мы с ним однажды на выставку собак. Выставка была большая. Собак много, и хороших. Они лаяли, рычали. Сначала мой приятель смотрел с интересом, но потом начал скучнеть и наконец сказал: «Пойдем отсюда». «Почему? – спросил я. – Вам не нравятся собаки?» «Нет, – отвечал он, – покажите мне уже хотя бы одну кошку!» Мы вышли на улицу. Приятель увидел лошадь и очень обрадовался: «Наконец-то хоть одна лошадь, слава богу!»

Молодой. Это звучит как анекдот. Вы опять прибегаете к парадоксам. Кроме того, некоторые ваши сравнения, простите меня, просто нелепы. Я педагог и уже довольно давно изучаю вопросы воздействия музыки на воспитание человека. Наконец, по себе определяю это воздействие и...

Старый. Погодите, не горячитесь. Расскажите, как вы стали заниматься своей профессией.

Молодой. В общем-то я мечтал совсем о другом. В детстве я любил музыку. В пятнадцать лет начал учиться – и, как ни странно, на... трубе. К двадцати годам освоил этот очень трудный инструмент, но не слишком хорошо. Играл в симфоническом оркестре, будем честно говорить, не первую трубу. А потом решил переменить профессию, стал писать по музыкальным вопросам, а потом преподавать в музыкальной школе...

Старый. Ваша откровенность мне нравится. Вы говорите, что я склонен к парадоксам, и вам это, очевидно, не нравится. Но вот вы склонны к самокритике, и мне это очень нравится. Скажите, успешно ли шли ваши занятия, когда вы начали учиться играть на трубе?

Молодой. О да! Говорили, что я буду великолепным трубачом. А потом как-то остановился и дальше не пошел.

Старый. Так часто бывает. Люди восхищаются: «Ах, вундеркинд!», а потом, глядишь, ему за сорок, а он все еще на уровне чудо-ребенка. Очевидно, развитие всякого дарования имеет свой предел.

Молодой. Не хотите ли вы этим сказать, что каждый человек рождается с отпущенной ему на всю жизнь долей музыкальности?

Старый. Пожалуй, да. И вот вам простой пример. Я и мой старший брат росли в одинаковых условиях. Это было в те отдаленные времена, когда не было ни радио, ни даже патефона. Но и тогда были люди, любившие музыку. Чтобы слушать ее, ходили на концерты, в театр, или в крайнем случае в парк, на бульвар, где играл неплохой духовой или струнный оркестр. Так вот, я жертвовал для музыки всем: игрой с товарищами, мальчишескими шалостями, приключениями в духе Тома Сойера, даже юношескими увлечениями романтического характера. Хорошая музыка доводила меня до какого-то экстаза. Я забывал все на свете. Наоборот, фальшь приводила меня в ужас. Заставляла меня страдать. Мне казалось, что я не переживу этого, что рушится мир. Я исступленно топал ногами и кричал: «Фальшь! Фальшь!» Люди смотрели на меня и говорили: «Господи, такой молодой и такой сумасшедший!» Таким я был в детстве и в юности и почти таким как будто и остался. А вот мой брат, как я сказал, воспитанный со мной в одинаковых условиях, был к музыке почти равнодушен. Воспринимал ее весьма поверхностно, не замечая ни фальши, ни банальных мелодий, ни примитива гармонии.

Молодой. Что же, он и по сей день плохо воспринимает музыку?

Старый. Мне кажется, что да, хотя я не сказал бы, что он вовсе лишен музыкального восприятия.

Молодой. Значит, вы считаете, что есть люди, от природы лишенные музыкального восприятия?

Старый. Несомненно. Восприятие музыки – тоже дарование. Человек может быть им наделен в разной степени. Есть люди, воспринимающие музыку горячо и талантливо, есть средне, есть очень слабо ее чувствующие, и есть, наконец, такие, которые абсолютно лишены способности слушать музыку. Интересно также, что далеко не всегда это зависит от общей культуры. Мне приходилось встречать людей полуграмотных^ и даже совсем неграмотных, которые воспринимали самую серьезную музыку восторженно, и, наоборот, людей с высшим образованием, воспринимавших только музыкальный примитив.

Молодой. Любопытно. Талантливый слушатель, способный слушатель, бездарный слушатель!

Старый. Да, да, да, именно так. А разве вы этого не замечаете, сидя на каком-нибудь концерте или спектакле? Ведь на оперных, опереточных и эстрадных спектаклях публика смешанная: от академика с высокой культурой до человека, мало разбирающегося в вопросах искусства.

Молодой. И что же из этого следует?

Старый. А то, что сценическое действие доступно пониманию каждого человека. Здесь конкретные образы, сюжет, взаимоотношения людей. Другое дело музыка. Талантливый или способный слушатель воспринимает ее в целом. Бездарный – улавливает лишь отдельные элементы. Скажем, в опере «Риголетто» его волнует трагедия горбуна. Музыка проходит мимо ушей и обращает на себя внимание только тогда, когда исполняется ария герцога «Сердце красавицы», кстати, далеко не шедевр музыкального творчества Верди, с примитивной, я бы сказал, шарманочной мелодией и со слабой гармонией.

Молодой. Уж очень вы нападаете на бездарных – по вашей классификации – слушателей. Вот насчет «Сердца красавицы», пожалуй, верно. Но даже самый «бездарный» все-таки не может не заметить красоты всей музыки «Риголетто».

Старый. Может быть, кое-что и заметит, но както мельком, попутно. Зато ничего, кроме «Сердца красавицы», не запомнит.

Молодой. Неужели можно, по-вашему, запомнить целую оперу?

Старый. Целую не надо, но чем больше, тем лучше. Вот ведь пишете же вы, музыковеды, что в такой-то новой опере нет запоминающихся мелодий, и это ее недостаток. Или в такой-то эстрадной программе нет песен – именно песен, во множественном числе, – которые зритель запомнит. Разве это не чрезмерное требование? Есть гениальные оперы, живущие столетие, а очень часто многие зрители знают из этих опер лишь отрывок одной, максимально двух мелодий. И то, как правило, в искаженном виде. Попробуйте спросить среднего слушателя, что он помнит из оперы «Евгений Онегин». Вам споют, большей частью фальшиво, четыре начальные фразы из арии «Куда, куда вы удалились» или «Любви все возрасты покорны», которую вдобавок начнут с середины. Вот, пожалуй, все. А из других опер и того меньше.

Молодой. Допустим, что в отношении оперы вы почти правы. А как с песнями? Чем вы можете объяснить, скажем, популярность таких песен, как пресловутые «Мишка, где твоя улыбка» или «Мой Вася»?

Старый. Очень просто. Это та же кошка на собачьей выставке. Среди большого количества пропагандируемых песен, соответствующих вашему музыковедческому вкусу, а вы, конечно, влияете на каналы, по которым песня проникает в массы, вдруг появляется одна диаметрально противоположная. Вот она и делается столь желанной «кошкой».

Молодой. Выходит, что между вкусами широких масс и вкусами людей, специально занимающихся музыкой, существует разрыв?

Старый. Мне кажется, что так бывает.

Молодой. А можно ли уничтожить этот разрыв?

Старый. Следует повысить общий уровень музыкальной культуры.

Молодой. Каким образом?

Старый. Пропагандой хороших образцов.

Молодой. Не кажется ли вам, что вы впали в противоречие? Ведь вы говорили, что своей пропагандой мы вызываем симпатию к «кошкам».

Старый. Пропаганда пропаганде – рознь. Самая лучшая уха, поданная в «демьяновских» порциях, делается нестерпимой. Помните, у Крылова: «И с той поры к Демьяну ни ногой». Пусть будет меньше песен вообще, но зато больше хороших. Две-три в год – и достаточно. Я говорю о песнях массового характера. Очень нужны песни, которые «строить и жить помогают». Но ведь «Подмосковные вечера», песня, подхваченная массами, тоже помогает «строить и жить».

Молодой. Какой же должна быть песня, чтобы стать популярной? Что гарантирует ее успех?

Старый. Во-первых, в ней должна быть мелодия, построенная на бытующих в народе интонациях. Изысканность, формалистические выверты, оригинальничание здесь – гибель. Второе – в тексте должен быть «крючок».

Молодой. Это еще что?

Старый. Это слово или фраза, которые сразу проникают в сердце. Это афористично выраженное, хорошо знакомое всем настроение, наблюдение, примета. Они запоминаются и начинают иногда звучать, как лозунг.

Молодой. Например.

Старый. Ну, скажем, «Катюша», «Полюшко-поле», «Бескозырка», «Тачанка», «Пока, пока» или «И тот, кто с песней по жизни шагает», «Я другой такой страны не знаю, где так вольно дышит человек», «Молодым везде у нас дорога, старикам везде у нас почет». Вот что значит «крючок». Сила Дунаевского и Лебедева-

Кумача была именно в том, что они умели создавать народные по своему характеру интонации, а также словесные «крючки». Да и не только они одни.

Молодой. Это о песне. А что вы скажете о музыке вообще?

Старый. Это серьезный вопрос. Нужно проявлять больше терпимости к жанрам. Пора уже, наконец, отказаться от противопоставления серьезной музыки легкой. Пора закончить смехотворную дискуссию на тему: «Джаз или симфония». И то и другое – и обязательно хорошее. У нас часто любят доказывать, что увлечение джазом пагубно отражается на развитии симфонической музыки. Это неверно. Несмотря на все противодействия, джаз развивается, но одновременно развивается и симфоническая и камерная музыка. Есть люди, которые любят только симфонические оркестры или только джазы, но большинство любит и то и другое. Ван Клиберн, так восхитивший нас проникновенным исполнением произведений Чайковского, великолепно играет джазовую музыку. Наши музыковеды – вы меня простите – склонны иногда считать, что если они порицают все в области легкой музыки, то они помогают формированию хороших вкусов. Ложная концепция! Нужно выявлять недостатки, которые у нас есть, чтобы их исправить, и отмечать достоинства, чтобы их развивать. Этот принцип относится к оценке и легкой, в том числе джазовой, музыки. Наши мысли, наши идеи, развитие эстетических вкусов требуют разнообразных форм музыкального творчества, и ограничивать себя в этом отношении нам не следует.

Молодой. Разве не проникает к нам такая легкая музыка с Запада, которая оказывает вредное влияние на некоторую часть нашей молодежи? Как вы думаете бороться с этим явлением?

Старый. Уж во всяком случае не запретом этой музыки. Запрет опасен. Он создает «запретный плод» и порождает еще большую заинтересованность.

Молодой. Ну тогда как же быть?

Старый. Создавать хорошую легкую музыку. Молодые люди любят танцевать, они могут иногда посидеть в ресторане и кафе, отправиться на цирковое представление, они ходят на каток, катаются на лодках. Согласитесь, что не музыка Людвига ван Бетховена, Модеста Мусоргского или Фредерика Шопена должна при этом звучать. А ведь легкая музыка тоже формирует и воспитывает музыкальные вкусы. И когда нет хорошей легкой музыки, ее заменяет пошлятина.

В последнее время в фойе некоторых кинотеатров оркестры играют серьезную музыку. Когда я вижу, как во время исполнения какого-нибудь произведения люди ходят, разговаривают в то время, как певица, которую не слышно, распевает романс Чайковского, я возмущаюсь до глубины души. Неужели это может быть названо пропагандой серьезной музыки? По моему мнению, это профанация ее. Есть у нас даровитые композиторы, работающие в области легкой музыки, но многие из них замолчали. Боятся попасть в «кошки». Так и хочется сказать: музыковеды, будьте несколько терпимее к разным, не только своим вкусам! А то уж больно часто вы идете в «крестовые походы» за свою веру, забывая, что есть люди и по-другому мыслящие.

Молодой. Как же можно проявлять терпимость, например, к «музыке толстых» или, точнее, к джазу?

Старый. Не будем смешивать джаз с «музыкой толстых». «Музыку толстых» оставим капиталистамбизнесменам. Негры в Штатах не такие уж толстые. Скорей, наоборот. От их жизни в Америке не растолстеешь. Однако джаз создали именно они – на основе своей национальной музыкальной культуры. И у нас джаз получил совсем новое качество.

Молодой. Допустим, что так. Но сейчас меня интересует не то. Вот вы говорите, что в опере, оперетте и на эстрадных концертах бывает публика, которую вы называете смешанной. Какая же публика посещает симфонические концерты или сольные выступления пианистов, скрипачей, виолончелистов?

Старый. О, совсем другая! Ее можно считать единочувствующей и единомыслящей. Сюда по большей части идут люди, у которых получила должное развитие способность слушать. Они способны глубоко переживать музыку и наслаждаться ею.

Молодой. Как же развивать такую способность у большинства людей?

Старый. Я не могу сразу указать какие-то конкретные рецепты. Несомненно, надо научить человека сосредоточивать на музыке все свое внимание. Тогда природное музыкальное чувство, живущее в каждом нормальном человеке в большей или меньшей степени, получит возможность развития и совершенствования.

Молодой. Вы, кажется, опять противоречите себе, но, к сожалению, должен вас покинуть. Тороплюсь. Многое из того, что вы здесь говорили, не лишено интереса и основания, многое спорно. Вы часто здесь бываете?

Старый. Каждый день в это время.

Молодой. Хотелось бы еще встретиться и побеседовать. Всего хорошего. До свидания.

Я не гарантирую, конечно, стенографическую точность этого диалога, но смысл его я передал правильно. Старик, пожалуй, и впрямь склонен к парадоксам, но высказывания его не лишены смысла.

Годы шли, и наступала пора итогов и различных юбилейных дат для нашего оркестра. Его двадцатипятилетие мы отметили программой «Серебряная свадьба». Кроме новых номеров, мы включили наиболее любимое нами и зрителями из программ прошлых лет, например «отремонтированный» «Музыкальный магазин», и оказалось, что многое совсем не устарело. События и годы придали этим произведениям новый колорит, тем более что и мы не могли их исполнять по-старому. Потом наступили юбилеи тридцатилетия, тридцатипятилетия нашего оркестра, и мы каждый раз возвращались к этому приему. Перелистывая страницы наших прежних программ – так и называлась программа тридцатилетнего года нашего существования, – мы как бы отчитывались перед зрителем и проверяли себя.

В 1955 году я, к сожалению, вынужден был на некоторое время с оркестром расстаться.

В один из апрельских дней меня пронзила страшная боль. «Скорая помощь» привезла меня в институт Склифосовского прямо на стол к Дмитрию Алексеевичу Арапову. Предполагался аппендицит. Аппендикс оказался у меня великолепным, впрочем, его заодно вырезали вместе с устранением другого дефекта внутренностей. Меня тщательно зашили, однако сразу же начали готовить к другой операции – обнаружилось что-то, что навевало, несмотря на самые успокаивающие слова, самые страшные мысли.

Через пять недель вместо рака во мне отыскали образовавшую инфильтрат рыбью кость, что дало мне возможность на докучливые вопросы, где и как я лечился от рака, отвечать, разочаровывая вопрошавших, что у меня был не рак, а рыба. Они почему-то делали ироническую гримасу и говорили, что для Утесова это не острота. Я с благодарностью покинул больницу еще и потому, что обрел с тех пор возможность на вопрос о моем образовании отвечать, что образование у меня высшее без среднего и что окончил я институт Склифосовского.

Фундаментальное в своем роде образование.

Шутки шутками, но болезнь в значительной мере подорвала мое здоровье, единственным утешением было то, что я похудел на двадцать килограммов. Работать с оркестром мне в это время было не под силу. Но жить в безделии я не умею и, наверно бы, захандрил, если бы как раз в это время Театр транспорта не предложил мне сыграть в возобновляющемся спектакле «Шельменко-денщик» роль Шельменко.

Первой моей реакцией на это предложение был отказ – честно говоря, я просто испугался: ведь я столько лет не выходил на сцену драматического театра! Да и входить в готовый спектакль невероятно трудно – партнеры так привыкли друг к другу, что всякий новый исполнитель кажется им неудобным. Но в то же время так хотелось снова попробовать себя в настоящем спектакле. Как говорится, и хочется и боязно. Я решился.

Начались репетиции. Их было мало, и я с трудом входил в роль. Перед премьерой я долго и беззвучно уговаривал себя: старик, что ты волнуешься? Это что – для тебя новость играть роль? А ну, тряхни стариной! – Как ни странно, уговоры подействовали.

У меня появилась некоторая уверенность. Когда же я вышел на сцену, публика... Ах, публика, вечная моя помощница! Меня встретили приветливо, и я заиграл так, как на репетиции не получалось ни разу. А уж что касается куплетов и музыкальных номеров, то тут-то я сидел на своей лошадке.

Говорят, что я играл Шельменко неплохо. Возможно. Во всяком случае — старался. И с глубокой благодарностью вспоминаю я до сих пор всех своих партнеров, ободрявших дружелюбием, помогавших в этом трудном для меня испытании.

Через несколько спектаклей я так втянулся в театральную работу, что мне, честно говоря, не хотелось с ней и расставаться. Но был оркестр, люди ждали меня, и я вернулся. Вернулся к своим, часто таким трудным партнерам.

С привычными трудностями сживаешься и перестаешь их замечать. Но освободившись на время, начинаешь смотреть на них по-другому.

Вернувшись в оркестр, я с особой остротой ощутил огромную разницу между партнерами музыкальными и театральными. Пусть на меня не обижаются музыканты, но было бы неплохо походить им на репетиции в театр и посмотреть, как актеры целиком отдаются любимому делу, как никто из них через каждые сорок пять минут не напоминает режиссеру, что пора устраивать перекур, который так любят музыканты и после которого их полчаса надо приводить в «музыкальное состояние».

Трудно ли управлять оркестром? Человек, никогда этим не занимавшийся, даже представить себе не может, как трудно. Я понимаю, конечно, что каждый человек считает свою профессию самой трудной и сложной, самой утомительной. Шофер, едучи со мной, жалуется на то, что сидение «за баранкой» губительно для здоровья, что нервное напряжение держит его все время в тисках и что он не знает шоферов, доживающих до глубокой старости. И если бы он не пел в самодеятельном хоре, где ему иногда поручают даже соло, то жизнь его была бы сплошным адом.

– Хорошо вам, – с завистью говорит он, – вы всю жизнь поете. Это ж такой отдых!

Я не обижаюсь на него за эти слова, тем более что вспоминаю при этом, как извозчик спросил Шаляпина:

– Барин, а где ты работаешь?

– Пою.

– Мы как выпьем, то все поем, а работаешь-то ты где?

Я не обижаюсь, ибо уверен, что быть на сцене – играть, петь, дирижировать – трудно, это огромная затрата энергии, нервов. А вот сажусь «за баранку» – и отдыхаю.

Может быть, это и справедливо, что каждый мерит другого на аршин своей профессии – это наиболее понятная и точная мера для человека: ничто мы не знаем так хорошо, как свою профессию. Но и тут, как в любом деле, бывают комические преувеличения. Помню, в Ленинграде, в тридцать первом году, я ставил в своем оркестре программу под названием «Без дирижера». Ее сюжет был незамысловат: поссорившись с музыкантами, из оркестра уходит дирижер. Музыканты дают объявления в газету, и по этому объявлению является целая плеяда людей различных профессий, претендующих на освободившуюся вакансию. Среди них портной, бухгалтер, сапожник, парикмахер. Всех дирижеров играл я. Проходя испытания, каждый из них дирижировал своими профессиональными движениями. Бухгалтер словно считал на счетах, портной точно протаскивал нитку или кроил, сапожник как бы забивал гвозди молотком, а парикмахер — теми мягкими движениями, какими правил бритву, стриг или брил.

Недалеко от нашего театра была парикмахерская, и в ней работал уже немолодой мастер, который всегда был в курсе всех дел ленинградских театров. Как-то пришел к нему бриться наш музыкант Андрей Дидерихс. Он любезно усадил его в кресло и, намыливая щеки, спросил:

— Товарищ Дидерихс, это правда, что Утесов будет играть парикмахера?

— Да, — ответил Андрей сквозь пену.

— Что ж, он и брить будет по-настоящему?

Не решаясь под бритвой улыбнуться, Андрей ответил серьезно и коротко:

— Конечно.

Рука с бритвой взлетела, в глазах парикмахера был восторг:

— Ах какой талантливый человек!

Но дирижировать оркестром действительно очень трудно. Лучше всех, мне кажется, сказал об этом Шарль Мюнш в своей книге «Я — дирижер»: «Коллективное сознание сотни музыкантов — ноша не легкая. На минуту представьте себе, что было бы с пианистом, если бы каждая клавиша чудом вдруг стала живым существом». Да, дирижер — это пианист, который играет на живых клавишах. Среди них есть добрые и злые, любящие тебя и не очень, верящие тебе и не верящие, покладистые и упрямые, уважающие тебя и не уважающие никого, кроме себя. Вот попробуйте сыграть на таком «рояле».

Но потому-то и нет, наверно, большего наслаждения, когда всех этих разномыслящих, разночувствующих и разнонастроенных людей удается собрать воедино, заставить забыть о своих личных устремлениях и подчинить своей воле.

В симфоническом оркестре, где воспитание и вкусы музыкантов примерно на одном уровне, привести всех к одному знаменателю все-таки легче. Но в эстрадном или, точнее, в джазовом оркестре, где музыкальные вкусы так разнообразны (чтобы не сказать причудливы), где одни считают, что имеет смысл быть джазистами только в американском стиле, а другие не менее рьяно этот стиль отвергают, — заставить всех подчиниться единой воле очень трудно. Иногда в сердцах начинаешь вспоминать лебедя, рака и щуку дедушки Крылова, ну а если не доведен до последней точки, то декламируешь про себя с эпическим спокойствием пушкинское:

> «В одну телегу впрячь не можно
> Коня и трепетную лань».

Но вот, кажется, впряг и коня, и трепетную лань, и лебедя, и рака, и щуку – вернее, сопряг, – взмахнул «шамберьером» и... Сорок два года погоняю я эту фантастическую упряжку. И вы знаете, иногда они бегут в одном направлении...

Думаю, что ни в одной корпорации не найти такого единства, как у оркестровых музыкантов. Я подметил, что музыканты могут переругаться между собой, могут не разговаривать друг с другом, даже не здороваться, но стоит только возникнуть разногласию между одним из них и руководством — административным ли, творческим ли, все равно, — как они мгновенно объединяются и превращаются в монолит.

Я сталкивался с этим много раз, меня это раздражало, но одновременно и восторгало чувство товарищества, взаимная поддержка. К сожалению, только повод не всегда бывает достойным.

Но ах, как бы это было хорошо, если бы чувство единства сохранялось у них и в музыке, а то один спешит, другой лениво отстает, и четкое ритмическое единство произведения нарушается. Правда, иногда красота и сила музыкального произведения могут всех объединить, и тогда рождается то, что называется истинным музицированием. Словно какая-то радостная волна тепла и любви поднимает на себя всех — и музыкантов и дирижера... Ей-богу, ради таких мгновений стоит иногда пострадать.

Не знаю, как в симфонических оркестрах — никогда ими не дирижировал, хоть всю жизнь и мечтал, — но в эстрадных эта волна тепла всецело зависит от единства музыкальных вкусов.

Больше всего во время исполнения меня мучают пустые глаза. В них я вижу только скуку и вопрос: когда же это кончится? От их взгляда знобит. Эта пустота зловредна, она гасит в окружающих оживление и восторг. Тогда я скорей перевожу взгляд на глаза, в которых светится слияние души с музыкой, радость творчества.

Сколько музыкантов прошло через мой оркестр! Постепенно я научился определять их типы и особенности. Они причудливы. Есть такие, что в «тутти», то есть вместе со всем оркестром, играют смело и уверенно. Но если у них в конце несколько тактов соло, то весь концерт, до этого соло, они не живут. Другие не слышат, что играется вокруг, и слышат только себя, третьим все кажется, что им досталась партия менее выигрышная, чем соседу, и они мучаются тем, что останутся незамеченными, четвертые хотят, чтобы их инструмент силой своего звука покрывал все остальные вместе взятые.

Я делал замечания, беседовал, объяснял, убеждал, доказывал, демонстрировал и заметил однажды, что некоторые наставления повторяются у меня особенно часто и со временем приобретают форму правил, почти заветов. Тогда я стал подкарауливать в себе эти афоризмы и записывать, надеясь составить что-то вроде синодика для музыкантов джаза. Ведь удалось же Моисею в десяти заповедях изложить «всю сущность» человеческого бытия! Однако не всем удается быть таким кратким – у меня получилось вдвое больше. Но Моисей не имел дела с музыкантами, к тому же ему диктовал сам бог, а мне... Да и жизнь с тех пор значительно усложнилась.

Я бы хотел, чтобы молодые музыканты, работающие в любимом нашем жанре легкой музыки, иногда заглядывали в эти «скрижали» не только для справок, но и для дальнейшего их развития. Ведь и у бога были апостолы, толковавшие его заветы, хотя богу с его всесилием было куда проще.

Итак:

1) Хороший джаз лучше плохой симфонии.
2) Помни, что, кроме джаза, есть и еще хорошая музыка.
3) Не будь на репетиции львом, а на концерте зайцем.
4) Перед игрой волнуйся, но не трусь.
5) Никогда не показывай публике, что ты ее боишься, но всегда показывай, что ты ее уважаешь.

6) На сцене будь уверен, но никогда не самоуверен.
7) Люби произведение, а не только свою партию.
8) Играя трудную партию, чувствуй себя жонглером, бросающим шарики, а не атлетом, поднимающим гири.
9) Увлекайся игрой, но темперамент держи на вожжах, не давай ему пуститься вскачь.
10) Играя в оркестре, слушай не только себя.
11) Играя соло, не старайся всех «уложить на лопатки».
12) Всегда знай, кто главный, кто подсобный.
13) Трубач, помни, что громко – не значит хорошо.
14) Играя плохую музыку, оставайся хорошим музыкантом.
15) Не принимай свой вкус за вкус всего человечества.
16) Не пожелай ни инструмента партнера, ни партии его, ни оклада его.
17) Разговаривая с соседом в паузах, ты – «вне игры». Это так же вредно, как и в футболе.
18) Во время пауз не выключайся из игры и помни, что музыка состоит не только из нот, но и из пауз.
19) Дирижер, помни: оркестр иногда играет, а иногда аккомпанирует. Поэтому у тебя должно быть два уха. Когда оркестр играет, пусть оба будут в оркестре. Когда аккомпанирует – пусть одно будет в оркестре, а другое с певцом. Помни, если публика не услышит третий тромбон, она этого не заметит, но если она не услышит певца – ты вор, ты ее обокрал.
20) За критику не обижайся, а благодари, потому что со стороны всегда слышнее.

К тому же лекарство – критика, а вовсе не коварство (так в детстве мне всегда твердила мать). Лекарство-критику – как всякое лекарство, его, конечно, трудно принимать. Но если ты мои ошибки видишь, не говори мне никогда, что я здоров, меня лекарством горьким не обидишь, а вылечишь меня без лишних слов. Лечи, лечи, не обращай внимания, что у меня, быть может, будет грустный вид, здесь места нет для мелочных обид, поскольку вылечить меня – твое желанье.

А они любили свое дело и не жалели на него сил. Я это знал и все от них требовал, требовал, и мне все казалось мало, я всегда был недоволен. Я чувствовал, что они могут лучше – и именно в силу этой любви. И после каждого концерта я придирался к малейшему их промаху и сердился на них.

А теперь, когда я слушаю пластинки тех лет, я понимаю, какие они были молодцы, какие тонкие и сложные вещи им удавались, и кляну себя, что был безжалостным.

Когда я слушаю пластинки... На долю артистов нашего поколения выпала счастливая пора – развитие техники сделало то, что раньше казалось невозможным: исполнительское искусство актера или музыканта, исчезавшее прежде вместе с художником, теперь остается запечатленным для грядущих поколений. Конечно, есть воспоминания современников, описания критиков. Но даже статья Белинского о Мочалове может дать только приблизительное представление о творении актера. Описание – это только описание, непосредственного впечатления оно не дает. А воображение читателя, к которому обращены эти описания, может и подвести. Какой же великий подарок нам, артистам XX столетия, сделали наука и техника. Можно слышать, как пели Шаляпин, Собинов, Нежданова. Можно видеть актеров, которые давно ушли в небытие, есть возможность получить от их таланта непосредственное впечатление...

Я беру пластинки с записями тридцатых – сороковых годов и слушаю своих музыкантов. Многих из них уже нет, а я слышу, как они играют, и восторгаюсь их мастерством: импровизационной виртуозностью Аркадия Островского, отличным звучанием трубы Миши Ветрова (который был блестящим музыкантом, именно музыкантом, а не только трубачом), теплотой звучания скрипки-соло Альберта Триллинга... Почему же каждый вечер после концерта я испытывал какую-то неудовлетворенность, что будоражило мою требовательность, порой доходящую до жестокости? Не понимаю. Сижу, слушаю эти навек запечатленные взлеты мастерства и думаю о своем сегодняшнем оркестре, и опять мне все кажется не так, недостаточно тонко, недостаточно выразительно, недостаточно взволнованно. Может быть, и сейчас я не прав? Может быть... Меня утешает или оправдывает только то, что и собой я всегда недоволен, и всегда меня мучит мысль, что можно было сделать гораздо лучше, чем сделал я. Ах, если бы я мог начать жить заново, я бы, наверно... опять ругал, пилил их – за нечистую интонацию, за отсутствие подлинного настроения, а оставшись наедине с собой, принялся бы перепиливать самого себя...

К сожалению, и я и мои друзья-соратники набирали года, попросту говоря – старели. А некоторые и вовсе покидали меня – навсегда.

Немало музыкантов прошло передо мной за многие десятилетия работы с оркестром – разных и непохожих друг на друга. Но у меня всегда был один безошибочный критерий в оценке нового человека – его отношение к искусству. О другом думаешь: и зачем он стал музыкантом? Только потому, что механически выучился играть? Так ведь и зайца можно научить

16-949и

бить в барабан. С такими стараешься поскорее расстаться.

Но бывают люди, работать с которыми – удовольствие. Они горят сами и зажигают других. И уходя, они оставляют в твоем сердце неизгладимый след. Одним из таких был наш Леня Дидерихс, брат Андрея, о котором я упоминал. Человек необыкновенного дарования, аранжировщик и пианист. И ко всему еще – обаятельный человек. Мне кажется, что за все время моей работы с оркестром у меня ни с кем не было большего взаимопонимания. Он все умел делать так, что это доставляло подлинную творческую радость. Я любил его какой-то братской любовью. Да мы все любили его.

Зачем так рано судьба отняла у искусства, у музыки, у меня, у всего нашего коллектива этого человека?! Ему было только тридцать лет, когда он заболел, заболел смертельно. Он понимал, что умирает, но никогда не жаловался.

В один из вечеров он позвал к себе своих друзей-музыкантов и необыкновенно красиво и мудро говорил о жизни в искусстве, о жизни для музыки, о том, что это значит – быть артистом. Потом сказал:

– Налейте бокалы и поставьте мою любимую пластинку.

Внимательно и как-то по-особенному сосредоточенно прослушав музыку, он вдруг поднял бокал и воскликнул:

– А! Вот она идет! – бросил бокал и мертвый упал на подушку.

И наступило время, когда мне пришлось расстаться с моими музыкантами. Все они жили в Ленинграде, я же в Москве, и эта территориальная разобщенность затрудняла нашу работу.

Мне пришлось набрать молодежь. Всеми силами старался я сохранить традиции и дух моего прежнего коллектива. Но, наверно, это невозможно. Иные люди, иная атмосфера, иные интересы. Среди моих новых партнеров есть хорошие музыканты. Они искренне стремятся воспринять традиции нашего оркестра. Но это люди иной полосы жизни, и у них ко многому совершенно иное отношение. Они легко переступали ту грань, которая для меня и моих старых товарищей была священна. Меня огорчало, когда я не находил у них того энтузиазма, который считал непременным условием творческой работы. К тому же мне казалось, что они излишне самоуверенны и уж очень увлекаются «красивой жизнью». Я много думал над нашим взаимным непониманием, мне очень хотелось найти с ними общий язык. Себя я винил в недостаточной настойчивости, в том, что мне не хватает воли сдерживать их «порывы». Но в особенно острые моменты я вспоминал свою молодость, и это мне помогало понимать моих новых коллег. В юности-то я ведь тоже не отличался воздержанностью, и ошибок было хоть отбавляй, но, ей-богу, я умел сам на себя набрасывать узду и не приносить в жертву суете то, что я считал самым главным в жизни – искусство.

Говоря об оркестре, о музыкантах, о творческих проблемах, об успехах – особенно о последних, – никак нельзя не сказать похвального слова об администраторе. Потому что это от него во многом зависит хорошее настроение коллектива, особенно коллектива, который никогда не сидит на месте, который сегодня здесь, а завтра – там. У администратора много самых разнообразных обязанностей не только технического, хозяйственного, но и душевного свойства: и обеспечить хорошие условия для выступления, и подготовить не просто рекламу, а привести город в состояние нетерпеливого ожидания, и удобно разместить коллектив в гостиницах и на квартирах, и множество других, самых разнообразных забот, не говоря уже о самой ответственной – об обеспечении финансовой стороны выступлений.

Театральный администратор, лишенный творческой жилки, остроумия в мыслях и делах, не может считаться человеком, по праву занимающим свой высокий пост. Администратор, так же как и артист, должен быть служителем театра. Просто ловкач – это еще не администратор.

Я знал многих театральных администраторов. Среди них были исключительно одаренные люди. Каждый на свой манер. Я расскажу, для примера, только о некоторых, совершенно разных по своим особенностям и манере работы.

Один из них, Николай Александрович Рудзевич, большую часть жизни проработал в Харькове, в театре у Синельникова. Он развозил драматическую труппу по провинции и был весьма замечательной личностью. Писал даже стихи, очень остроумные и смешные. Стихи, к сожалению, не сохранились у меня в памяти, а вот некоторые его жизненные экспромты помню.

Привез как-то Рудзевич в Николаев труппу на гастроли – это было еще до революции – и пошел, как полагается, к полицмейстеру подписывать афишу. Полицмейстер быстро пробежал глазами сообщение о том, что силами драматических артистов будет представлена пьеса Л. Андреева «Дни нашей жизни», фамилии исполнителей, а на строчке, набранной внизу большими буквами, задержался. Там сообщалось:

«Каждому зрителю при покупке билета будет выдан ценный подарок».

– Это печатать я не разрешаю! – сказал полицмейстер.

– Но почему же?

– Это обман. Какой ценный подарок можете вы дать к билету за тридцать копеек? Уж не собираетесь ли вы презентовать каждому часы или серебряный портсигар?

– Ни часов, ни портсигаров выдавать не будем, а ценный подарок дадим.

– Да что вы меня дурачите! Ну какой, какой ценный подарок?

– Портрет его величества государя императора! – отрапортовал Рудзевич, ехидно глядя прямо в глаза полицмейстеру. Что, разве не ценный подарок?

Полицмейстер афишу подписал.

А то возил он как-то на гастроли Мамонта Дальского. В одном из городов сбор оказался невелик, и Дальский весь спектакль был не в духе.

Когда он мрачно разгримировывался перед зеркалом, Рудзевич приоткрыл дверь и спросил:

– Мамонт, ты скоро оденешься? Надо ехать в гостиницу.

Дальский обернулся и угрожающе проговорил:

– А ну-ка, иди сюда, я сделаю тебе замечание.

Гнев Дальского был известен, но Рудзевич не растерялся:

– А ты не замечания, ты лучше сборы делай. – Хихикнул и быстро засеменил по коридору.

Как ни был зол Дальский, но остроты он любил; в этот вечер он угощал своего помощника и называл «молодчиной».

Однажды, уже после революции, Рудзевич приехал в Москву по делам и в свободный вечер отправился на спектакль в один из весьма популярных в то время театров.

Он долго скромно стоял у дверей в администраторский кабинет, дожидаясь, пока все принципиальные контрамарочники не будут удовлетворены. Потом он вошел в комнату и представился. Надо сказать, что был он уже без зубов и, когда говорил, кончик языка выскакивал наружу.

– Пошвольте предштавитьшя, – прошепелявил он, – я администратор Харьковского драматического театра. В силу некоторых обстоятельств очутившись в Москве, счел своим долгом посетить ваш театр я ознакомиться с его творческим лицом. Не будете ли вы любезны предоставить мне эту возможность, за что я буду безмерно признателен вам.

Администратору эта высокопарная речь, очевидно, не понравилась или показалась подозрительной, и он пробурчал:

– Мест у меня больше нет, вот вам записка, может быть, устроитесь на свободном.

– Сердечно вам признателен, – сказал Рудзевич и протянул руку для рукопожатия. Администратор, глядя куда-то в сторону, выдал ему два пальца. На мгновение воцарилась пауза.

– Вы меня простите, – как мог отчеканил Николай Александрович, – я был знаком с Львом Николаевичем Толстым. Он, если вы помните, написал «Войну и мир» и много других великих произведений, но он подавал мне всю руку. Вы написали только контрамарку и подаете два пальца. Мне ясно творческое лицо вашего театра, считайте, что я уже в нем побывал. – Положив контрамарку на стол, он величественно удалился.

Администратор Давид Соколов был полной противоположностью Рудзевичу – молодой, подвижный, говорливый, способный уговорить кого угодно и на что угодно. Область его деятельности охватывала эстраду, цирк, развлекательные аттракционы в городском саду города Днепропетровска, в котором он был представителем ГОМЭЦа.

На попечении Соколова в Днепропетровске были эстрада, цирк, музыка, панорамы и даже карусели. Однажды его вызвали в горсовет на заседание наробраза.

– Товарищи, – услышал Соколов, – наша секция проделала большую работу – организовала в школах дешевые, всего за двадцать копеек, завтраки. Это было не легко, товарищи! Ведь вы подумайте, надо было устроить кухню, купить посуду, найти женщину готовить пищу. Мы неплохо поработали, товарищи! И что же делает ГОМЭЦ в лице товарища Соколова? Он, товарищи, ставит на площади против школы карусель. И что же получается? Родители дают детям двадцать копеек на завтрак, а дети вместо этого катаются на карусели. Я считаю, что эту карусель надо убрать.

– Убрать! Убрать! – раздалось со всех сторон.

– Что вы можете сказать в свое оправдание, товарищ Соколов?

– Что ж я могу сказать! Товарищ совершенно прав. В четверг я пошел проверить карусель. Смотрю – карусель крутится, а на ней один мальчик катается на лошадке. Я остановил карусель, снял мальчика и пристыдил его: дескать, как тебе не стыдно, мама дала тебе двадцать копеек, чтобы ты позавтракал в школе, а ты катаешься на карусели. И вы знаете, что он мне ответил?

– Чем есть такую дрянь, какую дают в школе, лучше уж на карусели кататься.

Хохот раздался оглушительный.

Однако убрали... карусель.

Он вообще был скор на ответы и остроумен.

Однажды я с Соколовым завтракал в кафе при гостинице «Континенталь» в Киеве. Вдруг швейцар принес мне телеграмму: «Встречай девятого на вокзале проездом Одессу везу посылку Лены. Софья». Софья – это сестра жены.

– Какое сегодня число? – спрашиваю Соколова.

– Десятое.

– Посмотри! – и протягиваю ему телеграмму. – Значит, вчера Соня проехала через Киев.

– Не огорчайся и поезжай на вокзал завтра.

– Да зачем?!

– Если телеграмма могла опоздать на сутки, то поезд может опоздать и на двое.

Но остроумие его проявлялось не только в дружеских шутках, но и в делах.

Одно время союз работников искусств решил провести тарификацию администраторов. Предполагалось, что они должны делиться на три категории. К первой могли принадлежать только те всеобъемлющие чародеи, которым было по плечу работать в любом театрально-зрелищном предприятии. Ко второй – администраторы, знающие драматические и оперные театры. К третьей – знающие эстраду, цирк и другие не слишком уважаемые начальством, но популярные у публики жанры.

Специальная комиссия разъезжала по городам и устраивала администраторам экзамены.

В Днепропетровске на экзамен явился Соколов.

– Вы, кажется, претендуете на первую категорию? – спросил его председатель комиссии.

– Да, я претендую.

– В таком случае, ответьте на следующий вопрос: вы работаете администратором драматического театра. Репетируется новая постановка, а для декораций нужно двести метров полотна. В городе его нет. Что вы будете делать?

Соколов подошел к столу, совсем близко наклонился к председателю комиссии и очень любезно сказал:

– Это для вас – нет, а для Соколова всегда найдется!

После такого ответа не дать ему первую категорию было бы величайшей несправедливостью.

В тридцатых годах познакомился я с администратором, который умел окружить артиста таким вниманием, такой дружелюбной заботой, что работать с ним было просто радостью. Тигран Аветович Тарумов был администратор-романтик.

Однажды он привез наш оркестр в Баку. Придя утром посмотреть площадку, на которой вечером нам выступать, я растерялся. Занавеса не было.

– Тигран, – сказал я Тарумову, – я не могу выступать без занавеса.

– Ледичка, – сказал он, – что ты беспокоишься? Нужен занавес – будет занавес.

– Но ты же не успеешь до вечера.

– Какое тебе дело! Ты хочешь занавес – будет занавес.

Я привык верить Тиграну. Он никогда не обманывал. Но вечером, придя на концерт, я увидел, что занавеса нет.

– Тигран, – сказал я с тревогой, – занавеса нет...

– Дорогой, или ты мне веришь, или мы не друзья...

Я ничего не мог понять и был до того озадачен, что хоть от концерта отказывайся.

...Да, занавес не был повешен, но занавес был.

Заканчивая концерт, я пел заключительную песню «Пока, пока, вы нас не забывайте» и поднимал две сложенные руки, как бы прощаясь с публикой. Этот жест был одновременно сигналом для занавеса.

Я поднял в прощальном приветствии руки и... занавес появился. Но какой занавес! Из роз...

Тигран посадил на колосники двадцать мальчиков и дал каждому огромную корзину цветов. Когда я поднял руки, мальчики опрокинули эти корзины и сверху посыпался занавес из цветов, непроницаемый. Я, мы все были ошеломлены. Ничего подобного я и представить себе не мог. Я буквально утопал в цветах. Пожалуй, за всю мою жизнь я не получил столько цветов на сцене, сколько в этот на всю жизнь запомнившийся мне вечер от администратора Тиграна Тарумова.

К сожалению, сейчас профессия администратора стала какой-то прозаической. Может быть, потому, что теперь в администраторы часто идут люди, которым больше некуда идти и которые ищут легкий хлеб. А племя администраторов-романтиков становится все малочисленнее. Как важно актеру быть уверенным, что тебя выслушают, постараются понять, помогут выйти из трудного положения, в которое часто ставит нас наш сложный быт.

Когда-то был так называемый Клуб мастеров искусств. Закончив свои выступления, мы устремлялись туда, в Старо-Пименовский, в уютный подвальчик, где было весело, где вам были рады и где было с кем пошутить и с кем поспорить.

Чтобы такой клуб мог существовать, нужен был человек, вокруг которого все это могло бы вертеться, человек, умеющий понять психологию актера, его желания, его нужду в общении. Всеми этими качествами обладал Борис Михайлович Филиппов. Вот уж истинный администратор-интеллигент! Он умел актера слушать и понимать.

Подвальчик со временем превратился в большой, а вернее, в Центральный Дом работников искусств, в ЦДРИ, и переселился на Пушечную улицу. К сожалению, там теперь Бориса Михайловича нет, о чем, я думаю, печалится все московское актерство. – Зато радуются литераторы, очень радуются приходу к ним Бориса Михайловича. Ах, изменник! Но за все то хорошее, что он сделал для нас, мы прощаем ему эту черную измену... и не взорвем Дом литераторов.

Филиппов нас бросил, но у актеров остался Александр Моисеевич Эскин. Вот уж кто никогда не откажет в дружеской помощи и в дружеском сочувствии, в поддержке. И мне кажется, что Эскин работает не директором, а душой Дома актера, родного дома актеров.

Говоря о людях, которые помогали мне преодолевать трудности «легкомысленного моего искусства», я не имею права не сказать о человеке, под чьим неустанным, требовательным наблюдением я находился целых полвека – в самые активные и трудные годы своих поисков. У меня была жена-друг, жена-советчик, жена-критик. Только не думайте, что я был многоженцем. Она была едина в трех лицах, моя Елена Осиповна, Леночка. Она обладала одним из тех замечательных качеств, которые так необходимы женам артистов и которых они часто, к сожалению, лишены, – она никогда не приходила в восторг от моих успехов.

Вот, скажем, кончается очередная премьера. Успех большой, за кулисы приходят друзья, знакомые, говорят комплименты, жмут руки, восторгаются, поздравляют, целуют. Поздравляют и ее – с успехом мужа. Она мило улыбается, благодарит, а когда мы остаемся с ней вдвоем, я ее спрашиваю:

– Лена, ну как?

Она спокойно говорит:

– Хорошо.

– И это все?

– Ну я же тебе говорю – хорошо. Только в первом отделении ты поешь эту песню... «Сон»... это плохая песня.

– Ну а вообще?

– Вообще – хорошо, но вот этот твой конферанс перед танцами – очень дешевая острота, так ты мог острить, когда был одесским куплетистом, а сегодня это стыдно.

– Ну это отдельные недостатки, это я исправлю, ладно, а вообще-то как?

– Вообще – хорошо. Но финал надо изменить. Весь он притянут за волосы и никак не вытекает из предыдущего.

– Ну а общее впечатление? – откровенно выпрашиваю я похвалу.

– Общее впечатление хорошее. Но можно сделать еще лучше.

И я всю жизнь старался сделать так, чтобы она безоговорочно сказала: «Хорошо!» К ее критике я прислушивался больше, чем ко всем другим рецензентам. Может быть, потому, что она действительно верила, что я могу сделать лучше.

И однажды мне удалось добиться ее безоговорочного признания, но не на эстраде, а совсем в другом жанре – в стихах. Как поэта она меня никогда не критиковала, и я даже в шутку стал называть ее «Наталья», имея в виду Гончарову. Когда же она и прозу приняла без поправок, я начал называть ее «Софья». Это была наша веселая игра, и мы оба от души хохотали.

В начале нашей совместной жизни муж я был еще неразумный, сплошь и рядом совершавший легкомысленные поступки. Но она, хозяйственная, разумная, не только умела прощать мне мои шалости, но и вообще более основательно смотрела на жизнь. Предвидя возможность «черного дня», моя Леночка предусмотрительно спрятала на дно плетеной корзины, в которой хранилось все наше имущество, гардероб и всякие хозяйственные вещи, и которую я при переезде из города в город тащил на спине, спрятала в нее золотую пятерку, завязанную в маленький платочек.

Однажды в городе Большой Токмак я, проходя по саду, где находился наш театр, увидел тир, зашел и... Поначалу все шло хорошо – я попадал в цель и получал призы: оловянную пепельничку, блюдце, стаканчик и т. д. и т. п. – и все это богатство за тридцать копеек. Расхрабрившись, я решил поразить мишень, в которую еще никто никогда не попадал. Это был кружочек, не более нынешней копейки, причем на таком фоне, что разглядеть его было трудно. Но зато и приз полагался солидный – портсигар. Не знаю, был ли он действительно серебряный или только похож, но выглядел очень соблазнительно. Особенно привлекала выбитая на крышке голова слона с вздернутым кверху хоботом. Ах, как мне захотелось иметь этот портсигар. Но денег уже не было.

Я бегом пустился к нашему жилищу, вошел в комнату. Леночка спала. Я тихонько открыл соломенный «сейф», сунул руку в знакомый угол, нащупал платок с пятеркой, вынул его и помчался обратно в тир.

Я стрелял и стрелял по злосчастной мишени, не попадая в нее, пока вдруг не услышал позади себя знакомый голос:

– Ах, вот ты где! Я так и думала. Ну пойдем, уже пора.

Очевидно, вид у меня был невеселый.

– Что с тобой? – спросила она.

– Ах, я прострелял много денег.

– Ну, откуда у тебя могло быть много денег! Я же знаю, у тебя было тридцать копеек. Неужели ты их все прострелял?

– Нет, много больше.

– Много больше! Да откуда у тебя могло быть больше?

Сгорая от конфуза, я сокрушенно произнес:

– Леночка, я прострелял наши пять рублей. Она ничего мне не сказала. Но потом, в течение всей нашей жизни, когда я совершал какие-нибудь необдуманные поступки, иронически смотрела на меня и говорила:

– Опять прострелял наши пять рублей?

Я и сам человек по натуре незлой, но ее любовь, ее безграничная доброта к людям, доброта активная, деятельная, были мне всегда примером и многому меня научили. Я чувствовал, что в ее любви ко мне было много материнского, заботливого, самоотверженного. Ведь материнская любовь – это самое сильное, самое могучее, что есть на свете. Я понял это однажды на примере совершенно неожиданном, но тоже происшедшем в нашей семье, поэтому я здесь о нем расскажу.

Был у нас песик Кузя. Маленький, черненький скоч-терьер. Кузя был необыкновенно симпатичная собака. Был он по натуре – комик. Все его поступки производили впечатление, будто он насмехается над людьми. Он улыбался, скаля свои белые зубы, и как бы говорил: «Люди, я вас понимаю лучше, чем вы думаете, чудаки вы, люди». Мы очень любили Кузю. Но больше всех любила его домработница Катюша. Была она некрасива, уже немолода, одинока и, по-видимому, не знала ни восторга любви, ни ласковой руки на плече, ни вкуса поцелуя, ни радостей материнства. И вот все свои невысказанные чувства Катюша перенесла на Кузю.

Кузя был, что называется, «первый человек» в доме. «Кузя еще не кушал», «Кузя еще не гулял» – с самого раннего утра можно было слышать жалобы Катюши, а если я говорил: «Я тоже еще ничего не ел», – Катюша говорила: «Подождете, вот накормлю Кузю, а потом и вас».

Часто по вечерам мы сидели у телевизора и рядом с Катюшей всегда сидел Кузя. Катюша глядела на экран, поглаживала Кузю и комментировала Кузе все, что видела.

В этот вечер передавали программу из цирка. Номера были великолепные, и Катюша с восторгом глядела на экран. «Смотри, Кузя, как дядя прыгает. Смотри, смотри, как тетя бросает шарики». Но вот на манеже появился клоун и с ним собака. Собака была довольно крупная и не очень породистая. «Смотри, смотри, Кузя, какая собачка», – сказала Катюша тоном, которым обычно говорят с детьми. Собака на экране проделывала разные трюки – прыгала через обручи, кувыркалась, ходила на задних лапах. Все это Катюша воспринимала с наивной радостью.

Но вот клоун усадил свою собаку на табуретку и сказал:

– А ну, скажи «мама».

Собака молчала.

– Ну, скажи «ма-ма».

Собака отчетливо произнесла: «ма-ма».

И вдруг я услышал плачущий, почти рыдающий голос:

– Боже мой, если бы Кузя мне сказал «мама», я бы ему всю жизнь отдала.

Каждый мемуарист знает, как трудно писать о своей жене – о тех тонких, интимных взаимоотношениях, из которых порой рождаются и замыслы новых произведений, и решения отказаться от чего-то неверного, недостойного, случайного. Но в то же время нечестно, по-человечески недостойно молчать о человеке, который так много, хотя часто незаметно, ненавязчиво, исподволь сделал для твоей творческой жизни, помогал тебе в трудные моменты душевных кризисов или просто подгонял в работе. Но как об этом написать? Проза не всегда годится – она слишком буквальна. И вообще о своих чувствах часто хочется не говорить, а петь, петь без музыки – тогда-то, наверно, у людей и получаются стихи. Да, стихами об интимных вещах говорить удобнее всего, как бы ни были они несовершенны. Я начал их писать поздно, в шестьдесят лет, писал о разном – о конкретных событиях и размышления на общие темы, выражал в них боль и радость, сомнения и разочарования, но моя жена была моей постоянной темой. А мы прожили с ней сорок девять лет!

«В любви своей остынуть не успев,
На этой мысли я ловлю себя невольно.
Мне дорога твоя любовь и даже гнев,

За перевалом

Когда ты мной бываешь недовольна.
И если лишний год прибавится к годам
Твоим или моим, я говорю: «Так что же?»
Еще полней ценить друг друга нужно нам,
Друг другу делаемся мы еще дороже.
Я для тебя – тепло. Ты для меня – мой свет.
И светом и теплом вся наша жизнь согрета.
Мы вместе прожили почти полсотни лет.
И шепчут все вокруг: «Ромео и Джульетта».

«Был когда-то парнем я веселым.
В жизнь влюблен был безо всякой меры,
Радовали море, лес и горы,
Не мечтал ни о какой карьере.
Строен был, и худ, силен, как дьявол.
Для друзей был вроде бы примером,
А потом, сознаюсь в этом прямо,
Подвела проклятая карьера.
Вот печаль и горькая обида.
Жизнь – сплошное разочарованье,
И хожу с каким-то важным видом,
Словно дал себе обет молчанья.
Жизни путь становится короче –
Нету прежней удали во взоре.
Мысль одна: аплодисменты б громче.
И не радует ни солнца свет, ни море.
Эх! Вернуть бы юность. Сбросить лета.
Нынче, вижу, юность много значит.
Как бы хорошо все было это.
Я бы прожил жизнь совсем иначе.
Но в одном не нужно перемены:
Не хотел бы я сменить отчизны,
Путь пройти с подругой непременно
С той, что я прошел по этой жизни».

Леонид Утесов

«В Запорожье, где казачья Сечь,
У Днепра – у Черноморья друга,
В месте наших первых юных встреч,
Ожидаю я тебя, подруга.

Ты скорее приезжай сюда:
Я грущу, и нужно мне подспорье.
Ты запала в сердце навсегда.
Так, как Днепр впадает в Черноморье.

Хоть прошло немало бурных лет –
Все событья пропускаю мимо,
И открою я тебе секрет,
Что любовь к тебе неугасима».

«Ты не приехала, и я брожу, как тень.
И чувств своих, как ни хочу, не скрою,
Пойми, мне дорог каждый час и день,
Который я живу и провожу с тобою».

О ПЕСНЕ

Стать популярным легко.
Удержать популярность трудно.
Что такое хорошая песня?
Об этом будут спорить всегда.
Но песне надо отдавать себя сполна.

Есть у меня слабость – уж очень я влюбчив и часто меняю предметы своей любви. Причем каждый раз я уверен, что именно эта и есть та, о которой я всегда мечтал, и никогда не любил я так сильно, как теперь. Но проходит время, и я влюбляюсь в другую и ей отдаю все свое сердце, конечно, навсегда, а потом снова влюбляюсь в новую песню.

А как не влюбляться, если появляется новый композитор, с новой музыкальной мыслью, с новыми мелодическими рисунками и в его песнях наша жизнь начинает петь по-новому. Все это поражает мое воображение, мое слабое сердце – и я влюбляюсь.

Я не могу упомянуть ни одного композитора, песни которого я бы пел не любя. Все, сыгравшие свою роль в развитии песенного жанра, из тех, с кем мне пришлось столкнуться на сорокалетнем песенном пути, – каждый по-своему мне дорог, каждый по-своему затронул мое сердце, и каждому из них я бесконечно признателен за творческое содружество – за то, что они понимали меня и я понимал их. Ведь только из такого взаимопонимания композитора, поэта и исполнителя и рождается настоящая творческая удача.

Но первое мое слово о Дунаевском.

Все друзья Дунаевского называли его ласково «Дуня».

Впервые я встретился с ним в Москве в 1923 году. Несколько актеров решили составить комический хор. То ли это было нужно для очередного капустника, то ли для какого-то спектакля — не помню, но встречу у рояля с Дуней не забуду никогда. Я был ошеломлен той необыкновенной изобретательностью и юмором, с которыми Дунаевский «разделывал» разные песни, внося в них такие музыкальные обороты, которые кто другой вряд ли мог и придумать.

Поразительно было видеть, как работал Дунаевский. Он мог сочинять музыку, не прикасаясь к роялю. Оркестровку же писал без партитуры и со стенографической скоростью, раскладывая листы бумаги на столе.

Все было весело и необыкновенно музыкально. Улыбка играла на его лице. Пальцы скользили по клавиатуре. И мне казалось, что и пальцы тоже посмеиваются.

Эта первая яркая встреча мне очень запомнилась. Но не с нее началась наша дружба. Дружба пришла позже.

1930 год. Ленинград. «Мюзик-холл». Дунаевский — дирижер оркестра. Я выступаю со своей первой программой. Мы часто беседуем, сидя у рояля. И оба любим эти беседы. Мы оба молоды. Оба готовы, погрузившись в море звуков, мечтать и не замечать всего, что нас окружает.

— Исаак Осипович! — кричит помощник режиссера. — Вас ждут на сцене. — Но Дунаевский ничего не слышит и продолжает играть. Для того чтобы его остановить, его нужно схватить за руки. Именно это я и делаю:

— Дуня, — говорю я, — тебя зовут.

Он как будто просыпается:

— А? Где?

— Тебя зовут на сцену.

Он нехотя встает, и в глазах его скука. Туда, куда его зовут, он идет нехотя. Там уже другая жизнь. Там репетиция. Там огорчения. Кто-то взял не ту ноту, кто-то фальшиво спел, кто-то неритмично танцует. Нет порыва, нет вдохновения, значит — нет и творчества. И ему скучно.

Когда я ему однажды сказал:

— Дуня, что бы нам такое сделать, чего еще в моем джазе не было? — он улыбнулся, характерным жестом почесал сначала лоб, потом кончик носа и ответил:

— Давай сядем к роялю.

Только этого я и ждал. Я знал, что раз он сел к роялю, он от него не отойдет, пока вдоволь не напьется сам и не напоит меня музыкой.

Сколько мы просидели тогда у рояля, я не помню, очень долго. Мы забыли обо всем на свете. Бесконечной чередой неслись мелодии русские, поражавшие молодецкой широтой и удалью, украинские, трогавшие лирикой и весельем, еврейские, с их грустью и сарказмом. — Так возникла программа «Джаз на повороте», а потом «Музыкальный магазин», а потом «Темное пятно», «Веселые ребята». Это было время наиболее частых наших встреч, совместной работы, тесной дружбы. Когда я переехал в Москву, наши встречи стали редкими, но и тут творческая дружба не прерывалась. Песни Дунаевского постоянно появлялись в наших программах: «Песня первой любви» на стихи Матусовского, «Дорогие мои москвичи» на стихи Масса и Червинского и сколько еще других. Именно нашим коллективом была исполнена и последняя песня Дунаевского «Я песне отдал все сполна».

А равнялись ли его человеческие достоинства его таланту? Да, он был умен. Умел не просто мыслить, а мыслить философски. Он был прекрасный оратор. Слушать его выступления было наслаждением. Он был хороший товарищ. Он был патриот. Он был романтик.

Когда Дунаевского уже не было, а мне приходилось на сцене исполнять его песни, к горлу подкатывал комок, и я боялся, что появятся предательские слезы. Вы скажете, что это сентиментальность. Может быть. Я ее не стыжусь. Я только хочу, чтобы ее не видели у меня на сцене — не за этим приходит к нам зритель. Но здесь, на страницах этой книги, позвольте мне погрустить об утраченном друге. Его нет, и можно, предавшись воспоминаниям, лить слезы.

Это тебе, мой читатель, я рассказал о нашей с ним дружбе, а теперь я обращусь к нему самому:

Дорогой Дуня! Вспоминаю нашу первую встречу. Москва. «Аквариум». Я тебя не знал. Мы впервые сели у рояля, ты играл, импровизировал и с каждым аккордом в сердце моем рождался восторг перед тобой, твоей фантазией, перед искренностью твоего чувства.

Я полюбил тебя — музыканта, тебя — художника.

Потом много лет мы были творчески неразлучны. Сколько радостей и огорчений испытали мы в те годы!

Вот мой рояль, за которым ты сидел, по клавишам которого скользили твои пальцы, создавая песни «Веселых ребят».

Он цел, этот рояль. Он звучит, блестит, он даже не старится, но он меня больше не радует. В нем умолкла твоя душа. Тебя нет. Нет Лебедева-Кумача. Нет вашего чудесного содружества. Правда, то, что ты оставил нам в наследство, – огромно. Как-то в одном из своих выступлений, говоря о тебе, поэт Михаил Матусовский сказал, что даже того из твоего творчества, что ты отбрасывал как ненужное и, по твоему мнению, неудачное, хватило бы другому композитору на всю его жизнь.

Песни – как люди: они рождаются и продолжительность их жизни разная. Одни, плохие, умирают быстро, другие, хорошие, живут долго. Правда, с людьми часто бывает наоборот: хорошие умирают. А плохие живут и живут. Это, конечно, не закономерность, но, к сожалению, часто так случается.

Для того чтобы творить, людям нужна любовь, любовь к человеку. Надо желать людям добра, надо радоваться успехам других, и тогда твое творчество делается настоящим и радостным. Ты любил и тебя любили.

Помню, как ты умел увлекать людей не только музыкой, но и словом. И вот музыка твоя звучит все так же, увлекая и кружа в вихре радостного танца, зажигая сердце чудесной песней, но слова твоего мы не слышим, а как бы оно нам помогло... Да, слово твое мы не слышим, но незримо ты среди нас, потому что, где произносится слово «песня», – там ты.

Песня, чудесная песня, идущая от сердца художника к сердцу народа! Как смело и гордо ты шагал по этому пути, зажигая в людях пламенную любовь к Родине – «Я другой такой страны не знаю, где так вольно дышит человек...» Выражая великий оптимизм советских людей – «И тот, кто с песней по жизни шагает, тот никогда и нигде не пропадет...»

Я продолжаю шагать по этому пути, но уже не чувствую твой дружеский локоть. Я вспоминаю все, что создано тобой, и, как жаждущий путник в пустыне, пью из волшебного ручья, встретившегося мне на пути, прозрачную живительную влагу...

Мне не забыть, как я пришел однажды в Ленинграде к человеку, которого тогда совершенно не знал.

– Здравствуйте, – сказал я блондину с голубыми глазами, – я пришел попросить у вас песню.

Он смотрел на меня и улыбался, а в улыбке его было удивление. Не знаю, чему он удивлялся – моему ли приходу, моей ли просьбе, но он проиграл мне песню, и я сразу понял, что мне повезло. Песня называлась «Казачья-кавалерийская» и начиналась словами:

«Мой конь буланый, скачи скорей поляной –
Казачка молодая ждет...»

Эта была первая песня Василия Павловича Соловьева-Седого, спетая мною, и, если не ошибаюсь, вообще его первая песня. Потом в продолжение долгих лет я попеременно влюблялся в разные его песни: «О чем ты тоскуешь, товарищ моряк», «Я вернулся к друзьям после боя» и, конечно, в «Васю Крючкина» – они стали и моими и слушателей любимыми произведениями этого талантливого композитора.

Другой моей любовью всегда был и остается Марк Фрадкин.

«Вернулся я на родину», «Дорога на Берлин», «Здравствуй, здравствуй» – эти песни мне особенно дороги, потому что они писались и пелись в радостные дни окончания войны, и воспоминания о тех днях всегда связываются у меня с ними.

Так получилось, что из песен Бориса Мокроусова я пел только одну, но это был «Заветный камень» – одна из самых сильных наших песен по глубине своего чувства и содержания. Она хороша именно своей цельностью — музыка и стихи удивительно соответствуют друг другу. Стихи написаны поэтом, с которым меня связывала многолетняя дружба, Александром Жаровым. Вот уж о каких стихах не скажешь, что это «слова» песни! Меня это определение всегда коробит. Сказать о стихах «слова» — это все равно, что сказать о музыке «мотивчик». И всегда бывает обидно за хороших поэтов, когда об их стихах с эстрады говорят «слова». Произведения Лебедева-Кумача, Исаковского, Матусовского, Жарова, Долматовского, Ошанина и многих других наших поэтов, пишущих песни, заслуживают того, чтобы их творения называли стихами. — Не может быть хорошей песни, если в ней оба элемента не равноценны.

...Модест Табачников родился в Одессе, в городе, где из каждого окна раздавались звуки скрипки, рояля или виолончели, в городе, где музыкальность считалась одним из важных достоинств мальчика. И именно мальчиком, в детстве, Табачников начал увлекаться музыкой. То он играл в духовом оркестре, то в оркестре народных инструментов при фабричном клубе. Это продолжалось до девятнадцати лет, пока он не поступил в Одесскую консерваторию, в дирижерский класс, и тогда основным его инструментом стал рояль.

Композитором же Табачникова сделала Великая Отечественная война. Именно во время войны написал он свою первую песню «Давай, закурим» — прекрасная лирическая запевка всего его песенного творчества. Она стала одной из самых популярных, она сразу легла на душу и легко выдержала испытание временем.

Успех всегда великолепный стимул к творчеству. И за годы своей композиторской деятельности Табачников написал большое количество разнообразных музыкальных произведений: оперетт, обозрений, музыки к драматическим спектаклям, к кинофильмам и песни, песни, песни.

Песни Табачникова всегда привлекали своей мелодичностью и гармонической структурой. В каждой из них есть особый, свойственный Табачникову стиль и, главное, широкая доступность. Они так и ложатся в память. Кто из вас не напевал про себя или в компании «Маму», «У Черного моря», «Нет, не забудет солдат»?

Трудолюбие Табачникова поразительно – он написал музыку к пятидесяти одному драматическому спектаклю, к семи кинофильмам, семь оперетт, он написал более двухсот тридцати песен! Дай бог ему сил и здоровья на дальнейшее такое же активное творчество!

Читатель подумает, что я потому так хвалю Табачникова, что он одессит. Возможно.

Матвей Исаакович Блантер был первым композитором, с которым я познакомился в жизни. Тогда не было еще джаза, не было массовых песен, а были в Москве два человека – Блантер и Покрасс. Мне кажется, что и до сих пор недостаточно оценено то, что сделали два эти композитора – основоположника, я говорю это смело и со всей ответственностью, советской песни.

О существовании на свете Блантера я узнал после того, как услышал необыкновенную по своему музыкальному построению и оригинальности изложения музыкальной мысли песню «Возле самой Фудзиямы». А потом, когда мы познакомились и сдружились и когда я начал «промышлять» этим сложным трудом, песнопением, Матвей Исаакович щедро снабжал меня своей звонкой продукцией. Тут были «Утро и вечер», «Штурвальный с «Марата» и действительно всесветная «Катюша».

А уж кому мы по-настоящему все обязаны – и композиторы, и поэты, и исполнители – так это Дмитрию Яковлевичу Покрассу, заложившему первый камень, то бишь первую ноту; в основание песенной страны. И как этот человек всегда понимал, что и когда надо написать? – «Марш Буденного», комсомольская песня «Дан приказ ему на запад», «Если завтра война», «Москва моя» – Покрасс всегда попадал в десятку, пуля в пулю.

Когда моя дочь была еще совсем маленькой девочкой, к ней на елку всегда приходило много сверстников. Среди других участников этого веселого праздничного действа был мальчик лет десяти, по имени Никита. Это был очень красивый мальчик, я бы даже сказал, необыкновенно красивый – светловолосый, лучезарно голубоглазый. Он уже недурно играл на рояле, умел всех смешить и даже сочинял музыку. Как-то он принес нам вальс, который назывался «Дита».

Я играл им на гитаре, пел песни, превращался в общем веселии почти в ребенка, но Никита относился ко мне почтительно и называл «дядя Ледя».

Прошло несколько лет, они стали девушками и юношами и называли меня уже по имени и отчеству.

Потом они стали молодыми людьми, Никита был уже музыкантом, композитором и называл меня просто «Ледя», правда, «на вы».

Потом я начал исполнять песни этого талантливого композитора, а у него поседели виски и он обрел право говорить мне «ты».

Вот что значит возраст, как он сглаживает разницу восприятий и отношений. И если бы сегодня Никита Богословский обратился ко мне «на вы» и по имени-отчеству, я бы подумал, что он на меня за что-то обиделся.

Этому композитору я обязан многими творческими радостями, потому что петь его песни «Темная ночь», или «Последний извозчик», или «Любимый город» — большое удовольствие. Равно как и слушать их.

Одно время меня даже упрекали в особом пристрастии к музыке Евгения Жарковского. Я никогда не отрицал этого пристрастия, потому что действительно пел много его песен: «Партизан Морозко», «Ласточка-касаточка», «Десять дочерей». Жарковский умел, да и сейчас умеет, писать хорошие песни, жаль, что я их с эстрады теперь уже петь не могу. Я не могу теперь воспользоваться творчеством многих композиторов, которые были так добры, что, написав песню, сразу приносили ее мне. Теперь они приносят свои песни другим певцам, а я, слушая эти хорошие песни, честно вам скажу, завидую.

Человек может прожить долго и не познать самого себя, не догадаться, на что он способен, какие огромные богатства таятся в нем. Делая изо дня в день одно и то же, он перестает верить в себя, ему начинает казаться, что на большее он не способен, и спокойно идет по узенькой дорожке. А услышав предложение свернуть на большую дорогу, он скромно отвечает: «Ну что вы, нет, она слишком широка для меня». Но иногда достаточно небольшого усилия, чтобы толкнуть его на эту дорогу. И тогда он сам и люди будут восторгаться его победным шагом.

Мне горько вспоминать замечательного композитора, создавшего множество чудесных песенных произведений, горько потому, что его уже нет, что он оставил нас слишком рано, когда огромный запас его творческих возможностей еще не был даже тронут.

Я говорю об Аркадии Островском.

Совсем юным он пришел в наш оркестр пианистом и аккордеонистом. С первых же дней меня восхищали его необыкновенная музыкальность, гармоническая изобретательность и неистощимая фантазия в аккомпанементном сопровождении как моего исполнения, так и других певцов нашего оркестра. В этом чувствовалась способность быть самостоятельным в творчестве. И мне было непонятно, почему этот человек, с такой чуткостью сопровождающий чужую музыку, не пишет своей.

— Ну почему ты не пишешь песни? — говорил я ему.

А он отвечал:

— Не умею.

— Не верю: Либо боишься, либо не хочешь.

Он все улыбался, отнекивался, и никакие мои усилия не могли заставить его попробовать себя в композиторском деле. Однажды, разозлясь, я сказал:

— Хочешь не хочешь, а я научу тебя писать музыку. — Он иронически засмеялся, но я не понял, к чему относилась его ирония — к моей самоуверенности или к его стойкости.

— Ну что ж, попробуйте.

— Ты умеешь быстро записывать мелодию?

— О, это я умею!

— Вот смотри, я кладу на рояль часы. Десять минут — и я сочиняю вальс и фокстрот. А ты только записывай.

Каждый из нас сделал то, что должен был по уговору: я сочинил, а он записал.

— Вот, — сказал я, — так сочиняется музыка. Раз — и все.

Сочиненные мною танцы отнюдь нельзя было причислить к большому искусству, но сейчас дело было не в этом. Мне надо было его расшевелить.

— Вот тебе стихи Илюши Фрадкина. Сделай на них музыку.

Он опять отнекивался, но я настаивал. И через два дня он принес мне свою первую песню — «Я демобилизованный». Я спел ее в нашем концерте, а потом она была записана на пластинку.

Вскоре он написал следующую песню — на стихи С. Михалкова «Сторонка родная». А там, как говорится, пошло и пошло.

Через некоторое время он пришел ко мне и сказал:

— Батя, мне очень нравится писать музыку. В том, что я это делаю, виноваты вы. А раз виноваты, то и пострадайте. Я ухожу из оркестра, чтобы ничто не мешало мне заниматься любимым делом.

И он стал профессиональным композитором. А мы лишились отличного пианиста. Вот так всегда, укажешь человеку путь и на этом пострадаешь. Но в данном случае — мне не жалко, я подарил его всем.

> «Пусть всегда будет небо,
> Пусть всегда будет солнце,
> Пусть всегда будет мама,
> Пусть всегда буду я!» —

поется в одной из лучших его песен. Но вот его-то как раз и нет. Но его песни будут жить всегда, пока люди не разучатся петь.

Певец, рассказывая о своей жизни, не может не говорить о композиторах. Об одних я писал подробно, о других сжато, о ком-то сказал несколько эскизных слов. Почему так? Бывает же, что перепоешь все песни композитора, а по-человечески жизнь с ним тебя так и не сведет. Встречаешься только на «производственной площадке», и он вспоминается тебе лишь своими мелодиями. Я, например, очень много пел песен Л. Бакалова, О. Фельцмана, Т. Марковой и многих других, а дружба нас почему-то обошла. Это всегда жалко, но что поделаешь, над многим человек еще не властен.

Арам Ильич Хачатурян! Я безмерно рад, что прикоснулся, хоть и не надолго, к его творчеству. Наш оркестр все почему-то считают только песенным. Это не совсем так. Мы исполняли и оркестровую музыку. Были у нас в репертуаре Глинка, Чайковский, Прокофьев, Дебюсси, Равель, Тихон Хренников, Дмитрий Шостакович, Арам Хачатурян. И вот тут я могу похвастаться – впервые «Танец с саблями» в эстрадной транскрипции прозвучал в нашем оркестре. Музыка к балету «Спартак» задолго до того, как он вошел в репертуар театров, впервые прозвучала тоже в исполнении нашего оркестра. Как я был горд, когда к нам на репетицию пришел сам Арам Ильич и одобрил нашу работу. Спасибо этому чудо-человеку и чудо-музыканту за дружбу, за творческую поддержку.

Как видите, моя картинная галерея не отличается обилием: здесь есть портреты, рисунки, зарисовки, наброски...

...Вот так поешь-поешь, да и задумаешься: а не странно ли, что взрослые, солидные люди занимаются песней, и не просто поют ее для собственного удовольствия, а сделали своей профессией, делом жизни, смыслом жизни. Ну действительно, не странно ли?

Что же это за явление такое – песня? Зачем она нужна? Кому и чему она служит?

Формула «песня – спутник человека» употребляется так часто, что давно уже стала банальной. И если искать образные слова о песне, то вряд ли скажешь лучше, чем это сделал Гоголь: «Что в ней, в этой песне? Что зовет и рыдает, и хватает за сердце? Какие звуки болезненно лобзаются и стремятся в душу, и вьются около моего сердца?» Вот как писал Гоголь о песне, сопровождающей русского человека от рождения до самой смерти. И слова его сами похожи на песню: «По Волге, от верховья до моря, на всей веренице влекущихся барок, заливаются бурлацкие песни. Под песни рубятся из сосновых бревен избы по всей Руси. Под песни баб пеленается, женится и хоронится русский человек. Все дорожное дворянство и недворянство летит под песни ямщиков. У Черного моря, безбородый, смуглый, со смолистыми усами казак, заряжая пищаль свою, поет старинную песню; а там, на другом конце, верхом на плывущей льдине, русский промышленник бьет острогой кита, затягивая песню». Вот что такое песня, вот кому она нужна, вот кому служит. Наше стремительное время требует лаконизма, и поэт Лебедев-Кумач выразил те же мысли одной фразой: «Нам песня строить и жить помогает».

Вся страна не случайно подхватила эти слова, эту песню и сделала ее своим символом, призывом, знаменем. Оказывая могучее воздействие на человеческую душу, песня может повести на подвиг, да не может, а именно ведет.

Поэтому какая же ответственность лежит на человеке, поющем песню. Какая ответственность лежит на тех, кто ее создает. Всегда ли мы это понимаем, всегда ли помним, всегда ли находимся на высоте нашего положения? Давайте же честно сознаемся – нет. К сожалению, нет.

Почему так?

Некрасов сказал одну фразу на века: «Поэтом можешь ты не быть, но гражданином быть обязан».

Расшифровав для себя эту мысль, мы скажем: артистом можешь ты не быть, певцом можешь не быть, но обязан быть гражданином. А если ты к тому же еще и пропагандист-артист, певец, поэт, то обязан быть гражданином вдвойне, втройне.

Замечательная французская певица Эдит Пиаф примерно ту же мысль выразила так: «Вы думаете, у нас мало молодых людей, умеющих петь песни? Их тысячи. Но дайте мне личность». Ах, как здорово сказано! И у нас много молодых людей, умеющих петь, но о многих ли можно сказать: «Он — личность»? Тоже, к сожалению, нет.

Популярность, даже самая широкая и шумная, еще не гарантирует появления личности. Тем более что популярность нынче приобретается легко и быстро: одно выступление на телевидении — и вас знают сто миллионов человек. До изобретения телевизора ни сразу, ни постепенно такую аудиторию собрать было невозможно. Для этого, даже если считать, что певец выступает триста шестьдесят пять дней в году и каждый раз его слушают две тысячи человек, нужно было бы прожить сто двадцать жизней. Если бы он начал петь, будучи неандертальцем, то как раз к сегодняшнему дню число его слушателей достигло бы ста миллионов. А сейчас молодой человек, овладевший элементарным мелодическим и поэтическим материалом, а главное, микрофоном и камерой телевидения, вмиг приобретает известность в огромной нашей стране, а то и в мире.

Да, получить популярность легко. Удержать ее трудно. И настоящие певцы по-прежнему редки.

Эта легкость вхождения в искусство песни коварна. Первый успех, возникающий, скорее, от благосклонного отношения к молодости, может создать впечатление возможности беззаботного существования на эстраде, необязательности поисков и труда. А без труда и поисков искусство чахнет, даже если человек обладает незаурядным дарованием.

Сейчас, как никогда, прекрасны условия для развития и даже расцвета исполнительского мастерства эстрадных певцов: фестивали в нашей стране и за рубежом, специальные телепередачи, посвященные молодым исполнителям, передачи, где ищут таланты, возникновение множества различных ансамблей песни рождают огромную потребность в певцах и требуют от них своеобразия.

Но чаще всего появляются певцы одной песни, одного сезона. Удача на каком-нибудь фестивале, два-три концерта, а потом он себя исчерпал и уходит в творческое небытие.

Как ни странно, для того чтобы петь — надо думать, а для того чтобы думать — надо видеть и жизнь вокруг себя во всей ее глубине и разнообразии, и то, о чем ты поешь. И не только видеть, а чувствовать, понимать, насколько одно соответствует другому. Это самый верный путь к уму и сердцу слушателей.

А разве так редки на эстраде отсутствующие глаза, разве мы не видим порой только иллюстрацию, изображение мысли и чувства или, что еще хуже, только заботу о том, как продемонстрировать красóты своего голоса или просто куда деть руки?

А ведь голос — это еще не пение и положение рук — не выражение чувств. «Страдивариус» — чудесная скрипка, но на ней нужно уметь играть. Хороший скрипач, играющий даже на среднего качества инструменте, будет всегда желанней плохого скрипача, играющего на «Страдивариусе». Я думаю, что голосом (отличными голосовыми связками) обладают очень многие. Помните продавцов мороженого в Одессе, о которых я рассказывал? Один кричал «Сахарно мороженое» на верхнем до, если у него тенор, другой брал соль, если у него был баритон. Но когда они начинали петь, то их пение замораживало ваше сердце не хуже, чем их мороженое – горло. Не случайно Герберт фон Караян отметил, что «в Италии много людей с прекрасными голосами, но в знаменитый оперный театр «Ла Скала» принимают певцов не столько по качеству их голоса, сколько по умению и манере хорошо петь. Бездарность остается бездарностью, даже хорошо озвученная».

Вы спросите: кто же настоящий эстрадный певец? Я скажу, не тот, кто выходит на эстраду исполнить песню. Такой певец – вроде инструмента. А тот, кто хочет людей своей песней чему-то научить, чем-то своим, сокровенным поделиться, помочь им в душевных невзгодах, разделить их радость, научить жить красиво, счастливо, гордо. Далеко не все певцы ставят перед собой такую задачу. И многие ищут не там.

Некоторые – их следует назвать эпигонами – охотятся за шлягерами, да еще такими, которые уже кто-то проверил на себе, нашел для них стиль исполнения, и пытаются на этом создать свое творческое благополучие. Для таких неважно, что петь, как петь. Шумные аплодисменты, похлопывание по плечу, похвала: «Молодец, Вася!» – предел их мечтаний.

С некоторых пор у наших молодых певцов появилась этакая развязная манера сценического поведения, «веселенькие ножки», двигающиеся непрерывно – надо и не надо – в приблизительном песенном ритме. Страстные пропагандисты и защитники такой манеры еще недавно утверждали ее гениальным открытием на века. Но теперь уже, слава богу, это поветрие начинает понемногу затухать. Натанцевались и успокоились. Ненавижу слово «мода» в применении к искусству. Искусство ведь не брюки – сегодня узкие, завтра широкие, не юбки – сегодня мини, завтра макси. Искусство слишком великое слово, чтобы опошлять его понятием «мода».

Искусство не должно быть модным, оно должно быть современным. Мода – мгновение. Современность – эпоха.

Может быть, многие беды эстрады происходят оттого, что она до какой-то степени жанр беспризорный. О ней вроде бы немало пишут, но чаще всего так же поверхностно и легкомысленно, какой нередко бывает она сама. Эстрада не может похвалиться большим количеством серьезной – методологической, систематической, научно-аналитической литературы о себе. Вот и хочется со всей сердечностью поблагодарить Юрия Арсентьевича Дмитриева, доктора искусствоведения, за то, что он так много внимания и творческих сил уделяет эстраде, любимому моему жанру.

Любая манера может быть принята в искусстве, если она к месту, если она глубже вскрывает то, о чем хочет рассказать художник. Танцуйте, если этого требует смысл и стиль песни, стойте строго и неподвижно, если песня говорит о значительных темах. Но не пускайтесь в присядку только потому, что все вокруг вас заходило ходуном.

Мне передавали, что, когда один известный певец исполнил «Сердце, тебе не хочется покоя», вихляясь и дергаясь, рабочий сцены сказал ему: «Вы это не трогайте, это для нас святое».

Многие ищут спасения в микрофоне. Вначале просто стояли рядом с ним, вцепившись в него руками. А теперь расхаживают с ним по сцене и тянут за собой кабель, часто с таким старанием, словно они бурлаки. Одни приноровились даже выражать при помощи кабеля свои эмоции, другие изобрели целую систему управления этим кабелем и борются с ним подчас, как со змеей. Впрочем, карикатуристы и фельетонисты уже подметили эти манипуляции.

А ведь до сорок первого года мы не знали, что это такое — микрофон. Он был нам не нужен.

Я пел на любых площадках, от самого маленького театрика до длинного, словно уходящего в бесконечность зала летнего театра «Эрмитаж», и на эстрадах в парках, где многотысячный зритель сидел прямо под открытым небом, и никто никогда не жаловался, что меня не слышно. Даже на фоне оркестра.

Что случилось? Почему теперь в самом небольшом помещении, стоит человеку выйти на сцену, заговорить или запеть своим голосом, как сейчас же начинаются выкрики: «Громче!», «В микрофон давай!» Кто виноват в этом? Наши голоса или уши зрителей? Думаю, одна из причин — громкие репродукторы. Они приучили нас к невниманию — все равно слышно! Когда не было микрофонов, люди собирали свое внимание и направляли его на сцену, оно у них было более острым, что ли. А теперь оно кажется каким-то рассеянным, размагниченным.

Ныне даже не верится, что во время стачек или в период революции ораторы, призывавшие людей к восстанию, к борьбе, выступая на площадях, говорили без всякого микрофона. Но все слышали их призывы и поднимались на борьбу. Можем ли мы представить себе оратора без микрофона во Дворце съездов или тем более на Красной площади? Но Ленин в Большом театре, на Красной площади, на площади Финляндского вокзала или с балкона дома Кшесинской выступал же без микрофона.

Ах, что случилось с нашими ушами! Мы стали плохо слышать. Немудрено, если три-четыре электрогитары способны заглушить целый оркестр. Отсутствие чувства меры творит свое черное дело и портит наши барабанные перепонки. Смотрите, как бы не оглохнуть совсем... Эстетически тоже.

Как это ни печально, микрофон обесценивает такое важное качество голоса, как его сила. Она становится ненужной, ибо естественная сила не может спорить с радиоусилением.

Мне пришлось быть однажды свидетелем странного и печального поединка.

Шел концерт в двух отделениях. В первом отделении выступала эстрадная певица с небольшим голоском. Конечно, она пела в микрофон, и казалось, что ее голос велик и силен. А во втором отделении вышел на эстраду оперный певец, обладатель не только красивого, но и сильного баритона. Первое, что он сделал, презрительно взял микрофон и унес его за кулисы. Потом встал в торжественную, даже, лучше сказать, торжествующую позу, кивком головы дал знак аккомпаниатору, тот сыграл вступление, певец широко открыл рот и... по сравнению с певицей из первого отделения он был почти не слышен.

Хорошо это или плохо – хотя что ж тут хорошего?! – но наши уши уже привыкли к усиленному звучанию.

Но если уж микрофон стал непременным атрибутом концерта, то сколько бы мы его ни ругали, он не исчезнет с эстрады. Певцам ничего не остается, как только помнить, что микрофон – партнер коварный. Оттого, что человек говорит в микрофон, его речь не делается ни красивее, ни умнее, она делается просто громче, но микрофон усиливает не только наш голос, но и достоинство и недостатки нашего исполнения, и даже... отсутствие выразительности. Я бы сказал, что микрофон – для талантливых, для тех, кто способен находить бесчисленные тонкости в произведении и кому важно донести эти тонкости до слушателей.

Но в микрофон или без микрофона – дело все-таки не в нем – важно, как и что ты поешь. Выбор – в любом деле – определяет человека.

Когда я думаю о самом сильном средстве воздействия эстрадного артиста – в каком бы жанре он ни выступал, – я вспоминаю двух наших своеобразнейших мастеров эстрады, в чем-то очень близких и совершенно противоположных, уникальных, – об Аркадии Райкине и об Ираклии Андроникове. Вот уж о ком даже смешно было бы сказать фразу, которую мы часто говорим в похвалу тому или иному артисту или певцу, их ни с кем не спутаешь.

За шестьдесят лет работы на эстраде я видел немало талантливых артистов, со многими из них судьба сталкивала меня, со многими бок о бок приходилось работать. Они приходили, уходили, оставляя о себе прекрасную память. Творчество многих из них сослужило хорошую службу развитию театрального и эстрадного искусства. Но вдруг среди людей оказывается человек, наделенный природой всем, что только может быть отпущено счастливцу – могуч, красив, умен, талантлив. Такие люди появляются время от времени, как говорится, раз в столетие. Ведь вот был же Федор Иванович Шаляпин. Красавец-человек.

Гениальный актер, великий певец, великолепный рассказчик, художник и скульптор — все было ему дано.

Может быть, у эстрады не было своего Шаляпина, но она тоже знала удивительно даровитых людей. Я несказанно рад, что на моих глазах появился, развивался и рос замечательный актер нашего времени — Аркадий Райкин.

Впервые я услышал о нем в конце тридцатых годов. Не помню, кто сказал мне:

— Знаешь, в Ленинграде появился мальчик, замечательный конферансье.

Я тогда не был этим особенно заинтригован — мало ли даровитых людей появляется у нас на эстраде. Но в тридцать девятом году я был членом жюри Всесоюзного конкурса артистов эстрады. Ежедневно мы просматривали множество более или менее талантливых артистов.

Обычно мы сидели рядом с Исааком Осиповичем Дунаевским, так как председательствовали по очереди. И, конечно, обменивались мнениями. Через несколько дней после начала просмотров я сказал Дунаевскому:

— Дуня, ты знаешь, у меня уже выработалась интуиция, я могу сказать, какой срок уготован на эстраде тому или иному артисту.

Не знаю, поверил ли Дунаевский моей прозорливости, но только после каждого выступления он спрашивал:

— Старик, это на сколько?

И я говорил: на два, на три, на четыре года — в зависимости от того, что подсказывала мне моя интуиция.

И вот на сцену вышел молодой человек с изящными движениями и какой-то осторожной улыбкой.

Он показывал разных людей: маленького мальчика, старого профессора, Чарли Чаплина, и каждый образ был сделан ярко, тонко и с удивительным своеобразием. Дунаевский снова наклонился ко мне:

– Ну а этот на сколько?

Не задумываясь, я ответил:

– Этот навсегда.

– Почему?

– Потому что все то, что он нам сегодня здесь показывает, – это только самое незначительное, на что он способен. И посмотри, как он ни на кого не похож, хотя и показывает Чарли Чаплина. Вот увидишь, это будет большой артист.

Как видите, я не ошибся.

В чем же сила райкинского искусства?

В таланте прежде всего и в неповторимом своеобразии – без этого вообще нет артиста. Конечно, и труд, труд упорный, бескомпромиссный, неутомимый. Райкин никогда не выносит на суд публики полуфабрикат – каждый его номер потому так и потрясает, что детали его до мельчайших мелочей отделаны.

Одно из самых неотразимых качеств его дарования – это необычное сочетание особого, райкинского юмора с человеческой скорбью. Глядя на Райкина, я всегда вспоминаю сцену Гамлета с могильщиками. В любом смешном образе Райкина есть что-то грустное. Он заставит пожалеть и дурака, потому что глупость это тоже несчастье.

Мы весело смеемся над его нравственными уродами, но как часто наш смех заканчивается грустной улыбкой. Наверное, все видели сцену, в которой врач ходит по квартирам, видели, смеялись и взгрустнули. Я плакал, ибо видел за этим якобы юмористическим образом трагедию хорошего, доброго, любящего людей человека.

Удивительно человечный актер Аркадий Райкин!

Неистощима его фантазия. Всегда неожиданно по форме воплощены его образы. И вместе с тем он постоянно не удовлетворен, в вечном поиске и творческих муках.

В каждом жанре есть свой знаменосец. Сегодня знамя эстрады несет Райкин. И это знамя в хороших, надежных руках, они его достойно передадут следующему поколению.

Нескольких артистов считает он своими учителями, хотя ни у кого из них непосредственно не учился, — Москвина, Тарханова, Щукина и, как ни странно, Утесова. Безмерно этим горжусь.

А Ираклий Андроников? Я был уже немолод, когда впервые встретился с этим удивительным человеком, прямо-таки синтетического содержания. Писатель, рассказчик, литературовед, ученый, исследователь — ведь дал же бог столько одному! И нет, наверно, человека, который, повстречавшись с ним, не попал бы под его обаяние, не влюбился бы в него. Ираклий Луарсабович Андроников — своеобразный ходячий музей словесных портретов, ходячая библиотека увлекательнейших рассказов о людях, с которыми сводила его судьба. Будет ли он вам рассказывать об Остужеве или Соллертинском, о Маршаке или Антоне Шварце — вы представите себе этих людей конкретно и ярко, может быть, даже ярче, чем если бы сами увидели их, потому что Андроников наверняка увидел в них больше нас с вами.

Его рассказы-показы не имитация, не пародия – это особые, лирико-юмористические, литературно-живописные портреты, изображения на которых никогда не застывают, не каменеют и одинаковы бывают только тогда, когда их воспроизводят техническими средствами – заснятыми или записанными на пленку.

Искусство Ираклия Андроникова столь соблазнительно просто, что, глядя на него, мне самому хочется выйти на сцену и делать то же самое, но, понимая, что это будет далеко от его совершенства, я глушу в себе коварный порыв.

Наверно, потому его искусство кажется таким естественным и доступным, что Ираклий Андроников изобрел для себя новый жанр – жанр собеседника. Одному человеку или сотням людей он рассказывает о своих встречах, о своих впечатлениях, как единомышленникам. И даже если вы не были его единомышленником за минуту до рассказа, вы тотчас же становитесь им, едва этот рассказ начинается.

Думаю, что двух этих примеров достаточно, чтобы убедиться, что настоящую победу на эстраде, впрочем, как и везде одерживает именно личность.

Вопрос о том, что такое хорошая песня, всегда вызывает споры. Это естественно. На него нельзя ответить однозначно. Некоторые считают, что хорошая песня – та, которую, все запели. Бывает и так. Но бывает и по-другому. И чаще – по-другому. Да, пели «Катюшу», пели «Подмосковные вечера», но пели и «Кирпичики», и «Маруся отравилась», и «Ландыши», и «Мишку», и сколько еще им подобных.

Почему так бывает? Причины разные. Но чаще всего – незамысловатые музыкальные обороты и текстовой материал быстро ложатся на нетребовательное ухо, проникают подчас в сентиментальное сердце — и зазвучало на всех перекрестках. Гвоздем засядет в мозгу, не отвяжешься. А в то же время другая песня, отличная, тонкая и по музыкальным и по литературным достоинствам, проходит не то что незамеченной, но ее исполняют только профессиональные певцы и музыкально подготовленные любители.

Например, мы все много раз слышали «Блоху» и восхищались ею, а «Застольные песни» Бетховена вроде бы самим названием предназначаются для компании. Но, однако, ни та ни другая массовыми песнями из-за сложности не стали.

Или взять хотя бы цыганский романс. Одно время он процветал на нашей эстраде. Потом забылся. А теперь опять входит в моду. В мое время чем более он был популярен, тем горячее его ругали. Музыковеды вообще требовали убрать его с эстрады. Я вам скажу, что настоящий цыганский романс исполнить очень трудно. И на высоком уровне его держали таланты Тамары Церетели, Изабеллы Юрьевой, Кэто Джапаридзе. Но это были отдельные яркие единицы. Больше было певцов средних и даже ниже средних. И вот тут мы уже встречались с тем, что называют «цыганщиной». Это явление много проще и примитивнее. Не случайно в это же самое время пользовалась популярностью пародия на цыганский романс.

Был и у меня такой трюк.

Я выходил на сцену и говорил, что сочинить цыганский романс несложно, для этого достаточно обладать слухом и некоторой способностью к импровизации. Что же касается текстов, то тут требования невелики. Романс можно написать на любую фразу.

Я брался это доказать и предлагал публике дать мне фразу по своему вкусу. Действительно, разные предложения неслись со всех концов зала. Я делал знак аккомпаниатору, тот давал мне в минорном тоне вступление, и я, без всяких усилий выбирая из огромного количества существовавших музыкальных оборотов что-либо подходящее, сочинял музыку. Если, конечно, это можно было назвать музыкой.

Однажды в «Эрмитаже» кто-то громким голосом крикнул мне:

– Утесов, не валяйте дурака.

Я сделал знак аккомпаниатору, и пока он давал мне отыгрыш, у меня был готов текст!

«Утесов, не валяйте дурака!
Ну, как же я могу его валять –
Ведь крикнули вы мне издалека,
И мне до вас руками не достать».

Публика просто загрохотала. Особенно смешно это прозвучало потому, что я пропел столь неожиданный куплет с густым цыганским надр-р-рывом.

Много песен спел я за свою жизнь и понял, что по-настоящему хорошей песня может быть по разным признакам, но одно правило обязательно: музыка и поэзия в ней должны быть равноценными.

Поэтов и композиторов часто упрекают в том, что они мало создают популярных песен. Но, во-первых, даже задачи такой ставить нельзя – кто скажет заранее, что завтра будет популярным, какие созвучия? Популярность – это лотерейный билет. Но даже на сверхбыстрой электронной машине нельзя заранее рассчитать выигрыш «Волги». А во-вторых, песен у нас создается много, но я думаю, что широко популярными могут сделаться одна-две песни в год. Тут есть какая-то скрытая закономерность. Почему так, честно говорю, не знаю, уж поверьте на слово мне, моему опыту.

Попробуйте когда-нибудь составить такую диаграмму: сколько новых песен за десятилетний период становится действительно массовыми, то есть поются и дома, и на улице, и в трамвае, и в гостях, на днях рождения и на свадьбах. Вы увидите, от десяти до пятнадцати, хотя существует в это время много больше. А потом попробуйте проверить, какие из этих десяти были достойны широкой популярности, а какие нет. И обнаружите, что высокое качество не всегда совпадает с популярностью. Я сам не раз убеждался в этом на личном опыте. Наряду со многими хорошими песнями я пел «С одесского кичмана». Популярность ее забивала все остальные, ее пели во всех дворах, подворотнях и подъездах, не было человека, который не знал бы ее, не пел бы ее и для друзей и себе под нос.

Некоторые утверждают, что в понятие хорошей песни должно входить и такое качество, как международная популярность. Категорически отрицать это вряд ли возможно, потому что этому есть примеры: «Эту песню запевает молодежь» А. Новикова, «Бухенвальдский набат» В. Мурадели. Да, эти песни звучат повсюду. Но это именно советские песни. В свое время нами был найден новый, особый стиль песни — советский. Он был принят народом, а теперь выходит и за рубежи нашей Родины. Упустить это своеобразие было бы непростительно.

У каждого народа есть своя музыкальная линия, какие-то свои словесные и музыкальные обороты.

Надо уметь сохранять это своеобразие, не поддаваться модным течениям, не пытаться кому-то подражать. Почему я глубоко уважаю французских певцов? Потому что, начиная от странствующих менестрелей и до сегодняшних шансонье, они утверждают в песне свой незыблемый французский стиль, свой вкус, свое поистине галльское очарование. Это может быть гражданская песня вроде «Слава семнадцатому», которую пел Монтегюс, или песня-новелла, может быть просто забавная шуточная, даже фривольная – французы здесь чужды ханжеского лицемерия, – но французскую песню вы сразу узнаете среди десятков других.

Полвека тому назад я слышал в Париже молодого Мориса Шевалье. В его репертуаре было немало подобных песенок. Но никто стыдливо не опускал глаза, ни у кого не возникала мысль обвинить Шевалье в развязности. Да это было бы просто невозможно. Все делалось им с таким изяществом, что попади на этот концерт воспитанница института благородных девиц, пожалуй, и она не была бы шокирована. Я бы рассказал вам сюжеты этих песен или даже лучше спел бы их, но в книге песня не слышна, да и боюсь, что у меня не получится так, как у Шевалье, и моралисты, которые блюдут нашу нравственность, останутся недовольны. Я только назову три песни. Одна – «Женский бюст» – песня рассказывала о воздействии возраста на его формы; другая – о послушном сыне, который всегда жил по маминым советам и даже в первую брачную ночь спрашивал у нее по телефону, что ему делать, а третья песня называлась «Что было бы, если бы я был девушкой?» – на что Шевалье сам отвечал: «Я не долго бы ею оставался». Казалось, что тут можно сделать, с этими сюжетами, особенно примитивно выглядящими в таком упрощенном пересказе. Но был ритм, была музыка, был Шевалье, и они превращались у него в житейские истории, несущие даже какую-то свою философию. За любым, самым «легкомысленным» сюжетом его песни проглядывала личность художника, да не проглядывала, она царила над тем миром, который творился в его песнях. Не случайно, когда Шевалье умер, президент Франции Жорж Помпиду сказал: «Его смерть для всех большое горе. Он был не просто талантливым певцом и актером. Для многих французов и нефранцузов Шевалье воплощал в себе Францию, пылкую и веселую». Этими словами президента республики смерть эстрадного певца приравнивалась к событиям государственного масштаба. Вот что значит личность художника!

Пропевшему на своем веку сотни песен, мне, может быть, как никому другому, видно, насколько умнее, интеллектуальнее, даже мудрее, чем, допустим, в тридцатые годы, стала современная песня, насколько внимательнее стала она к душевной жизни человека. Многие современные песни — это не песенки с запевом и рефреном, они приближаются к оперным ариям и философским монологам. И каждый певец, который выходит на эстраду, должен быть сегодня хоть немного философом — без этого он будет выглядеть старомодным, архаичным, примитивным.

Но сложное содержание требует и более тонких средств выразительности. И по своему музыкальному языку, по форме, по образному строю песня тоже усложнилась.

Примеров можно привести много. Это такие песни, как «Люди уходят в море» А. Петрова на стихи

Полистратова, «Нежность» А. Пахмутовой на стихи Н. Добронравова и С. Гребенникова, «Вьюга смешала землю с небом» А. Островского на стихи Л. Ошанина, «Журавли» Я. Френкеля на стихи Р. Гамзатова и многие другие. Они очень непросты в своем музыкальном языке, можно сказать, подчас изысканны, и без достаточной подготовки, без труда, без размышления не передать всей тонкости их музыкальной речи. Это не всегда под силу и профессионалам. А что же говорить о людях, вообще не имеющих музыкального образования, музыкальной культуры, да еще воспитанных на мелодиях простых, которые сами «вязнут в ушах». Хотя не надо думать, что песни эти появились вдруг. Их появление подготавливалось давно. Разве в песне композитора В. Сорокина «Когда проходит молодость» на стихи А. Фатьянова мы не слышим современной серьезности размышлений?

Вот отсюда, я думаю, и идет тревога по поводу того, что у нас в последнее время исчезает массовая песня. Но, может быть, не только сложность тому причиной. Тот, кто внимательно следит за развитием различных сторон нашей жизни, не может не заметить, что из нашего быта ушли, к сожалению, традиции массового пения. Я понимаю печаль людей, теоретиков и практиков, которые именно эту черту – массовость бытовой, лирической песни – считали важнейшей особенностью нового жанра, рожденного советским стилем жизни. Я сам был одним из яростных его пропагандистов. Но на процесс развития надо смотреть трезвыми глазами, смиряя свои личные эмоции и пристрастия.

Для тридцатых годов массовая песня была открытием, откровением даже – называйте, как угодно. Она была нужна, чтобы утвердить наш общий порыв, нашу монолитность. Но ведь жизнь-то на месте не стоит! Сегодня мы подходим к явлениям с другими мерками и с другими критериями. То, что когда-то казалось открытием, сегодня уже никого не удивляет. Совсем недавно слово «космос» было таким романтическим понятием, что просто дух захватывало, а теперь при его произнесении все чаще слышатся интонации деловые, оно становится рабочим словом.

Так и песня. Дунаевский! Блантер! Покрасс! – это была музыка нашей жизни, музыка энтузиастов, с ней учились, работали, боролись. Теперь у нашего труда иной, я бы сказал, более сосредоточенный ритм. И музыка нужна другая. И вот уж нам кажется, что те песни не столь богаты выразительными средствами, что это марши-бодрячки. Усложнилась наша духовная жизнь, и если старые песни все еще подкупают своей непосредственностью, то уже не могут выразить нас самих с достаточной полнотой.

Искать истоки нашей сегодняшней глубокой лирики надо в песнях Великой Отечественной войны. Именно в то время, перед великими испытаниями, начали мы себя по-настоящему продумывать, анализировать, понимать.

По этому пути осмысливания человеком себя самого и развивается наша песня, и я думаю, это верный путь развития. А то, что ушла массовая песня, что ж, недаром же говорится: новые времена, новые песни. Наоборот, было бы странно, противоестественно, если бы мы всё пели и пели то, что было сочинено сорок – пятьдесят лет назад.

То, что идут поиски новых форм, новых выразительных средств, все это закономерно, все это естественно. Песня – это ведь самое живое, самое подвижное в искусстве, это, я бы сказал, журналистика музыки — она и должна быстро схватывать новые интонации духовной жизни человека. Были одно время очень популярны так называемые «барды» и «менестрели», особенно у студенчества. Среди них было много сорняков, но были и интересные, по-настоящему творческие открытия. Мода на них схлынула, но я уверен, что какую-то свою интонацию они в общую нашу песню внесли. Ничто не проходит бесследно. И чем больше будет разных песенных жанров, тем лучше. Тем больше тонкостей нашей жизни будет отражено.

Да, песня может быть всякая — героическая, шуточная, романтическая, песня-анекдот. Важно, чтобы она помогала нам строить и жить, любить и преодолевать горести, шутить и смеяться, развлекаться и отдыхать, бороться с недостатками, высмеивать слабости, воспевать достоинства, мобилизовать себя на труд и на подвиг... А что, такую песню, пожалуй, иначе и не назовешь, как спутником жизни. Выражение банальное, но ведь оно не виновато, что точно и всеобъемлюще.

Конечно, у читателя возникает вопрос, а кто же из современных наших певцов нравится мне, человеку, отдавшему песне почти всю свою жизнь. Я могу сказать, что мне очень нравились и нравятся Георг Отс, Юрий Гуляев, Муслим Магомаев, Иосиф Кобзон, Лев Лещенко, Вадим Мулерман, Эдуард Хиль, Лидия Русланова, Клавдия Шульженко, Людмила Зыкина, и о каждом из этих певцов, достойно представляющих советское эстрадное пение, я мог бы сказать много хороших слов. Но мастерство движется вместе со временем, его нельзя приобрести раз и навсегда, приемы и манеры устаревают. Некоторые из названных мною начинали великолепно, но порой не всегда могли удержаться на достигнутых высотах, теряли над собой власть; есть и такие, которые до сих пор доставляют мне радость – не буду расшифровывать, что к кому относится, – подумайте и сами поймете. Иногда успех кружит голову, а это опасно для актера – по себе знаю. Дорогие друзья мои певцы, не забывайте время от времени посмотреть на себя со стороны, посмотреть строгим, критическим оком.

И не придавайте излишнего значения преувеличенным восторгам ваших поклонников. Я не раз и не два убеждался, что об одном и том же актере мнения могут быть настолько противоположные, что остается только руками развести. И часто, чем ярче актер, тем противоречивей о нем говорят. Встречались мне люди, отрицавшие даже Шаляпина. Они говорили: «Ну, ведь есть и лучше голоса в Мариинском театре! Меня Шаляпин не волнует». Кажется, в журнале «Жизнь искусства» был рассказан такой эпизод.

Шаляпин проходил по улице, а навстречу ему шел какой-то господин с дамой. Поровнявшись, он громко сказал своей даме, кивая на Шаляпина: «Дутая знаменитость». Он получил пощечину, и был даже судебный процесс. Господин оказался ювелиром, он не потребовал сатисфакции, а подал в суд на Шаляпина и удовлетворился двадцатью пятью рублями штрафа, взысканными с певца.

Другого спора я сам был участником. В поезде, среди прочих дорожных разговоров, зашел разговор о великих артистах кино. Я сказал, что ничего талантливее, великолепнее, артистичнее Чарли Чаплина нет. Мои соседки по купе, две пожилые учительницы, посмотрели на меня, как на чудовище.

– Боже мой, в своем ли вы уме? – сказала одна из них. – Как вам может нравиться этот отвратительный клоун? С этими дурацкими башмаками и походкой кретина?

Я был вне себя от возмущения, каюсь, наговорил им кучу дерзостей.

Когда на одной из остановок они выходили, я все-таки сказал им: «До свидания». Они же, не повернув головы, с каменными лицами прошли мимо, не ответив.

И еще один спор, когда все более популярным становился Райкин. О нем в то время много говорили, им восхищались.

Я обедал в ресторане гостиницы в Сочи. За соседним столом сидели два весьма пожилых человека, как я потом узнал, академики, с такими же пожилыми дамами, наверное, с женами. Они тоже говорили о Райкине. С каким презрением! Может быть, это было и бестактно с моей стороны, но я не выдержал и сказал:

— Как можно так говорить о Райкине! Это не просто артист — это явление в искусстве.

— Неужели он вам нравится? — удивился один из ученых.

Недавно в компании добрых знакомых снова возник извечный и нескончаемый спор о достоинствах и недостатках актеров, о том, кто лучше. И я рассказал все эти эпизоды, чтобы доказать бесплодность таких споров. Одна моя знакомая, очень культурная дама, посмотрела на меня и совершенно серьезно сказала:

— Все это так, но нет такого человека, которому мог бы не понравиться Михаил Водяной.

— А вдруг найдется? — не удержался я.

Много песен спел я на своем веку. Были среди них хорошие, были и плохие. Вы спросите, зачем я пел плохие — по самой простой причине: когда человеку нужны ботинки, а хороших нет, он надевает, что есть, – не ходить же босиком. Но какими бы они ни были, мои песни, – их было так много, что по их сюжетам мог бы составиться целый роман о разных периодах жизни человека, о разных человеческих судьбах. В этом «романе» много страниц отведено лирике, не только любовной, но и гражданской, там есть страницы, посвященные ратной славе народа, целые главы сатиры и юмора, пародии и шутки, они воспевают труд, романтику труда – без романтики и лирики я не мыслю своей жизни. И как же радостно мне было узнать, что «с песней Утесова» поднимался в космос Гагарин. Павел Попович на страницах «Комсомольской правды» рассказывал: «Потом я сказал ему, что объявлена часовая готовность. Он подтвердил, что понял, что все у него хорошо. Это был один из самых длинных часов моей жизни. Ход времени относителен не только по законам Эйнштейна, но и по законам человеческого сердца. Мне вдруг показалось, что другу там, в корабле, одиноко и грустно, и я спросил:

– Юра, ну ты не скучаешь там?

– Если есть музыка, можно немножко пустить.

Пошла команда:

– Станция... Дайте ему музыку, дайте ему музыку...

Я через минуту спрашиваю:

– Ну как, есть музыка?

– Пока нет, – с веселым сарказмом отвечает Гагарин, – но надеюсь, скоро будет...

– ...Дали про любовь. Слушаю Леонида Утесова...»

А вот запись в дневнике Владислава Николаевича Волкова, бортинженера первой в мире пилотируемой орбитальной станции «Салют», который велся во время космического полета, закончившегося так трагически: «20 июня. ...В 9 ч. 15 мин. все сели на связь слушать «С добрым утром», где должны были прозвучать по заявкам наши песни. Для меня исполнили «Нежность», для Виктора – «Как хорошо быть генералом». И кто только ее заказывал? Для Жоры, конечно, Утесов, об Одессе».

Песня для меня – это, как я уж говорил, мой интимный разговор со зрителем. Но не только. Это и какой-то ориентир в распознавании людей. На сцене я всегда стараюсь определить по тому, как принимают песни, что за публика сегодня в зале.

С меркой песни я и в жизни подхожу к отдельному человеку.

Городской транспорт, да еще в часы пик – не большое удовольствие, но мне в нем ездить интересно: городской транспорт – это и привычные и провоцирующие условия. Достоинства и недостатки людей – грубость, чванливость, хамство, как и благородство, широта души, доброжелательность проявляются там мгновенно.

В трамвае или автобусе, чтобы скоротать время, я играю в игру «угадайку», которая мне самому очень нравится. Я смотрю на человека и стараюсь определить, какую музыку он должен любить. Я понимаю, что этот анализ никогда не подтвердится прямыми доказательствами. Но когда неожиданность выводит человека из состояния транспортной отрешенности, тогда я могу ручаться за точность своих выводов.

Вы помните ту трамвайную историю с девушкой и украденным кошельком? Помните? Какую музыку может любить такая девушка? Тогда я еще не изобрел себе этой игры и на месте не проанализировал ее склонности. Но теперь я думаю, несомненно сентиментальную, мещански-трогательную, слезливую. Наверно, она приходила в восторг от песни «Маруся отравилась».

А вот наблюдения последних лет.

В вагон трамвая я вошел вместе с пожилой женщиной. Все места были заняты, и мы, чтобы сохранить равновесие, притулились у спинок сидений. На скамейке, у которой стояла женщина, сидел парень лет семнадцати-восемнадцати. Рядом стоял молодой лейтенант. Я видел, парень заметил женщину, но делал вид, что задумчиво смотрит в окно. Я взглянул на лейтенанта. Его добродушное курносое лицо блондина стало суровым.

Проехали одну остановку – мизансцена не изменилась: женщина стояла, парень сидел, лейтенант... Взглянув на него еще раз, я почувствовал, что внутренний драматизм сцены нарастает.

Проехали вторую остановку. Я заметил, как у лейтенанта заходили на скулах желваки от крепко стиснутых зубов. Вдруг глаза его вспыхнули и, обращаясь к парню, он крикнул:

– Встать!

Тот хоть и не смотрел на лейтенанта, но сразу понял, к кому относится эта неожиданная в трамвае военная команда.

– А что, что такое? – забормотал он.

– Встать! Уступи место женщине! Она мать!

Парень бормотал:

– Что? В чем дело?.. – и продолжал сидеть.

Лейтенант не сдержался и крикнул:

– Встань, блоха!

И, схватив его за воротник, приподнял с места. Парень возмущенно вскочил. Обратившись к женщине, лейтенант приветливо и даже как-то ласково сказал:

– Садитесь, мамаша.

Я удивился гибкости его голоса. Не так просто подавить в себе такое сильное возмущение и гнев и сразу после крика заговорить тихо и ласково.

Сзади кто-то одобрительно сказал:

– Вот это да!

Многие засмеялись. Парень, расталкивая всех локтями, быстро пробирался к выходу.

Наверное, этот лейтенант, думал я, любит песни романтические и о героях, веселые и в энергичном ритме. Ну, а что может нравиться парню? Крутит, конечно, записанные на рентгеновских снимках танцульки, музыку бездумную и пошлую, ничего не дающую ни уму, ни сердцу. А уж старушке по душе песни тихие, ласковые.

В другой раз я вошел с задней площадки в автобус. Было тесновато. Впереди меня стоял дородный высокий мужчина в шубе с дорогим меховым воротником и шапке бобрового меха. Шуба и шапка ни о чем не говорили, но чванливое выражение его лица всех осведомляло, что в автобусе он случайный пассажир, что у него персональная машина... в ремонте.

Впереди него стоял невысокий человек в потрепанном полутулупчике и видавшей виды ушанке. Он стоял спиной ко мне, и лица его я не видел.

Шофер включил скорость и неосторожно дал газ – автобус рванулся, все дружно качнулись назад. Человек в тулупчике тоже не удержал равновесие и налетел на соседа. А тот грубым, брезгливым тоном сказал:

– Ездят всякие пьяные.

Человек в тулупчике пояснил:

– Я, мил-человек, не пьяный, я старый.

Извинения не последовало.

В автобусе никто ничего не сказал, но осуждение повисло в воздухе. Почувствовав это, мужчина в бобровой шапке начал пробираться к выходу.

Я вдруг увидел его в компании, услышал, как он фальшиво и важно затягивает «Ревела буря, гром гремел», а потом с каким-то тупым оживлением быстро переключается на песню «Зять на теще капусту возил». Но этому оживлению не хватает, я бы сказал, высокого простодушия.

И я легко представил себе старика поющим на завалинке протяжную задушевную песню или какую-нибудь шуточную с подковыркой на деревенском застолье.

Нет, не случайно, не для показного глубокомыслия я говорю, что певец, особенно современный, должен быть философом, не случайно мы протестуем против «текста» и боремся за стихи для песен, не случайно считается, что певец поет сердцем столько же, сколько и голосом, если не больше; песня — жанр гибкий, быстрый, крылатый, чуткий, она выражает и сиюминутное настроение человека и всю глубину его натуры. Даже в том, что он любит петь, сказывается человек. Песня — душа времени. Она сохраняет нам самое тонкое, хрупкое, непрочное в истории — интонацию времени, его целеустремленность.

Песня стоит того, чтобы отдавать ей себя сполна.

Я ЗНАЛ, КОМУ ПОЮ

Ты нужен всем.

В этом счастье человека.

Артиста.

Моя жизнь отдана зрителю, и мой зрительный зал – это вся наша страна. Я могу так сказать не только потому, что изъездил ее вдоль и поперек, – это право дали мне и письма, которые приходили ко мне со всех концов необъятной нашей Родины. Их накопилось у меня несколько больших ящиков. Я получал их всю жизнь. Они начали приходить с тех пор, как я стал опереточным артистом в Ленинграде, и приходят до сих пор. После очередной премьеры или концерта по радио их количество значительно увеличивалось.

«Письма, – как сказал поэт, – пишут разные: слезные, болезные, иногда прекрасные, чаще бесполезные». Я думаю, что для артиста бесполезных писем не бывает. Даже если в них избитые слова поклонников – «кумир», «мечта», «идеал», «бог», – они подтверждение того, что твоим искусством взволновано еще одно человеческое сердце.

Правда, в молодости, когда столько планов и замыслов требует осуществления, когда времени не хватает и ты разрываешься на части, их количество приводило меня порой в отчаяние, даже раздражало: ведь на них надо было отвечать, больше того, надо было что-то делать – ибо они содержали в себе самые разнообразные просьбы, заставляющие куда-то звонить, что-то доставать, кому-то посылать. Одному с этим справиться было невозможно, и мне помогала моя семья.

А письма действительно были разные, написанные почерком старательно ученическим или небрежным, убористо или размашисто, каллиграфически или коряво, тщательно или наскоро, письменными или печатными буквами, порой просто с типографской ровностью. Это были письма коллективные и индивидуальные, написанные литературно и безграмотно, вдохновенно и сухо, деловито и лирично, в стихах и в прозе. Это были письма озабоченные, ободряющие, забавные, смешные, нелепые, серьезные, шутливые, бесцеремонные, нахальные, злобные, оскорбительные, обидные, трогательные, нежные, негодующие – и нет для меня на свете ничего дороже этих писем, писем моих зрителей. Со временем я понял, какое это богатство. Для меня это документы эпохи. И думаю, не только для меня. Не надо специально смотреть на дату – по их стилю, настроению, точке зрения тотчас же почувствуешь, к какому периоду нашей жизни то или иное письмо относится.

Вот, например, записка, переданная мне во время концерта: «Мы, группа рабочих завода Кр. Треугольник, Кр. Заря, Кр. Путиловец, шлем Вам, подлинному пролетарскому артисту, наш пролетарский привет! Мы далеки от мысли посылать вам живые цветы, т. к. это буржуазная манера, а мы выражаем Вам свою благодарность простым пролетарским спасибо».

В каждом письме — характер автора. Уж одним этим они могут быть ценны: сотни характеров, стремлений, состояний, желаний, просьб — стихийный автопортрет народа. Этот портрет всегда был передо мной — я знал, кому пою.

Эти письма мне симпатичны еще и потому, что в них встречается немало забавного, хотя авторы об этом вовсе не заботились.

Забавность начиналась чаще всего уже с адреса. Адреса на конвертах бывали самые неожиданные, и в них тоже выражалось отношение автора к адресату. Большинство конвертов было, конечно, оформлено по всем правилам: город, улица, дом, квартира, имя, фамилия. Но одесситы писали на конвертах «Одесскому консулу в столице Леониду Утесову»; те, кто не знал адреса, полагались на почту и прямо обращались к ней: «Почтальоны города Москвы, прошу передать письмо Утесову Леониду»; некоторые писали просто «Москва, Леониду Утесову», а то и вовсе без города «Леониду Утесову», иногда уточняли: «Большой театр. Утесову», «Союз писателей», «Справочное бюро», «Театр Утесова», «Композитору Утесову», «Комитет искусств», или «Самому веселому артисту», «Самому популярному певцу», один раз даже «Профессору». Иногда стояла пометка «Заказное и важное». Некоторые письма из Москвы были посланы в Одессу, откуда они снова возвращались в Москву и тогда уже попадали ко мне.

Любопытно, после того как телевидение показало фильм «С песней по жизни», а в нем кадр с двухэтажным домом в Трехугольном переулке Одессы и номер дома, по этому адресу, но только в город Москву, стали приходить пачки писем. Но так как такого адреса в Москве нет, то письма приходили все-таки ко мне. Но и в одесский Трехугольный переулок, дом 11, пришло около сотни писем из Москвы и других городов.

Я приношу искреннюю благодарность почте за то, что эти письма всегда меня находили, даже если я на них назывался «Леонид Сергеевич» или «Леонид Николаевич».

Потому и были разными эти письма, что писали их разные люди: рабочие и школьники, военные и учителя, бухгалтеры и колхозники, инженеры и строители, полярники и геологи, люди без определенных занятий и даже заключенные.

Много писем приходило от самодеятельных коллективов и участников самодеятельности, которые сообщали, что «на смотре будут петь песни только из «Веселых ребят», просили совета, как лучше поставить концерт, составить оркестр, исполнить ту или иную песню, подобрать репертуар, просили выслать ноты, слова песен, пластинки, помочь обзавестись музыкальными инструментами. На эти письма я всегда отвечал, как мог, помогал, радуясь тому, что столько повсюду любителей стремятся овладеть искусством исполнения как можно профессиональнее. Многие просили прослушать их, дать совет, как развивать свой талант, помочь поступить учиться в музыкальную школу, взять в свой джаз. «Здравствуй, дядя Леня! Мне шестнадцать лет, я играю на саксофоне в уфимском кинотеатре «Яналиф» в составе джаз-оркестра из тринадцати человек. Хочу я поступить в музыкальный техникум, но не принимают, потому что нет класса саксофона. Вообще все старые музыканты в техникуме считают джаз вредом человечества в нашей стране.

Я этому не верю, дядя Леня, не может этого быть. Жалко, что нет у меня учителя, я сам узнал пальцовку и научился играть.

Дядя Леня, я сам из Куйбышевского детдома, потому что у меня нет родителей. Саксофона я своего не имею. С горем пополам купил кларнет. Возьмите меня к себе. Прошу вас своей детской душой, чтобы вы сделали из меня мирового саксофониста».

Писем с просьбами выслать слова, ноты, пластинки – сотни. Многие жалуются, что ничего этого в их городе или селе до сих пор достать невозможно. «Пришлите, отец так любит «Раскинулось море широко». Военный врач с Сахалина писал мне до войны, что у них там нет даже радио – «Прошу прислать парочку пластинок, хотя бы с трещинкой». «Чаще исполняйте песни, – пишут моряки, – а то мы ходим и насвистываем «Часы пока идут», а дальше, чем «маятник качается», не запомнили». «Возродите «Бороду», не слышал ее с сорок восьмого года».

Дорогой Леонид Осипович!

Я очень жалею, что меня не было в Москве, когда праздновался Ваш славный юбилей. Я жалею, что не смог лично поздравить Вас с получением высокого звания. Разрешите мне сделать это сейчас – хоть и с запозданием, но от всей души, искренне поздравить, выразить Вам свое глубокое уважение и восхищение Вашей деятельностью – талантливой и принципиальной, всегда направленной на благородную цель – не просто сделать веселее жизнь человека, но самого человека сделать лучше.

В своих частых беседах с молодежью о легкой и серьезной музыке я всегда обращаюсь к Вам, как к союзнику в борьбе против всяческой чепухи и пакости, против неумного подражания заокеанским божкам, против бесстыдно-неуважительного отношения к своему, отечественному.

2 мая 1965, Москва

Крепко жму Вашу руку и шлю Вам свои самые добрые пожелания.

С искренним уважением *Д. Кабалевский*

Просьб исполнить по радио ту или иную песню всегда было очень много. 19 ноября 1937 года мне принесли домой радиограмму: «В редакцию Последних известий радио. 21 ноября отмечаем полгода дрейфа. Очень просим через радиостанцию имени Коминтерна вечером организовать концерт замечательного джаза Утесова с его новейшим репертуаром. Перед концертом желательно услышать выступления наших жен. Сердечный привет. *Папанин, Кренкель, Ширшов, Федоров*». На другой день после нашего выступления с Северного полюса пришла еще одна радиограмма: «С волнением и радостью слушали вас, наши закопченные физиономии улыбались поистине очаровательно. Большое спасибо, горячий привет искрящемуся ансамблю. *Папанин, Кренкель, Федоров, Ширшов*».

И в мирное время, а особенно во время войны много писем приходило от военных. Они сообщали мне впечатления от концертов, просили исполнить ту или иную песню, прислать слова, написать заметку во фронтовую газету. Особенно дороги для меня такие, например, сообщения: «Одессит Мишка», — написал один майор, — заставляет разить врага наповал оружием, нет оружия — руками, перебиты руки — зубами». Бойцы другой части сообщали, что «Одессита Мишку» и «Барона фон дер Пшик» солдаты называют «утесовскими минометами». Третьи пишут: «Мы приравниваем ваши пластинки к статьям Эренбурга, которые никогда не позволяем себе раскуривать». А разве не драгоценно такое письмо: «Когда я был на фронте, — писал солдат уже после войны, — у меня на груди был ваш портрет, он был мне так же дорог, как фотографии возлюбленной и родных».

Во множестве писем мои слушатели сообщали мне самые разные сведения: свое мнение о моем исполнении и репертуаре, события своей и моей жизни. Например: «Весь Ленинград поет те песни, которые поете вы»; или: «Александр Павлов из Ленинграда устраивает вечера звукозаписи эстрадной музыки, у него есть такие ваши пластинки, о которых вы и сами не помните». Рассказывают о своих семейных радостях и горестях, удачах и неудачах, заботах и болезнях. Один парнишка жалуется, что у него никого нет и ему некому писать, поэтому он будет писать мне. «Дочь степей Мария Прохорова» делится своей тоской и сообщает, что «в пустыне нет никакой природы» и она «жаждет приехать в Москву». Передают, что Ботвинник назвал фильм «Веселые ребята» «лучезарным фильмом». Жалуются, что я «очень дорого беру за билеты». Негодуют и воспитывают: «Я простой рабочий и удивился, узнав, что есть люди с капиталистическими замашками — гонятся за деньгами, жадны до без конца на деньги»; и уточняет — «это вы». Прислав мне доплатное письмо, он, наверно, хотел перевоспитать меня или заставить разориться. Юноша, только что окончивший школу, предлагает дружить, хотя и понимает разницу в возрасте: «Еще когда учился в школе, хотел с вами познакомиться, но не решался». Рассказывают историю Дерибаса, в честь которого названа улица в Одессе. Один лихой парень признается, что в своей компании он «много и красиво хвастал, врал, как был вашим шофером — но все только хорошее, складно заливал, приобретая у ребят авторитет. Извините за баловство». Поздравляют: «Народного артиста поздравляем званием заслуженного деятеля искусств».

Профессор Тарле – это письмо 1933 года – рекомендует мне использовать произведения Беранже и выражает уверенность, что у меня это хорошо получится. Открывают все новых и новых авторов песни «Раскинулось море широко», и мне уже начинает казаться, что авторов у этой песни больше, чем «детей лейтенанта Шмидта». Одесситы уведомляют: «Одессу не покоришь «Кичманом», она все это знает». Рабочий Кольчугинского завода спрашивает: «Почему вы все играете в Москве, Ленинграде и других крупных городах. Вы по духу близки рабочему классу, и клубы у нас теперь хорошие».

Немало писем приходило с различными предложениями, просьбами, а то и требованиями. «Я шесть раз смотрел фильм «Веселые ребята». Потрудись написать песню, когда сидишь на суке́». «Товарищ Утесов! Почему вы никогда, сколько бы вас ни просили, не исполняете свои песни на бис. Это немного высокомерно... Почему-то стахановцы на производстве выполняют в несколько раз свои нормы...» Утверждают, что «ария Синодала из «Демона» сама напрашивается на джазовую аранжировку, и вряд ли даже Рубинштейн был бы шокирован Вашей интерпретацией».

Большинство просит, как я уже говорил, пластинки, некоторые сразу оптом: «Пришлите патефон и двадцать пластинок». Один мальчик, которому родители не купили инструмента, попросил подарить ему аккордеон, который, он видел, подарили мне в передаче «В гостях у Утесова». Ученику 4 «А» класса хочется увидеть Москву, метро, Музей Революции, Музей Ленина, цирк и зоопарк. «Все это я видел только на картинках. Люблю песни, которые ты поешь с твоей дочкой Эдит. Помоги посмотреть Москву, пришли рублишек 80...» И еще: «Для приезда в Москву, не требуем, а если есть, пришлите 1000...» (потом один нолик зачеркнули). «Дайте в долг пятьдесять тысяч рублей. Каждый год буду отдавать по тысяче – сколько тысяч, столько лет». Попадаются и вовсе бесцеремонные субъекты: «В часы досуга я и мой кореш пришли к мысли обратиться к Вам за советом... куда поехать в отпуск... мы решили приехать к Вам... в нашем обществе истинных пролетариев вы вспомните свою молодость». «Мне нужно решить вопросы личного характера. Приеду к вам в гости – без приглашения. Чтобы быстрее приехать – пришлите денег». Один просит «пару копеек тряпчонки купить и за квартиру заплатить за полгода», а другой – «на постройку печки и краски, покрасить двери».

Но вообще просьбы были самые неожиданные. Приглашают быть постоянным членом совета музея искусства и литературы в Никополе; просят адрес и фотографию Людмилы Зыкиной; старушка умоляет объявить по радио, что банка малинового варенья, которую она обещала попутчику, – «уж вас-то он всегда услышит», – ждет его; учащиеся горьковского профессионально-технического училища приглашают в гости, солдаты просят исполнить песню Клима из фильма «Трактористы»; специальной телеграммой просят: «Из вашего личного фонда дайте двадцать билетов на ваш концерт, на который мы уже два года не можем попасть», зовут в крестные отцы. Многие присылают стихи для песен и исполнения с эстрады, сопровождая их иногда советами. Например, песню о борьбе за мир «попробуйте с джазом на мотив танго. Перед первой строчкой желательно два искусственных выстрела, а после второй один». Поэт спрашивает, брать ли ему «псевдониум А. Есенин», старый рижский музыкант пишет: «Убедительно прошу вашего распоряжения... ищу комплект струн для знаменитого рояля... а здесь не знают откуда навита и докуда навита»; убеждают: «живу абсолютно на синкопах и не могу на дальше переносить то, что я имею на сегодняшний день... и прошусь к вам в джаз»; «Мне стало известно, что у вас в каждом курортном городе по курорту — прошу взять меня хозяйственником». «Просил бы вас не искушать свое величие симфониею, не то положите на свою память неблагодарность». Иногда просьбы поддерживают угрозами: «Извиняюсь за ваше беспокойство. Ваше молчание затрагивает мое самолюбие. Я такая гордая со всеми, а вам пишу третье письмо... Будь тяжелое под рукой, я бы в вас запустила... Если не получу ответа, кину камнем прямо в Мюзик-холле».

Слушатели поддерживали меня душевным словом.

«Дорогой Леонид Осипович! На днях я слушал вас по радио, передавали песни военного времени, и я никак не могу освободиться от мысли, что вы, видимо, и не представляете себе, какой подвиг вы совершили в те грозные годы. Так чтоб вы знали об этом — я вам пишу. И может быть, оттого, что песен было много и все сразу, я, слушая, ощутил их, как что-то огромное материальное, на что можно надежно опереться. Ваши песни в тот день заполнили и душу и все вокруг, отчего мне было и радостно, и грустно. Хорошо, что вы были, есть и всегда будете с народом».

Постепенно письма сделались моей насущной потребностью. Мне казалось, что у меня есть постоянный многоликий собеседник, который постоянно помогает мне в работе. Например, вначале, когда я выступал по радио, мне казалось, что мой голос, уходя в эфир, бесследно рассеивается, не достигая людских сердец. Я, актер эстрады, привыкший видеть глаза людей, не ощущал своих слушателей. Но когда я читал о тишине в кубрике, в землянке, в комнате общежития, о том, как шикают на шумно входящих во время моего пения, я словно бы сам начинал проникаться этой обстановкой, чувствовать ее, под нее подстраиваться.

Благодаря этим письмам я всегда и постоянно чувствовал особое единение с людьми моей страны, мне казалось, что их мысли, желания, заботы, надежды пронизывают меня, пропитывают мою жизнь. Это ощущение внимательных глаз никогда меня не оставляло, ни на сцене, ни в жизни, и помогало чувствовать себя частицей огромного целого. Мне даже не надо было ждать рецензий с оценкой каждой новой работы, я сразу же узнавал мнение зрителей непосредственно от них самих. И понятие «артист принадлежит народу» постепенно становилось для меня благодаря этим письмам самым что ни на есть конкретным, практическим, буквальным, а не какой-то риторической фигурой.

Нередко можно слышать жалобы: уходит, дескать, человек от своего дела – и его забывают. Это обидно, это поистине горько. Но меня миновала чаша сия – и этим я счастлив. Уже много лет не выхожу я на сцену, а письма продолжают приходить, их по-прежнему много. И часто пишут люди, душевные контакты с которыми у меня установились десятки лет назад, пишут те, кто писал мне еще детьми, а теперь у них у самих дети.

«Дорогой Леонид Осипович! Пишу письмо вам второй раз в жизни, через 35 лет. В 1931 году меня, одиннадцатилетнего мальчишку, отец впервые взял на концерт теаджаза под вашим управлением (насколько я помню, он был именно под вашим управлением, а не руководством). С тех пор я заболел Утесовым навсегда, и это, наверно, наследственное, ибо мои дети так же горячо любят вас и ваше сердечно-душевное мастерство и искусство. Я тогда же стал заниматься музыкой с приятелем, мы учились и через пять лет стали неплохо играть на струнных инструментах, устраивая концерты во дворе. Конечно, большинство номеров в программе занимали номера вашего репертуара. И вот в 1937 году мы возомнили себя уже достаточными мастерами, для того чтобы поступить к Утесову в оркестр, о чем прямо и написали вам в письме, изъявив готовность немедленно приступить к работе с вами. Когда мы получили от вас ответ (ваше письмо я хранил, как реликвию, и оно было со мной на фронте и во время одного из моих ранений оно пропало), мы были огорчены содержанием — вы советовали нам еще упорнее учиться, поступить в музыкальное училище и что, только став всесторонними мастерами, мы сможем играть в оркестре — нам было обидно, и мы оба забросили музыку совсем. Но потом рассудили, что вы были правы, и взялись за учебу по музыке, и приятель мой так и пошел по «музыкальной части», играл в духовом оркестре, затем много лет в джазе при кинотеатре в Ленинграде. И хотя моя жизнь пошла по другому пути, сугубо немузыкальному, любовь к музыке осталась навеки».

Или вот еще подобное письмо (оно пришло из деревни Телятенки Тульской области):

«Здравствуйте, Леонид Осипыч! Здравствуйте многие годы! Мне много лет, но я, грешник, всю свою жизнь люблю джазовую музыку, получив любовь к ней из ваших рук. Люблю ваши простые песенки, простые, но такие понятные и очень нужные людям, ну вот, например: «И тот, кто с песней по жизни шагает, тот никогда и нигде не пропадет!» Я часто думаю о вас: вот так вы с песней и прошли по жизни, с песней, которая нужна была людям, и как только я услышу что-нибудь утесовское по радио, так бросаю лопату или грабли и внимательно прослушаю ваше исполнение. А в общем, спасибо вам за то, что вы пели для нас, украшая нашу жизнь, помогая бороться с трудностями, коих немало выпало на нашу долю, причем всяких».

Автор интересной книги по физике «Смотри в корень!», Петр Васильевич Маковецкий, однажды подаривший мне эту книгу, пишет:

«...с тех пор вышло еще два русских издания и одно украинское, и каждое из них я с радостью послал бы вам. Но меня удерживает то, что это все-таки физика, а не музыка. И хотя украинское издание написано на очень музыкальном языке, но украинскому языку до одесского все-таки далеко. В этом году выйдет болгарское издание, и тогда я, наверно, не удержусь и вышлю вам, чтобы похвастаться перед вами своим первым выходом на мировую арену... Извините, что я все о себе да о себе. Это я отчитываюсь за пятьдесят лет жизни».

Некоторых все еще «мучают» практические вопросы, и они хотят уточнить факты многолетней давности, видимо, это до сих пор имеет для них какое-то значение:

«Много лет тому назад, в 1926-м как будто году, я дважды был в театре, который, помнится, назывался «Свободным», — в Ленинграде. (Был я тогда еще студентом.) Посмотрел театрализованного «Менделя Маранца» и старую-старую чудесную комедию «Поташ и Перламутр». В первой вы, Леонид Осипович, играли, разумеется, самого Менделя. Во второй одну из двух забавных ролей. Я хорошо помню финал «Менделя», в котором вы говорите дочери и зятю: «Вы, молодые, станцуйте фокстрот, а мы, старики, конечно, вальс». Так вот, дорогой Леонид Осипович, вы это были или не вы? Ошибаюсь я или в самом деле рад был вашей игре еще 46 лет тому назад?»

И конечно, по-прежнему приходят письма, утверждающие непреходящую власть песни над человеческим сердцем, над памятью:

«Примите мой горячий, дружеский привет... Поздравляю вас, черноморского запевалу, человека от «до» и до «до», морского, сильного и всеми нами любимого. Если мы вспоминаем юность огненных лет, то вспоминаем вас... вспоминаем те минуты между боями, когда вы пели по заявкам. С праздником вас, дорогой моряк. С днем рождения Советской Армии и Флота».

«...Все и так помнят вас, любят и никогда не забудут ни песен, ни их исполнителя. Мы ровесники вашего джаза. Ваши песни сопровождают нас с детских лет...»

...Чувствовать, что ты нужен людям, — разве не в этом счастье артиста и человека?

СВИДАНИЕ С ОДЕССОЙ ПОСЛЕ ДОЛГОЙ РАЗЛУКИ

Я вижу Одессу глазами воспоминаний.

Я вижу ее снова.

И снова влюблен.

Я долго не был в Одессе. Честно говоря, с некоторых пор я боюсь туда ездить: идешь по улице, а к тебе подходят молодые люди, которых, пожалуй, еще не было на свете, когда ты уже уехал из Одессы. Ничтоже сумняшеся, они обращаются с тобой за панибрата, не считая нужным заметить, что некоторым из них ты годишься не только в отцы, но и в деды.

И вот, после войны я все-таки снова на одесских бульварах, набережных, улицах. С волнением узнаю заветные места — вот здесь, по этой улице, бегал в училище Файга, на этом углу ожидал гимназистку Адочку и, почтительно шагая рядом, боялся прикоснуться к ее руке, вот здесь я нырял и даже два раза тонул. А вот она, колыбель моего актерства — Большой Ришельевский театр! В Одессе шутили, что этот малюсенький театр назван большим, чтобы его не спутали с «малым» одесским оперным театром.

Итак, вот она, моя Одесса, город моего детства, моей юности, я вижу тебя и глазами воспоминаний и глазами чужестранца, и снова убеждаюсь, что ты не можешь не нравиться, ни детям твоим, ни гостям.

Сегодня вечером в Городском театре у меня концерт. Я выхожу на сцену, и у меня застревает комок в горле. Земляки, со свойственным им темпераментом, встречают меня, и я готов расплакаться от счастья. Мне приходится приложить немало усилий, чтобы начать концерт. И весь вечер у меня полное взаимопонимание с публикой.

Я выхожу из театра и уже мечтаю, как доберусь до гостиницы, поужинаю и лягу в постель, но спать не буду, а еще раз, теперь уже мысленно, переживу свое свидание с городом. А потом усну и буду спать так крепко, как спится только в родном городе.

А утром – снова на бульвар, под голубое небо, к синему морю, которое почему-то зовется Черным. Нет, черт возьми, жизнь прекрасна и удивительна!

Я сажусь в машину, но едва шофер трогается с места, как вдруг из темноты прямо на фары бежит женщина.

– Стойте, стойте! – кричит она. Шофер притормаживает, она подбегает к дверце, открывает ее, тычет в меня пальцем и спрашивает:

– Вы Утесов?

– Да, – удивленно говорю я, – а что?

Она поворачивается в темноту и кричит:

– Яша! Яша! Иди сюда!

И сейчас же из темноты выныривает мальчик лет восьми. Она хватает его, толкает к машине и, снова тыча в меня пальцем, говорит:

– Яша, смотри, – это Утесов. Пока ты вырастешь, он уже умрет. Смотри сейчас!

У меня срывается с языка не очень вежливое слово, и я захлопываю дверцу.

Здравствуй, моя наивная Одесса!

Я добираюсь до гостиницы, есть мне не хочется, я с трудом выпиваю чашку чая. Ложусь в постель и долго не могу уснуть. А потом сплю тревожно и без всякого удовольствия. Утром выхожу на бульвар... На небе серые облака, море действительно почернело, и настроение какое-то кислое. А все эта ночная тетка со своим Яшей! Испортила мне всю музыку.

Но долго грустить Одесса не даст, я уверен. Уж обязательно она меня чем-нибудь развлечет. В надежде уже веселей гляжу по сторонам.

Сегодня десятое сентября. Скоро двадцать лет со дня освобождения Одессы. Я рад, что в эти дни я здесь.

Одесса! Моя Одесса! Как блудный сын я возвращаюсь к тебе каждый раз, мама.

Я иду по платановому туннелю Пушкинской улицы. Я вижу тебя, я слышу тебя, мой чудесный город, – город-герой, город-весельчак, город-красавец. У меня всегда растроганное настроение, когда я встречаюсь с тобой.

Гляжу, слушаю, восхищаюсь и смеюсь. Вот она, Дерибасовская. На углу Преображенской огромный плакат: «Гастроли Государственного эстрадного оркестра РСФСР под руководством и с участием народного артиста РСФСР Леонида Утесова». Под плакатом на тротуаре сидит человек. Испитое лицо, хитрые глаза, улыбка. Перед ним на земле шапка. Хриплым голосом он кричит:

– Граждане, подайте, кто сколько может, на выпить за нашего дорогого Леонида. – Большой палец энергично указывает на стоящий за его спиной плакат. Своеобразный бизнес – в Одессе ничего не пропадает.

Иду дальше. Гляжу налево, гляжу направо. Меня и радуют и печалят изменения. Печалят, потому что они уносят с собой воспоминания, радуют, потому что изменения означают жизнь.

Вот здесь был магазин, где продавались ноты, несколько ступенек, по которым – помните? – сбежав, я сбил генерала и от страха промчался сквозь Одессу со скоростью взбесившегося оленя – ведь это могло стоить каторги.

Сейчас здесь магазин минеральных вод. Как не зайти. Кстати, мне хочется пить.

— Бутылку боржома можно?

Продавщица. Что-о?

— Одну бутылку боржома.

Продавщица *(презрительно)*. Сейчас я вам нарисую.

— А где можно достать?

Продавщица *(зло)*. Не ломайте ноги.

По-московски это означает: не ищите, не найдете. Мне больше нравится по-одесски.

Я снова разглядываю тебя, Одесса. Ты и такая, ты и другая. Вот Соборная площадь. Здесь когда-то стоял собор, окруженный чахлыми деревцами. Сейчас здесь чудесный парк. Густой, зеленый. И когда он успел вырасти? — Ах, как быстро летит время!

А вот и городской сад. Здесь мы играли в модную игру «казаки-разбойники». Сад был чахлый и «разбойникам» было трудно скрываться. Сейчас здесь зелень так густа, что в ней может спрятаться целый полк.

За городом новые районы. Они так же не похожи на старую Одессу, как новые районы Москвы на старую Москву. Деловито, удобно, широко. И достаточно однообразно.

Люди тоже изменились.

Жизнерадостность, юмор, музыкальность, общительность — все эти типичные признаки одесситов остались. Но появилось и нечто новое: новая гордость за свой город. Чувствуется эдакое: да, мы умеем смеяться и петь, но мы умеем и воевать, если надо.

Я восторгаюсь тобой, дорогая Одесса-мама, и перо хочет без конца рисовать твой сегодняшний облик. Ты вовсе не стара, мама! Наоборот, ты помолодела. Постарел только я.

ПРОДОЛЖЕНИЕ
СЛЕДУЕТ...

Юбилей – не самый приятный день в жизни.

Особенно семидесятилетний.

Но жизнь хороша, несмотря на невзгоды.

Когда мне было семь лет, я спросил у матери, сколько лет дяде Ильюше – был у нас такой знакомый.

– Сорок, – сказала она.

У меня даже голова закружилась. Неужели можно столько жить? Оказалось, что можно даже больше. Как ни трудно в это поверить, мне самому уже больше восьмидесяти.

А все-таки, много это или мало? Ах, ей-богу, как смотреть. Ведь в различные периоды жизни время воспринимается по-разному. От рождения до совершеннолетия я жил долго-долго. А от совершеннолетия к возмужалости время заметно набирало темп. От возмужалости до солидности, мне кажется, что оно бежало, а от солидности и по сегодняшний день мчится – не удержать. И чем быстрей оно мчится, тем, кажется, короче жизнь. Так что и в космос не надо улетать, чтобы почувствовать на себе эйнштейновскую теорию относительности. Может быть, он и открыл ее, вот так же почувствовав однажды несоразмерность бега времени и жажды жизни?

«Проходит год, как день,
То длится день, как год,
И, оглянувшись, можно убедиться,
Что время то ползет,
То медленно идет,
То будто слишком быстро мчится.

С рождения до двадцати
Года ползут, несмелые,
А с двадцати до тридцати
Они идут умелые,

Вот с тридцати до сорока
Бегут, как ночи белые,
А с сорока и далее
Летят, как угорелые.

Когда года твои ползут.
Ты прыгаешь и бегаешь,
Зато, когда они идут,
Шаг в ногу с ними делаешь.
Когда ж они начнут бежать,
Тебе ходьба – забота.
А начинают пролетать,
Тебе сидеть охота.

И как бы способ нам найти,
Чтоб в ногу с временем идти?»

Но в восемьдесят лет человек может заставить время повернуть назад – в своих воспоминаниях. В прошлую жизнь возвращаешься, как в какую-то фантастическую страну, и порой невольно начинаешь удивляться: Господи, неужели все это было! И со мной!

Но однажды время для меня как бы остановилось — это было, когда я в семидесятый раз отмечал день своего рождения.

Обычно думают, что юбилей — это самый приятный момент жизни. То есть, конечно, момент приятный: тебе расточают щедрые похвалы, тебя превозносят, у тебя отмечают массу достоинств, все клянутся тебе в любви и уважении и вообще открывают в тебе так много хорошего, что если у тебя есть совесть, то ты непрерывно краснеешь, что, впрочем, принимается за признак благодарного волнения.

Юбилеи могут безоговорочно нравиться только тем, кто самую восторженную похвалу себе воспринимает как истину. Это счастливые люди! Но для тех, кто всю жизнь прожил в сомнениях относительно своих возможностей, — юбилеи мучительно трудны.

Однако хочешь ты или не хочешь, но однажды, вдруг тебе исполняется семьдесят лет и на тебя обрушивается юбилей. И тогда друзья, собрав твои истинные и сомнительные достижения, в этот вечер всё без исключения возводят в превосходную степень. Говорят и доказывают, какой ты распрекрасный, а ты сидишь и думаешь: братцы, дорогие, почему же вы мне все это раньше не говорили, когда мне это было так нужно в трудную минуту, а выдаете все сразу, в один день. Ах, если бы вы все это равномерно, на протяжении всей моей жизни выдавали маленькими порциями, честное слово, я бы по сей день был и бодрее и моложе, а главное, здоровее.

Все это я перечувствовал и пережил, когда мне вот уже поистине стукнуло семьдесят, пятьдесят пять из которых я «вертелся в различных плоскостях сцены» (так много лет назад выразился один мой критик), вызывая то восторг, то неудовольствие, а то и сатирическое осмеяние.

Но в этот торжественный, многолюдный и многословный вечер ни о каком неудовольствии, а тем паче сатирическом осмеянии и речи не было – я получил огромную порцию хвалебных слов. И чувствовал себя ублаженным, смущенным, а иногда и недоумевающим.

Но была на этом вечере одна счастливая и незабываемая, поистине прекрасная минута – с нее он и начался, – когда министр культуры Екатерина Алексеевна Фурцева огласила указ о присвоении мне звания народного артиста Советского Союза. – Это был первый случай в нашем многострадальном жанре. Неожиданность этой награды так меня поразила, что я незаметно для всех глотнул таблетку валидола.

Профессор Павел Александрович Марков, Илья Набатов, Зиновий Гердт, Аркадий Райкин... Хотя в их речах мои заслуги и достоинства были сильно преувеличены – остроумие и выдумка скрашивали этот недостаток.

Порадовали меня и дорогие одесситы. Их посланцы Михаил Водяной и Аркадий Астахов – ведь надо же додуматься! – привезли мне четверть... стеклянную четверть Черного моря, привезли мне баллон одесского воздуха и, наконец, привезли мне, что бы вы думали? – фаршированную рыбу.

Я слушал, старался запомнить все шутки и острые словечки и думал, какое счастье, что у меня столько друзей, что все они у меня такие добрые, щедрые, талантливые, а главное, остроумные – с ними и семидесятилетний юбилей можно пережить весело.

Конечно, волнение помешало мне запомнить все их остроты и розыгрыши, но и тут нашлись догадливые люди, они записали этот вечер на пленку и подарили ее мне. По ней-то я и могу восстановить теперь тот фонтан, тот поток остроумия, который изливался тогда на меня из переполненного зрительного зала Театра эстрады.

Я слушал моих серьезно-шутливых ораторов и почему-то думал о том, как годы уносили с собой беспечное и легкое отношение к искусству только как к источнику радости, как постепенно появилось и нарастало самое тревожное из чувств — чувство ответственности. Вспоминал, как удивляли меня, мальчишку, старые мастера, которые перед выступлением производили впечатление мучеников — не отвечали на вопросы, злились, если к ним кто-нибудь заходил в уборную. Чуть позже я их жалел, а с годами стал все больше понимать, ибо и сам испытывал то же.

Что это — трусость? неуверенность в себе? боязнь посмотреть в глаза зрителю? Да все вместе взятое, но главное — чувство ответственности, то есть обязанность не опуститься ниже того уровня, которого ты уже достиг, наоборот, хоть немного, но подняться выше, дать чуть больше того, чего от тебя ждут, к чему привыкли. Обязанность перед кем? — Прежде всего перед самим собой.

Перед каждым выступлением во мне с некоторых пор гвоздем сидела мысль: а справлюсь ли я со зрительным залом, поведу ли его за собой? А вдруг я не сумею заставить зрителя вступить со мной в сотрудничество?

Воображаемые тревоги всегда страшнее подлинных. В те дни, когда я выступал, я не жил: не ел, не мог ни с кем разговаривать, все меня раздражало, мне хотелось лечь в постель, свернуться калачиком и уснуть, чтобы избавиться от этих мук.

С каждым годом все труднее становилось совладать с этим волнением. Я с завистью смотрел на тех, кто перед выходом вел спокойные беседы, смеялся, а по знаку помощника режиссера, как ни в чем не бывало, выпархивал на сцену.

Ах, научиться бы и мне смотреть на свои выступления, как на нечто совершенно обыденное. Может быть, потому и охватывает такая лихорадка, что до сих пор каждое выступление для меня – событие.

В тот миг, когда я стою за кулисами и готовлюсь переступить заветную черту, отделяющую меня от зрителя, – волнение подкатывает к самому горлу. Мучительное мгновение! Но вот шаг сделан – я вижу глаза людей, я ощущаю их доброжелательство, их ожидание – и, Боже, как мне сразу делается хорошо, я словно выздоравливаю после тяжелой болезни, силы удесятеряются, хочется жить, петь, отдавать себя людям. И если бы не эти часы счастья перед зрителем, единения с ним – я бы не смог выдерживать мучительное ожидание нашей встречи.

Может быть, вначале я потому не знал этих страданий, что был актером театра и выходил на сцену в роли, в образе кого-то, а не сам по себе. У актера есть много помощников – он укрыт от зрителя «четвертой стеной», у него есть партнеры, пьеса, сюжет, у него есть грим и костюм. Все это как бы оберегает, защищает его на сцене.

У артиста эстрады есть только один партнер, но у этого партнера тысячи глаз и сердец. И если артист эстрады не разрушит четвертую стену – это будет означать его провал. Потому и наступало для меня облегчение с первым шагом на сцену, что мне всегда удавалось ее разрушить. Счастливые минуты жизни!

От этих минут трудно отказаться. Но однажды наступает время... Возможно, ты еще имеешь право делать свое любимое дело, никто тебе еще не напоминает про годы, еще говорят о твоих силах и душевном огне... Такие слова приятно слушать – ты их слушай, наслаждайся, даже упивайся ими, если хочешь, но помни главный завет артиста: со сцены лучше уйти на пять лет раньше, чем на пять дней позже. Постарайся, чтобы тебе хватило на это сил.

Эти юбилейные мысли не прошли даром. Вскоре я перестал выступать с оркестром, оставшись его художественным руководителем. Многие зрители до сих пор никак не хотят с этим смириться, не могут согласиться с тем, что моя фамилия стоит на афише, а сам я на сцену не выхожу. Но ведь никто не протестует, когда в Государственном ансамбле танца, художественным руководителем которого является Игорь Моисеев, сам он на сцене не появляется, и никто не требует, чтобы Надеждина выходила в хороводе «березок». Но мне пишут и пишут письма с выражением неудовольствия. Неужели я не имею на это права?

И как это все-таки печально – иметь такое право! Я понимаю моих зрителей, пусть и меня они поймут. Я бы и сам хотел выходить на сцену всегда. Но об этом тоже трудно, неловко говорить прозой...

«Проходит все, я это твердо знаю.
И радости, и горести, как мимолетный сон.
Я в зеркало гляжу и наблюдаю
Неумолимый времени закон.

Он бороздит лицо, меняя очертанья,
Он серебрит виски порошей седины,
Сурово брови соединены,
Глаза уже не те,
но те еще желанья».

«Знаю, юность прошла,
Но зачем эти думы
В мою голову лезут и сердце волнуют?
То они веселы, то печально угрюмы,
Налетают, как шквал, или тихо волну льют.

Словно солнечный диск закрывается тучей,
Словно друга улыбка тоскою покрылась,
Словно гладкий мой путь вдруг взметается кручей,
И спокойная жизнь стала жизнью кипучей.

Может быть, оттого, что промчалися годы?
Чья-то юность чужая стоит у порога?
Ну, а жизнь хороша, несмотря на невзгоды, —
Было много невзгод, но и радости много».

* * *

«Машина подана, водитель — баба. Злится.
В руках ее коса — судьбы не изменить.
Нет, я не вызывал, но знал, она примчится
И скажет: «Я за вами, хватит жить».

А счетчик щелкает, уже за семь десятков
Нащелкал он. А я все не иду.
Ищи меня, шофер. Давай сыграем в прятки:
Найдешь — возьмешь. А не найдешь — поймешь,

Что мне здесь хорошо, что для меня отрада
Петь песни для людей. Живу я неспроста.
Ну, погоди, шофер, не торопи, не надо,
Пусть счетчик щелкает, еще хотя б до ста».

* * *

«Взрастают новой жизни семена,
Я вижу светлую судьбу моей отчизны.
Мне нужно, чтоб со мной была она,
Ведь без отчизны нету смысла жизни.
Мне старости не нужен ореол,
Мне нужно молодеть, не быть на иждивении,
И если смело до восьмидесяти дошел,
Хочу идти в обратном направлении.
А с жизнью договор такой я заключу:
До коммунизма смерть пускай меня забудет,
А там уж проживу я сколько захочу,
Поскольку по потребностям все будет».

«Прекрасно детство, юность хороша,
А зрелость – мыслей созреванье.
Все эти стадии пройди ты не спеша
И знай, что старость хороша,
Когда сильно твое сознанье
И силу юности сменяет сила знанья».

Содержание

Литературно-художественное издание

ЛЕОНИД ОСИПОВИЧ УТЕСОВ

С ПЕСНЕЙ ПО ЖИЗНИ

Главный редактор *Владимир Вестерман*
Редактор *Кирилл Винокуров*
Оформление вклеек *Александр Щукин*
Компьютерная верстка *Виктория Челядинова*
Корректор *Надежда Александрова*

Подписано в печать 18.11.08. Формат 60x90 1/16.
Усл. печ. л. 31,0. Тираж 3 000 экз. Заказ № 949и.

Общероссийский классификатор продукции
ОК-005-93, том 2; 953000 – книги, брошюры

Санитарно-эпидемиологическое заключение
№ 77.99.60.953.Д.009937.09.08 от 15.09.2008 г.

ООО «Издательство АСТ».
141100, Россия, Московская обл., г. Щелково, ул. Заречная, 96
Наши электронные адреса:
WWW.AST.RU E-mail: astpub@aha.ru

Издательство «Зебра Е»
121069, Москва, Скатертный пер., 28
Тел. (495) 695-38-88
E-mail: zebrae@rambler.ru

ОАО «Владимирская книжная типография»
600000, г. Владимир, Октябрьский проспект, д. 7.
Качество печати соответствует качеству предоставленных диапозитивов